géographie

2^{de}

CW00922280

SOUS LA DIRECTION DE
Serge Bourgeat et Catherine Bras

AUTEURS
Pascal Baud
Agrégé de géographie, lycée Champollion, Grenoble

Serge Bourgeat
Agrégé de géographie, lycée Édouard-Herriot, Voiron

Catherine Bras
Agrégée de géographie, lycée Édouard-Herriot, Voiron

Caroline Calandras
Agrégée de géographie, lycée Joffre, Montpellier

Camille Girault
Maître de conférences en géographie, université Savoie Mont-Blanc

Alain Joyeux
Agrégé de géographie, lycée Joffre, Montpellier

David Méchin
Agrégé d'histoire-géographie, lycée du Cheylard

Florian Nicolas
Agrégé d'histoire-géographie, lycée Pierre-Bourdieu, Fronton

Bertrand Pleven
Agrégé de géographie, ESPE université Paris-Sorbonne

Nathalie Reveyaz
Agrégée de géographie, académie de Grenoble

Céline Vacchiani-Marcuzzo
Maître de conférences HDR en géographie,
université Reims-Champagne-Ardenne, UMR Géographie-cités

© Belin Éducation / Humensis, 2019.   ISBN 979-10-358-0211-0
170 bis, boulevard du Montparnasse, 75680 Paris cedex 14

Géographie 2de (48 heures)

Programme au BO du 22 janvier 2019

Environnement, développement, mobilité : les défis d'un monde en transition

« Le monde contemporain se caractérise par de profonds bouleversements qui s'inscrivent dans l'espace : croissance démographique sans précédent, accentuation des écarts socio-économiques entre les territoires, prise de conscience de la fragilité des milieux et accroissement des mobilités. Si les grands repères spatiaux et les grandes lignes de structuration des espaces perdurent, les équilibres et les modèles connus sont mis en question. L'environnement, le développement et la mobilité apparaissent comme des défis majeurs pour les acteurs et les sociétés du monde actuel, même s'ils sont à appréhender de manière différente selon les contextes territoriaux. En effet, en dépit des tendances générales et des dynamiques partagées, les espaces et les sociétés ne sont pas uniformisés : il convient de comprendre la diversité de leurs trajectoires et de leurs modes de développement.

Pour ce faire, la notion de transition est mobilisée pour rendre compte de ces grandes mutations. Elle est déclinée à la fois à travers l'étude des évolutions environnementales, démographiques, économiques, technologiques et à travers l'étude des mobilités qui subissent les influences de ces évolutions. Cette notion de transition désigne une phase de changements majeurs, plutôt que le passage d'un état stable à un autre état stable. Elle se caractérise par des gradients, des seuils, et n'a rien de linéaire : elle peut déboucher sur une grande diversité d'évolutions selon les contextes. Elle prolonge et enrichit la notion de développement durable, que les élèves ont étudiée au collège. La transition est une clé d'analyse des grands défis contemporains, à différentes échelles, plus qu'un objectif à atteindre. Elle permet d'analyser la pluralité des trajectoires de développement, tout en interrogeant la durabilité des processus étudiés. »

Thème 1 Sociétés et environnements : des équilibres fragiles (12-14 heures)

Questions	– Les sociétés face aux risques. – Des ressources majeures sous pression : tensions, gestion.
Études de cas possibles	– Le changement climatique et ses effets sur un espace densément peuplé. – L'Arctique : fragilité et attractivité. – La forêt amazonienne : un environnement fragile soumis aux pressions et aux risques. – Les Alpes : des environnements vulnérables et valorisés.
Question spécifique sur la France	– La France : des milieux métropolitains et ultramarins entre valorisation et protection.

Thème 2 Territoires, populations et développement : quels défis ? (12-14 heures)

Questions	– Des trajectoires démographiques différenciées : les défis du nombre et du vieillissement. – Développement et inégalités.
Études de cas possibles	– Les modalités du développement en Inde. – Développement et inégalités au Brésil. – Les enjeux du vieillissement au Japon. – Développement et inégalités en Russie.
Question spécifique sur la France	– La France : dynamiques démographiques, inégalités socio-économiques.

Thème 3 Des mobilités généralisées (12-14 heures)

Questions	– Les migrations internationales. – Les mobilités touristiques internationales.
Études de cas possibles	– La mer Méditerranée : un bassin migratoire. – Les mobilités d'études et de travail intra-européennes. – Les États-Unis : pôle touristique majeur à l'échelle mondiale. – Dubaï : un pôle touristique et migratoire.
Question spécifique sur la France	– La France : mobilités, transports et enjeux d'aménagement.

Thème 4 conclusif L'Afrique australe : un espace en profonde mutation (8-10 heures)

Questions	– Des milieux à valoriser et à ménager. – Les défis de la transition et du développement pour des pays inégalement développés. – Des territoires traversés et remodelés par des mobilités complexes.

Notions et vocabulaire à maîtriser à l'issue de la classe de seconde :

– Acteur, mondialisation, territoire, transition (notions transversales à l'ensemble des thèmes).
– Changement climatique, environnement, milieu, ressources, risques.
– Croissance, développement, développement durable, émergence, inégalité, population, peuplement.

Les capacités du programme dans le manuel

Réaliser des productions graphiques et cartographiques

Réaliser un croquis de synthèse	p. 82	Les espaces exposés aux risques majeurs
Réaliser un croquis à partir d'un texte	p. 88	La vallée de l'Arve à Chamonix : entre pureté et pollution
Réaliser un croquis à partir d'un texte	p. 170	Les dynamiques du peuplement en France métropolitaine
Construire un schéma cartographique	p. 240	Carte de la diaspora indienne
Faire un schéma à partir d'une image satellite	p. 243	Roissy-Charles-de-Gaulle, un hub aéroportuaire et une plate-forme multimodale
Construire un schéma cartographique à partir d'un texte et d'une carte	p. 246	Le nouvel échangeur de Borderouge sur le périphérique de Toulouse, un aménagement local élaboré par différents acteurs
Réaliser un croquis à partir d'un texte	p. 282	Alimentation et agriculture en Afrique australe

Construire une argumentation géographique

Rédiger une réponse à une question problématisée	p. 80	Des grands foyers de peuplement inégalement vulnérables aux risques ?
Organiser une réponse à une question problématisée	p. 84	Les inégalités face à l'eau dans le monde
Rédiger une introduction et une conclusion	p. 248	Des mobilités internationales généralisées
Répondre à une question problématisée	p. 284	L'Afrique australe : un espace en profonde mutation

Procéder à l'analyse critique d'un document

Comprendre un cartogramme	p. 81	Les émissions de gaz carbonique dans le monde
Confronter un texte et une carte	p. 83	La pollution ordinaire : une catastrophe globale ?
Prendre en compte le contexte géographique pour analyser des documents	p. 85	Le Colorado, un fleuve sous pression
Analyser une caricature	p. 87	L'impact des voitures électriques sur l'environnement
Confronter une photographie et un texte de géographe	p. 163	La place des SDF dans les espaces urbains en France
Analyser un cartogramme	p. 164	Les inégalités de richesse dans le monde
Analyser une affiche	p. 165	Les acteurs et les buts du planning familial au Bénin (Afrique de l'Ouest)
Analyser une caricature à partir d'un texte	p. 241	Les migrations haïtiennes en Amérique du Nord
Analyser deux documents complémentaires	p. 242	La diversité des mobilités internationales des Français et leurs motivations
Analyser des photographies d'époques différentes	p. 244	La presqu'île de Cancún (Mexique)
Confronter une carte et un texte	p. 280	Vers une réduction des inégalités avec l'émergence de classes moyennes ?

Utiliser le numérique

Utiliser une carte interactive pour analyser un phénomène	p. 86	Un accès inégal à l'énergie
Effectuer une recherche sur Internet	p. 162	Analysez les résultats fournis par un moteur de recherche Internet pour une requête sur la politique de la ville en France
Utiliser un SIG pour faire un schéma	p. 168	Les dynamiques démographiques et les inégalités socio-économiques dans une grande ville française

Se préparer à l'oral

Réaliser une interview	p. 90	Sujet libre
Organiser les informations d'un dossier documentaire pour l'oral	p. 166	La transition alimentaire, reflet d'un inégal développement
Préparer un exposé	p. 172	Sujet libre
Préparer une sortie sur le terrain	p. 250	Sortie autour d'un aménagement au choix

▶ VOTRE MISSION

Vous venez d'être nommé(e) par l'ONU pour établir un rapport sur les «défis d'un monde en transition». Concrètement, votre mission est de repérer des lieux caractéristiques des bouleversements qui touchent la planète : bouleversements environnementaux, démographiques, économiques, migratoires... Il s'agira aussi de voir si la France est concernée par ces mutations.

Pour cela, vous parcourez le monde à l'aide de votre manuel à la recherche de 10 destinations réparties sur les 5 continents :
- Un territoire touché par une catastrophe* liée à un risque combiné* et ayant fait preuve d'une forte résilience*
- Un territoire fortement touché par le changement climatique global*
- Une région du monde peu peuplée où s'exerce une forte pression sur les ressources*
- Un pays en pleine transition démographique*
- Un pays fortement marqué par le vieillissement* de sa population
- Un pays où la transition urbaine* est très avancée
- Un pays marqué par de fortes inégalités de développement
- Un espace migratoire important, témoin d'une transition vers les mobilités*
- Une ville française développant des mobilités douces* pour favoriser une transition environnementale*
- Un territoire marqué par une très forte fréquentation touristique

> Aidez-vous du sommaire **pages 2-3** pour trouver les chapitres utiles.

> Pensez à utiliser le lexique **page 286**.

> L'itinéraire doit être le plus direct possible, pour limiter l'empreinte carbone.

▶ **Commencez par choisir les étapes de votre mission d'étude à l'aide du manuel.** Vous pouvez aller en France à plusieurs reprises.

> Veillez à répartir les lieux sur différents continents

▶ **Placez-les sur un planisphère et tracez votre itinéraire** : vous partirez de votre lycée et arriverez au siège de l'ONU en ayant visité tous les sites retenus.

> Dans quelle ville est-il situé ?

FOND DE CARTE

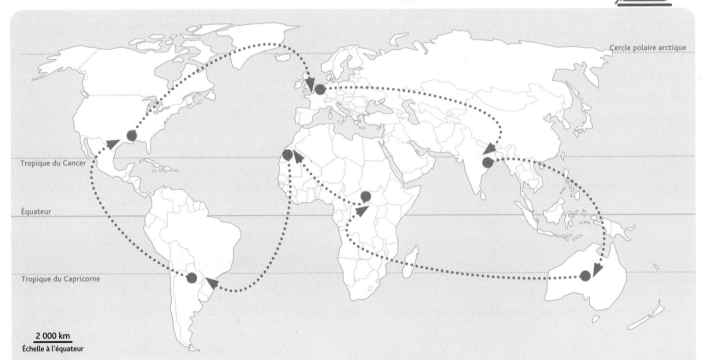

Cercle polaire arctique

Tropique du Cancer

Équateur

Tropique du Capricorne

2 000 km
Échelle à l'équateur

DÉCOUVREZ les grandes notions du programme !

La notion-clé du programme de Seconde **TRANSITION**

Transition : Phase de changements majeurs qui se traduit par le passage d'un état à un autre,
par exemple du point de vue démographique (transition démographique), environnemental (transition environnementale)...

**Quelques-unes des phases de transition
que vous allez étudier cette année :**

**Transition
environnementale
(page 42)**
Des énergies fossiles...
aux énergies renouvelables

**Transition
démographique
(page 108)**
Des pays en forte croissance
démographique...
aux pays qui vieillissent

**Transition
urbaine
(page 114)**
De l'Inde rurale ...
à l'Inde urbaine

**Transition
vers les mobilités
(page 220)**
De mobilités rares...
à l'hypermobilité

Sociétés et environnements

Comment le document montre-t-il la coexistence de risques et de ressources sur un même territoire ?

Le site thermal « Blue Lagoon », alimenté par les eaux chaudes de la station géothermique

des équilibres fragiles

ISLANDE

Les interactions entre les sociétés et leurs environnements sont multiples et complexes. En Islande par exemple, le volcanisme est un risque majeur, pouvant paralyser tout le pays. Mais il peut être relativement maîtrisé, pour devenir à la fois une ressource énergétique et touristique grâce à la géothermie.

Études de cas

Arctique p. 14

Alpes p. 18

Bangladesh p. 10

Forêt amazonienne p. 22

questions Monde

question France

DONNÉES PAYS

Chaîne de l'Himalaya
BANGLADESH

Comment le Bangladesh fait-il face au changement climatique global ?

Selon plusieurs études, le Bangladesh serait le pays le plus vulnérable au changement climatique, devant l'Inde et Madagascar. La situation de ce territoire de 168 millions d'habitants est d'autant plus critique qu'il est également confronté à d'autres aléas* et qu'il s'agit d'un PMA*.

A Pourquoi une telle vulnérabilité* au changement climatique ?

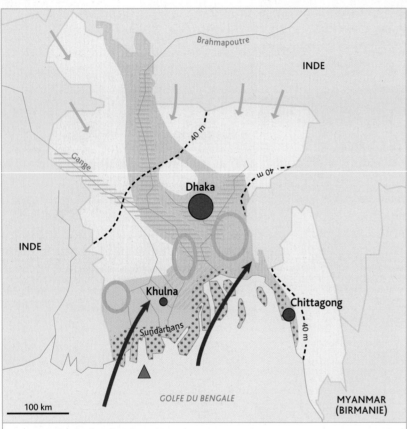

1. Des enjeux liés au peuplement

▦ Densité de population supérieure à 1 000 hab/km²

Principales agglomérations en nombre d'habitants
- 16 millions
- 4 millions
- 1,5 million

2. Des aléas rendus plus nombreux par le changement climatique

- - - Espaces de faible altitude, les plus vulnérables aux aléas climatiques

▦ Zones inondables par fortes marées et affectées par la montée du niveau marin

≡ Inondations et érosion fluviale accrues par la fonte des glaciers himalayens

⇒ Crues torrentielles accrues par la fonte des glaciers himalayens

➤ Des cyclones dont la fréquence ou la puissance a augmenté depuis 30 ans

3. Un pays marqué par la présence d'autres aléas

⋯ Littoraux soumis au risque sismique

▲ Marée noire de 2014

◯ Zones où les eaux ont une forte concentration en arsenic responsable d'un décès sur cinq

1 Des risques liés à de multiples aléas et à des enjeux* démographiques

2 Quel avenir pour le Bangladesh ?

« L'avenir du Bangladesh ? Voilà ce qu'en dit l'économiste Qazi Kholiquzzaman Ahmad, de la *Dhaka School of Economics* : "D'ici 2050, voilà ce qui va se passer : un tiers des habitants va être déplacé. [...] Et où vont-ils aller ? C'est le pays le plus densément peuplé du monde, à part peut-être quelques villes-États comme Singapour et Hong Kong. [...] D'ici 2050, d'un côté nos terres agricoles vont diminuer, à cause de la salinité. Certaines terres seront même submergées. Et de l'autre, la population augmente. Si vous mettez tout ça ensemble... Vous comprenez. Il va y avoir une crise alimentaire sévère. Et ça se ressentira sur la sécurité. À moins que l'on s'adapte vite et profondément."

Le pays aimerait rehausser ses digues sur les zones côtières. Mais l'argent manque dans ce pays, l'un des plus pauvres au monde. Dans la périphérie de Dhaka, des ingénieurs agronomes cherchent aussi à développer des riz résistants au sel. »

Julie Pietri, « 2050 : 50 millions de réfugiés climatiques au Bangladesh », France Inter, 19 mars 2015.

3 Bangladesh : la montée de la mer menace des millions de personnes

VIDÉO

4 Des inondations de plus en plus fréquentes (Dhaka)

ARTICLES

5 Le pays des migrants climatiques

6 Le changement climatique et ses conséquences

«Au rythme actuel du réchauffement climatique, le pays perdra jusqu'à 17% de son territoire d'ici à 2050 et comptera entre 13 et 40 millions de déplacés climatiques [...]. Soumis à l'élévation du niveau de la mer, à la fonte des glaciers de l'Himalaya, à la multiplication et à l'intensification des catastrophes naturelles comme les cyclones, à la modification du régime des précipitations provoquant aussi bien sécheresses qu'inondations dévastatrices, le Bangladesh est l'un des pays au monde les plus exposés au changement climatique, alors qu'il n'est qu'un petit pollueur (65 millions de tonnes (Mt) de CO_2 en 2013). [...]

Partir à l'étranger coûte trop cher, et une grande majorité des migrants se déplacent à proximité, souvent pour une courte période, avant de revenir chez eux. Chaque jour entre 8 000 et 10 000 migrants rejoignent les trois grandes villes bangladaises de Khulna, Chittagong et Dacca. À Dacca, mégapole de 16 millions d'habitants, les espoirs de fortune sont un piège qui se renferme sur les migrants. Ici, c'est la marée humaine qui submerge la ville, sature les infrastructures et exacerbe la compétition. [...] Le tiers de la population vit sous le seuil de pauvreté. La géographie de la ville porte les stigmates du changement climatique, avec ses bidonvilles qui portent le nom des îles sinistrées par les cyclones. »

Julien Bouissou, «Au Bangladesh, les prisonniers du Brahmapoutre», *Le Monde*, 31 octobre 2015.

Analyser et confronter les documents

1. Au Bangladesh, quels sont les risques* accrus par le changement climatique global* ? Doc 1, 3, 4 et 6
2. Quels autres aléas pèsent sur le Bangladesh ? Doc 1
3. Pourquoi la densité de population et le contexte économique et social accentuent-ils la vulnérabilité ? Doc 1, 2, 4 et 6
4. Quelle est l'ampleur des migrations climatiques au Bangladesh ? Où vont les migrants ? Doc 2, 3, 5 et 6

SYNTHÉTISER Rédigez quelques lignes expliquant la vulnérabilité du Bangladesh au changement climatique.

B Comment le Bangladesh gère-t-il les risques* ?

Cultures (légumes)

Terre fertile
(bouse de vache,
déchets, compost)

Radeau
(jacinthes d'eau
et structure
en bambou)

7 Le développement des jardins flottants (Nazirpur)

8 Des digues destinées à réduire les risques

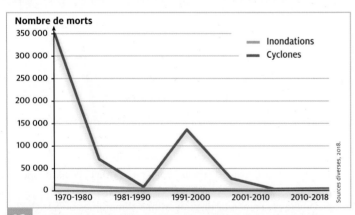

Nombre de morts

— Inondations
— Cyclones

Sources diverses, 2018.

10 Décès imputables aux inondations et aux cyclones
Le Bangladesh est devenu l'un des premiers PMA* à donner la priorité à la réduction des risques. Plus de 60 000 fonctionnaires gouvernementaux ont reçu une formation pour les interventions d'urgence lors de catastrophes.

9 Une mortalité en baisse mais une vulnérabilité qui augmente

«Au Bangladesh, cyclones et inondations tuent de moins en moins de personnes. Le gouvernement, des ONG, la communauté internationale ont mis en place des politiques et des actions assez efficaces de prévention et de prévision : meilleure information des populations, systèmes d'alerte plus performants permettant de mieux gérer les phases d'urgence, aménagements de digues, préservation de la mangrove, développement de jardins flottants à base de jacinthes d'eau, notamment dans les Sundarbans. Pourtant les risques sont toujours présents et les effets du changement climatique global sont particulièrement sensibles dans le Sud du pays, fortement peuplé. Si le nombre de morts a diminué, la population n'en est pas moins victime de cyclones plus fréquents qui laissent peu de temps pour reconstruire, de vagues plus fortes qui gênent les pêcheurs. La vulnérabilité est aggravée par la pauvreté et la faiblesse des infrastructures. Sur le long terme, la résilience des populations est faible et l'environnement est l'un des facteurs qui poussent les agriculteurs et les pêcheurs du delta à migrer vers Dhaka et ses bidonvilles, de façon temporaire ou permanente. »

David Méchin, géographe et chercheur au Bangladesh en 2012, Belin, 2019.

Analyser et confronter les documents

1. Quels sont les différents moyens mis en œuvre pour faire face aux risques ? Doc 7 à 9

2. Quels acteurs interviennent pour réduire la vulnérabilité du Bangladesh ? Doc 3, 9 et 10

3. Dressez un bilan nuancé de la situation du Bangladesh en matière de risques (progrès accomplis, difficultés persistantes). Doc 9 et 10

SYNTHÉTISER Rédigez une réponse expliquant comment le Bangladesh gère les risques.

Bilan

➔ Complétez le schéma fléché à l'aide de l'étude de cas.

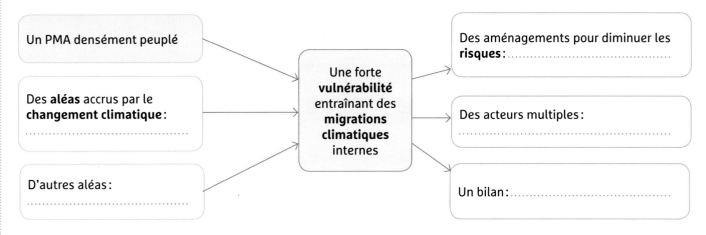

Un PMA densément peuplé		Des aménagements pour diminuer les **risques** :........................
Des **aléas** accrus par le **changement climatique** :....................	Une forte **vulnérabilité** entraînant des **migrations climatiques** internes	Des acteurs multiples :........................
D'autres aléas :....................		Un bilan :........................

➔ Complétez la légende du croquis à l'aide de l'étude de cas.

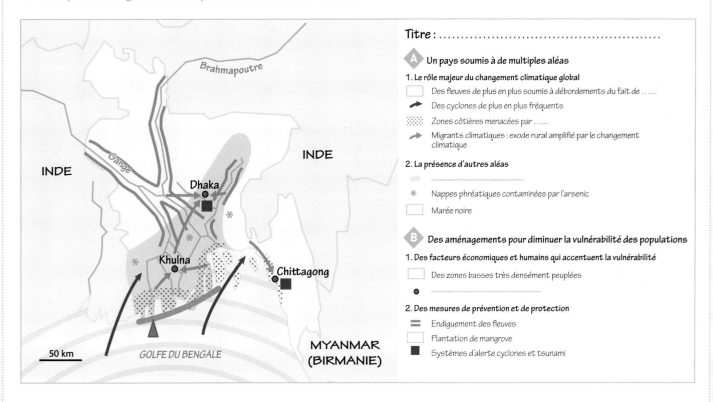

Titre : ....

A Un pays soumis à de multiples aléas

1. Le rôle majeur du changement climatique global

▭ Des fleuves de plus en plus soumis à débordements du fait de ....

➤ Des cyclones de plus en plus fréquents

▦ Zones côtières menacées par ....

➜ Migrants climatiques : exode rural amplifié par le changement climatique

2. La présence d'autres aléas

▭ ....

✳ Nappes phréatiques contaminées par l'arsenic

▭ Marée noire

B Des aménagements pour diminuer la vulnérabilité des populations

1. Des facteurs économiques et humains qui accentuent la vulnérabilité

▭ Des zones basses très densément peuplées

● ....

2. Des mesures de prévention et de protection

═ Endiguement des fleuves

▭ Plantation de mangrove

■ Systèmes d'alerte cyclones et tsunami

Mise en perspective

➔ Répondez aux questions pour replacer le cas du Bangladesh à l'échelle mondiale.

A
- Quels autres pays sont affectés par le changement climatique global ? Doc 1 p. 26, carte 3 p. 29, doc 3 p. 31 et 1 p. 44
- Quelles sont les autres grandes régions cycloniques dans le monde ? Carte 1 p. 28

B
- Quels autres pays connaissent une vulnérabilité aussi importante que le Bangladesh ? Carte p. 26-27
- Citez d'autres lieux prenant des mesures de protection et de prévention contre les risques littoraux et cycloniques. Doc 4 p. 27, 5 et 6 p. 33 et 2 p. 36. Ont-ils des situations économiques comparables à celle du Bangladesh ?

L'Arctique : pourquoi ce milieu fragile et contraignant est-il si attractif ?

L'Arctique est resté très longtemps en marge du peuplement de la planète à cause du froid et de l'éloignement des grands foyers de peuplement. Ce milieu fragile est bouleversé par le changement climatique, qui facilite l'exploitation de ses ressources en rompant peu à peu son isolement.

A Pourquoi l'Arctique est-il un milieu contraignant et fragilisé ?

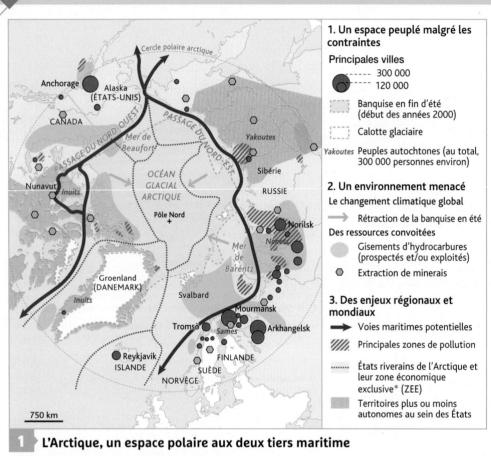

1. Un espace peuplé malgré les contraintes

Principales villes
- 300 000
- 120 000

Banquise en fin d'été (début des années 2000)

Calotte glaciaire

Yakoutes Peuples autochtones (au total, 300 000 personnes environ)

2. Un environnement menacé

Le changement climatique global

→ Rétraction de la banquise en été

Des ressources convoitées

Gisements d'hydrocarbures (prospectés et/ou exploités)

Extraction de minerais

3. Des enjeux régionaux et mondiaux

➡ Voies maritimes potentielles

Principales zones de pollution

États riverains de l'Arctique et leur zone économique exclusive* (ZEE)

Territoires plus ou moins autonomes au sein des États

750 km

1 ▸ **L'Arctique, un espace polaire aux deux tiers maritime**

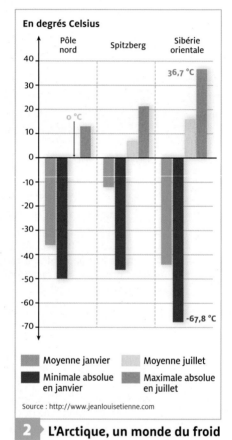

2 ▸ **L'Arctique, un monde du froid**

Source : http://www.jeanlouisetienne.com

3 ▸ **Iqaluit, capitale du Nunavut (Canada)**

Iqaluit, 6 700 habitants, est la capitale officielle du Nunavut depuis 1999, territoire autonome du Canada. Sa population est composée à 80 % d'Inuits, un des peuples autochtones de l'Arctique. Plus généralement, sur les 4 millions de personnes vivant en Arctique, seules 300 000 sont membres de peuples autochtones.

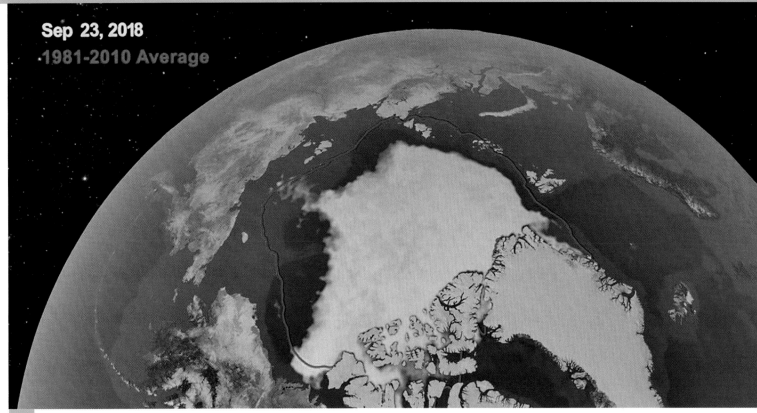

Sep 23, 2018

1981-2010 Average

4 ▸ **La banquise arctique en 2018 (en rouge : sa limite moyenne sur la période 1981-2010)**

5 ▸ **La ville de Kiruna (Suède), fragilisée par l'exploitation du fer, obligée de déménager**

La plus grande mine de fer au monde appartient à la société minière d'état LKAB. Le gisement est situé sous la ville de Kiruna, chef-lieu de la Laponie suédoise. Kiruna est la première ville au monde à devoir déménager car la mine a fragilisé son sous-sol. Ce déménagement est programmé sur plus de 90 ans. Il a commencé en 2004.

6 ▸ **L'impact de l'exploitation de l'Arctique russe**

« La mise à jour des ressources des fonds arctiques a des impacts inévitables sur les écosystèmes marins polaires et littoraux [...]. En mer, mais aussi sur les côtes et régions arctiques, on assiste à un véritable "gâchis environnemental" du fait d'infrastructures établies sans considération pour l'environnement ni les populations autochtones, et abandonnées sur place une fois devenues obsolètes. Le comportement des nombreuses personnes attirées par de nouveaux emplois liés à l'exploitation des ressources en hydrocarbures reste également, vis-à-vis de l'environnement, largement prédateur. [...] De la combinaison de ces facteurs anthropiques découle une très forte pollution des sols et des eaux (douces et de mer) [...]. Ce sont pourtant là les fondements des moyens de subsistance des éleveurs de rennes nomades qui habitent ces terres [...]. Les minorités autochtones [...] constituent encore dans les zones les plus septentrionales la majorité de la population. Du fait de leur mode de vie, elles sont surtout les premières à ressentir les effets conjugués du changement climatique et des activités économiques. »

Alice Besacier-Picard, *Acteurs de la politique arctique russe : des divergences à coordonner*, mémoire, Université Paris 1, juillet 2013.

Analyser et confronter les documents

1. Quelles contraintes climatiques pèsent sur les territoires de l'Arctique ? Doc 1 et 2 Sont-ils pour autant inhabités ? Doc 1 et 3

2. Quelles modifications environnementales le changement climatique global* entraîne-t-il ? Doc 1 et 4

3. Quels autres facteurs fragilisent l'environnement mais aussi certaines sociétés ? Doc 1, 5 et 6

SYNTHÉTISER À l'aide des questions précédentes, rédigez une réponse expliquant les contraintes et fragilités de l'Arctique.

B Pourquoi l'Arctique est-il de plus en plus attractif ?

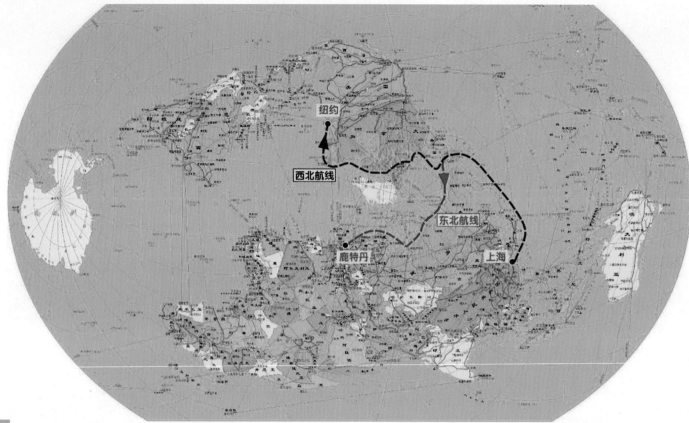

7 L'ouverture de nouvelles routes maritimes plus courtes entre l'Europe et l'Asie

Avec le changement climatique, l'Arctique sera peut-être parcouru par des routes maritimes nouvelles comme l'imagine cette carte chinoise.

8 Puits de pétrole *offshore* exploité par Gazprom dans le golfe de l'Ob (mer de Barentz, Russie)

L'ensemble de l'Arctique recèle 25 % des ressources potentielles de gaz de la planète et 13 % des ressources en pétrole.

9 La Russie lance son projet gazier Yamal dans l'Arctique

VIDÉO

▼Analyser et confronter les documents

1. Quelles ressources font de l'Arctique une zone très convoitée ? Quelles contraintes rendent leur exploitation difficile ? Doc 1, 5, 8 et 9

2. En quoi le changement climatique global peut-il apparaître comme une opportunité pour le gouvernement russe ? mais aussi pour la Chine, pourtant éloignée de l'Arctique ? Doc 7 et 8

SYNTHÉTISER Rédigez une réponse expliquant l'attractivité croissante de l'Arctique.

Bilan

→ Complétez le schéma fléché à l'aide de l'étude de cas.

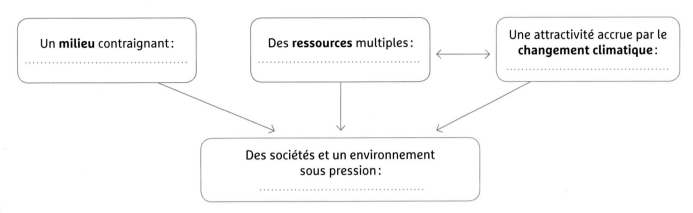

Un **milieu** contraignant :
....

Des **ressources** multiples :
....

Une attractivité accrue par le **changement climatique** :
....

Des sociétés et un environnement sous pression :
....

→ Complétez la légende et le titre du schéma cartographique à l'aide de l'étude de cas.

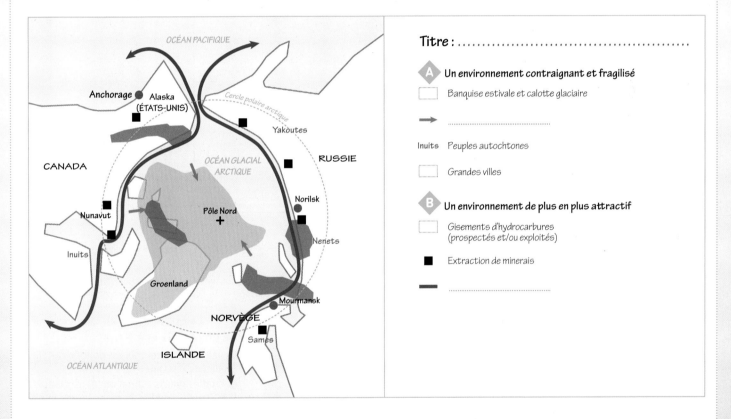

Titre : ....

A Un environnement contraignant et fragilisé

☐ Banquise estivale et calotte glaciaire

→ ....

Inuits   Peuples autochtones

☐ Grandes villes

B Un environnement de plus en plus attractif

☐ Gisements d'hydrocarbures (prospectés et/ou exploités)

■ Extraction de minerais

— ....

Mise en perspective

→ Répondez aux questions pour replacer le cas de l'Arctique à l'échelle mondiale.

- Quelles autres régions du monde sont particulièrement affectées par le changement climatique global* ? Carte 1 p. 44
- Les États de l'Arctique sont-ils les plus vulnérables au risque climatique ? Carte 3 p. 29

- Quelle est l'empreinte écologique* des États ayant des régions arctiques ? Carte p. 43
- Recherchez dans le thème 1 (p. 8-91) des photographies montrant l'impact de l'exploitation de ressources minières et énergétiques dans d'autres espaces.

Les Alpes : comment valoriser des milieux vulnérables ?

Partagées entre huit pays, les Alpes comptent plus de 14 millions d'habitants et accueillent 120 millions de touristes par an. Malgré une forte vulnérabilité* et des contraintes, la valorisation de leurs multiples ressources* est ancienne. Des mesures visent à freiner la dégradation de leur environnement.

A Comment le milieu alpin a-t-il été valorisé ?

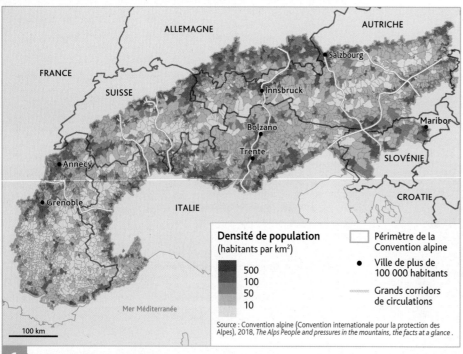

Source : Convention alpine (Convention internationale pour la protection des Alpes), 2018, *The Alps People and pressures in the mountains, the facts at a glance*.

Densité de population
(habitants par km²)

500
100
50
10

☐ Périmètre de la Convention alpine

● Ville de plus de 100 000 habitants

⋯⋯ Grands corridors de circulations

100 km

1 Un massif très peuplé

Si la haute montagne est fréquentée pour certaines activités (alpinisme, missions scientifiques), elle n'est quasiment pas habitée. En revanche, les vallées et moyennes montagnes alpines sont plus densément peuplées que celles d'autres massifs montagneux.

En % de jours dans l'année

Indice[1] : ▯ 1 à 4 ▯ 5 à 7 ▮ 8 à 10

[1] Indice de qualité de l'air, allant de 1 (très bon) à 10 (très mauvais)

2 La qualité de l'air dans la vallée de Chamonix et à Paris

La vallée de Chamonix est polluée car elle est un lieu de passage entre la France et l'Italie, avec le tunnel du Mont-Blanc (3 500 voitures et 1 500 poids lourds par jour). Cette pollution est renforcée par l'air froid qui stagne en fond de vallée en hiver et piège les particules de CO_2.

3 La cohabitation d'activités (Lac Lérié, France)

4 ▶ **Évolution entre 1900 et aujourd'hui du glacier d'Aletsch, le plus grand des Alpes (Suisse)**

ANALYSE DIACHRONIQUE

5 ▶ **La Station de Tignes Val Claret (Savoie, France)**

Paravalanches

Versants remodelés, pistes damées

Remontées mécaniques

Canon à neige

6 ▶ **L'hydroélectricité, une énergie durable ?**

« L'hydroélectricité est une source d'énergie de premier plan dans les Alpes. Bien qu'elle puisse offrir une solution relativement durable au problème énergétique, elle peut également être destructrice [...]. Il existe dans les Alpes 550 centrales produisant chacune plus de 10 MW [...] ce qui nuit à l'intégrité écologique des rivières et des lacs alpins. [...] De même, toute l'énergie hydroélectrique ne peut être considérée comme une énergie "propre". Par exemple, de nombreuses installations hydroélectriques dans les Alpes utilisent du charbon ou de l'énergie nucléaire à bon marché pour pomper de l'eau jusqu'au réservoir, pour produire de l'électricité en période de pointe. »

D'après WWF, *Hydropower in the Alps*, 2017.

Analyser et confronter les documents

1. **Décrivez et expliquez le peuplement des Alpes. À quelles contraintes naturelles doivent faire face les populations ?** Introduction, doc 1 et 5

2. **Quelles ressources* sont mises en valeur ? Par quels types d'activités ?** Doc 3, 5 et 6

3. **Relevez et classez les risques* qui pèsent sur l'environnement et les sociétés (risques naturels, anthropiques, combinés...).** Doc 2 à 6

SYNTHÉTISER À l'aide des questions précédentes, rédigez une réponse pour expliquer la valorisation des Alpes.

B ▸ **Comment concilier valorisation et protection ?**

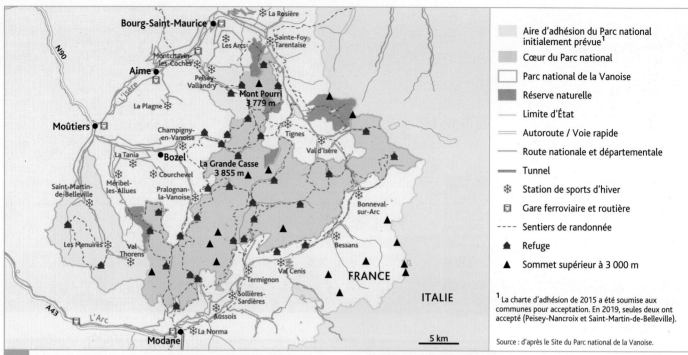

Aire d'adhésion du Parc national initialement prévue[1]

Cœur du Parc national

Parc national de la Vanoise

Réserve naturelle

— Limite d'État

Autoroute / Voie rapide

Route nationale et départementale

Tunnel

✻ Station de sports d'hiver

🚉 Gare ferroviaire et routière

---- Sentiers de randonnée

⛫ Refuge

▲ Sommet supérieur à 3 000 m

[1] La charte d'adhésion de 2015 a été soumise aux communes pour acceptation. En 2019, seules deux ont accepté (Peisey-Nancroix et Saint-Martin-de-Belleville).

Source : d'après le Site du Parc national de la Vanoise.

5 km

7 ▸ **Le Parc national* de la Vanoise, créé en 1963**

Le Parc de la Vanoise est un des treize parcs nationaux alpins. Ceux-ci font partie, avec les 87 parcs régionaux, les réserves naturelles, etc., des 1 000 espaces protégés du réseau AlpArc qui couvrent 190 000 km², soit 28 % de l'espace alpin.

Convention alpine, AlpArc, 2017.

8 ▸ **Des lois pour protéger les espaces montagnards**

Principes fondamentaux applicables à tous les parcs nationaux français, 2007, Article 1

La création d'un parc national vise à protéger un patrimoine naturel, culturel et paysager exceptionnel, dont la composition est déterminée en partie par certaines activités humaines respectueuses des espaces naturels qui concourent au caractère du parc, tout en prenant en compte la solidarité écologique entre les espaces protégés du cœur et les espaces environnants concernés par une politique de protection, de mise en valeur et de développement durable. L'État promeut une protection intégrée exemplaire ainsi qu'une gestion partenariale à partir d'un projet de territoire afin de garantir une évolution naturelle, économique et sociale compatible avec le caractère du parc.

Loi fédérale de 1980 sur le Parc national suisse dans le canton des Grisons, Article 1

Le Parc national suisse situé dans le canton des Grisons, en Engadine et dans le Val Müstair, est une réserve où la nature est soustraite à toutes les interventions de l'homme et où, en particulier, l'ensemble de la faune et de la flore est laissé à son évolution naturelle. Seules sont autorisées les interventions directement utiles à la conservation du parc. Le Parc national est accessible au public, dans les limites fixées par le règlement du parc. Il est l'objet d'une recherche scientifique continue.

9 ▸ **Le ferroutage en Suisse, sur la ligne du tunnel du Brenner**

Environ 190 millions de tonnes de fret par an franchissent les Alpes, dont 65 % par la route.

Si la Suisse mise sur le ferroutage, il n'en va pas de même de la France. Par ailleurs, la réalisation du projet franco-italien de liaison ferroviaire Lyon-Turin est sans cesse repoussée.

▸ **Analyser et confronter les documents**

1. À partir du cas de la Vanoise, expliquez comment les parcs nationaux français cherchent à concilier développement touristique et protection de l'environnement. Doc 7 et 8

2. De façon plus générale, quelles mesures sont prises pour réduire la vulnérabilité des espaces alpins ? Doc 7, 8 et 9

SYNTHÉTISER Rédigez une réponse pour expliquer comment concilier valorisation et protection.

Bilan

➜ Complétez le schéma fléché à l'aide de l'étude de cas et donnez-lui un titre.

Des activités variées

La vulnérabilité des Alpes

Des acteurs et des actions

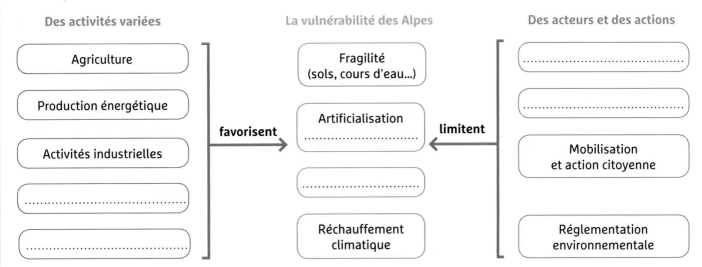

Des activités variées		La vulnérabilité des Alpes		Des acteurs et des actions
Agriculture		Fragilité (sols, cours d'eau...)		....
Production énergétique	**favorisent** →	Artificialisation	← **limitent**	....
Activités industrielles		....		Mobilisation et action citoyenne
....		Réchauffement climatique		Réglementation environnementale
....				

➜ À l'aide du document 7, complétez la légende du schéma cartographique du Parc national de la Vanoise.

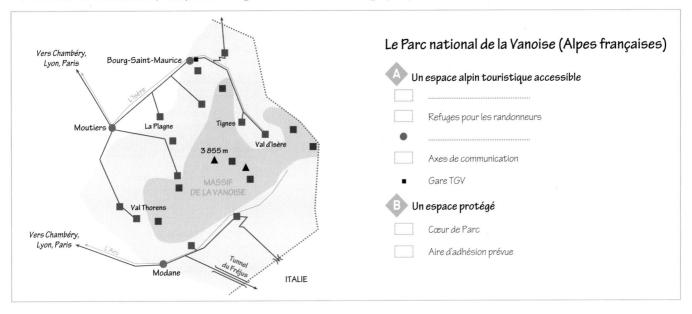

Le Parc national de la Vanoise (Alpes françaises)

A Un espace alpin touristique accessible

☐ ....

☐ Refuges pour les randonneurs

● ....

☐ Axes de communication

■ Gare TGV

B Un espace protégé

☐ Cœur de Parc

☐ Aire d'adhésion prévue

Mise en perspective

➜ Répondez aux questions pour replacer le cas des Alpes aux échelles française et mondiale.

A
• Quels types de risques pèsent sur les milieux montagnards en France et dans le monde ? Cartes 1 p. 28 et 1 p. 64
• Quels autres types d'espaces sont particulièrement vulnérables au changement climatique global ? Doc 1 p. 26, carte 1 p. 44 et doc 3 p. 31
• Retrouve-t-on le même type de valorisation des ressources dans d'autres massifs montagneux français ? Carte p. 62-63
• Comparez l'anthropisation des montagnes françaises par rapport à d'autres types d'espaces. Carte 2 p. 64

B
• Citez d'autres parcs nationaux situés dans les Alpes françaises, ainsi que des parcs régionaux. Carte 3 p. 65
• Dans quelles autres régions françaises et dans quels autres types d'espaces existe-t-il des zones protégées ? Carte 3 p. 65, doc 1 p. 71 et 5 p. 73

Forêt amazonienne

À quels risques et pressions la forêt amazonienne est-elle soumise ?

L'Amazonie, plus grande forêt au monde, est convoitée pour ses immenses ressources, ce qui la soumet à de fortes pressions. C'est un milieu fragile dont l'exploitation a des impacts locaux et globaux.

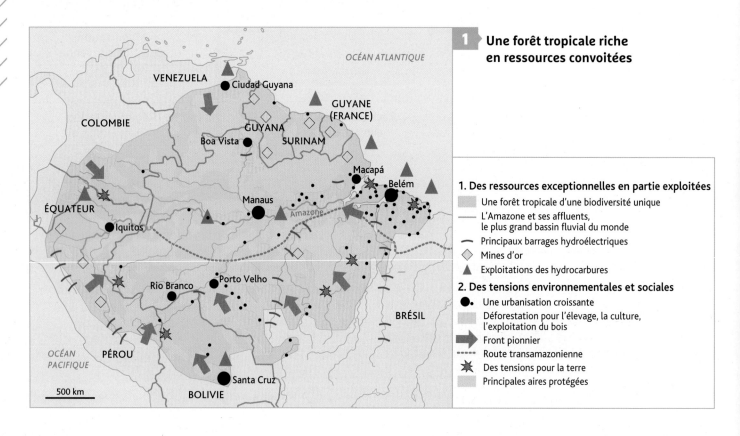

1 Une forêt tropicale riche en ressources convoitées

1. Des ressources exceptionnelles en partie exploitées
- Une forêt tropicale d'une biodiversité unique
- L'Amazone et ses affluents, le plus grand bassin fluvial du monde
- Principaux barrages hydroélectriques
- ◇ Mines d'or
- ▲ Exploitations des hydrocarbures

2. Des tensions environnementales et sociales
- ● Une urbanisation croissante
- Déforestation pour l'élevage, la culture, l'exploitation du bois
- ➡ Front pionnier
- ┈ Route transamazonienne
- ✶ Des tensions pour la terre
- Principales aires protégées

Carte : VENEZUELA, Ciudad Guyana, COLOMBIE, GUYANA, Boa Vista, SURINAM, GUYANE (FRANCE), Macapá, Belém, Manaus, Amazone, ÉQUATEUR, Iquitos, Rio Branco, Porto Velho, BRÉSIL, PÉROU, OCÉAN PACIFIQUE, Santa Cruz, BOLIVIE, OCÉAN ATLANTIQUE, 500 km

2 L'Amazonie, un espace partagé, des politiques séparées

« Huit États, plus la Guyane, se partagent l'ensemble amazonien [...]. Si le Brésil témoigne d'une prise de conscience, fragile, la région ne connaît pas de "bons élèves". En ces temps de pression démographique mondiale et de réchauffement climatique, la cote des ressources naturelles ne cesse de grimper, rareté oblige. L'Amazonie suscite donc bien des convoitises : du Brésil au Pérou, en passant par le Venezuela et la Bolivie, ses sols, ses sous-sols et ses eaux ouvrent l'appétit de beaucoup. "La pression n'a jamais été aussi forte, résumait même, en 2016, le WWF dans un rapport très détaillé. L'Amazonie est menacée par l'agriculture, les mines, l'élevage et les projets hydroélectriques." »

Gilles Biassette, « L'Amazonie, un espace partagé, des politiques séparées », *La Croix*, 20 janvier 2018.

3 Le front pionnier agricole en Amazonie brésilienne
La déforestation est faite par de petits agriculteurs, mais surtout par des firmes agroalimentaires qui cultivent le soja.

4 **L'Amazonie en chiffres**

Environ 6 millions de km² sur 9 pays

Entre 25 et 35 millions d'habitants, dont moins de 5 % d'Amérindiens

50 % des forêts tropicales mondiales, 15 % de l'eau douce mondiale

44 % en aires protégées

1/3 de la forêt détruite depuis 1970

5 **Manifestation d'Amérindiens contre un projet de barrage (sur le fleuve Belo Monte) et pour la protection de leur terre**
D'autres manifestations ont eu lieu en 2018 contre un projet de barrage sur le fleuve Tapajos.

[VIDÉO]

6 **En Guyane (France), un projet de mine d'or controversé**

«La "Montagne d'or", un projet de gigantesque mine, mené en Guyane par le groupe russe Nordgold, associé au canadien Columbus Gold [est] la plus grande mine d'or jamais envisagée sur le territoire national. L'investissement de 780 millions d'euros pourrait créer 3 750 emplois. [...] Pour extraire les 85 tonnes d'or que Nordgold espère récupérer en quinze ans, des millions et des millions de mètres cubes devraient être charriés, broyés et traités au cyanure.»

Denis Cosnard, «Le projet de Montagne d'or en Guyane va être revu pour obtenir le feu vert de l'État», *Le Monde*, 7 septembre 2018.

À l'occasion du débat sur l'autorisation d'une nouvelle mine d'or en Guyane, le WWF milite pour que des projets durables soient mis en place en Guyane.

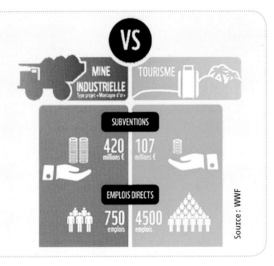

Source : WWF

Bilan

→ À l'aide des documents, rédigez une réponse à la problématique selon le plan suivant.

A Des ressources gigantesques Doc 1 et 2

B Un milieu soumis à de fortes pressions et à des risques Doc 1 à 6

C De multiples acteurs et des conflits d'usages Doc 1 à 6

Mise en perspective

→ Répondez aux questions pour replacer le cas de l'Amazonie à l'échelle mondiale.

A Dans quelles régions du monde trouve-t-on d'autres grandes forêts riches en ressources ? Carte 1 p. 44

B Sont-elles également soumises à des fronts pionniers ? Pourquoi la déforestation de l'Amazonie contribue-t-elle à un risque global* ? Carte 1 p. 44

C Quelle ressource est également soumise à de forts conflits d'usages et d'acteurs ? Cours p. 46-47

ÉTATS-UNIS
Californie

Gigantesques incendies en Californie (novembre 2018)

Ces feux sans précédent qui ont fait près de 90 morts et d'énormes destructions s'expliquent en partie par la sécheresse exceptionnelle de l'année 2018, liée au changement climatique.

Thème 1 • Sociétés et environnements : des équilibres fragiles

question Monde

1. Les sociétés face aux risques

Les sociétés du XXIe siècle restent vulnérables aux risques, qu'ils soient d'origine naturelle ou anthropique*. Les catastrophes localisées et les dérèglements globaux affectent des espaces plus divers et des populations plus nombreuses.

INDONÉSIE

En 2013, le photographe Zak Noyle photographie un surfeur dans une vague pleine de détritus pour dénoncer la pollution des océans par le plastique.

Montrez que ces photographies sont révélatrices de la diversité des risques pesant sur les sociétés, mais aussi de risques globaux*.

Comment faire face aux risques de façon durable ?

Les sociétés face aux risques

CARTE INTERACTIVE

Notion-clé   Risque majeur

Potentialité qu'un événement (aléa*) provoque une catastrophe donnant lieu à des dégâts et à un nombre de victimes importants. L'« indice mondial de risque », élaboré par l'ONU, évalue l'exposition à un risque naturel, la vulnérabilité* des populations et leur capacité à répondre à la catastrophe, qui dépendent de facteurs environnementaux, économiques, sociaux et politiques.

1 Risque global

La désertification en Afrique de l'Est Les risques globaux*, comme ici le changement climatique global*, ou encore la pollution, les problèmes sanitaires... sont des phénomènes qui peuvent rapidement toucher toute la planète et avoir des effets à long terme.

Tropique du Cancer

OCÉAN PACIFIQUE

Équateur

ÉTATS-UNIS

OCÉAN ATLANTIQUE

Mer des Caraïbes

HAÏTI

Tropique du Capricorne

GUYANA

CHILI

2 Risque naturel/technologique/combiné

L'explosion de la centrale nucléaire de Fukushima en 2011 Un risque combiné* résulte de phénomènes naturels (risques naturels*) et de l'action humaine (risques anthropiques et souvent technologiques). À Fukushima, un séisme a engendré un tsunami qui a détruit plusieurs réacteurs d'une centrale nucléaire.

Vulnérabilité, résilience 3

Le séisme de 2015 au Népal (8 000 morts environ) La vulnérabilité* et la résilience* dépendent en partie du développement économique. Le Népal, un des 47 pays les moins avancés*, est affecté par de nombreux séismes, dans un contexte d'urbanisation sans respect de normes parasismiques.

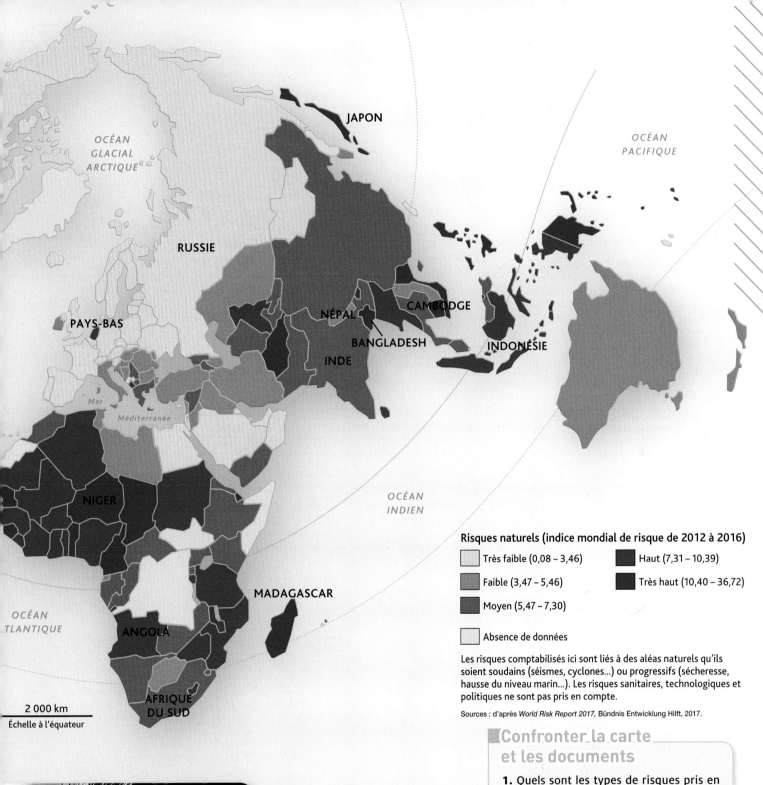

JAPON

OCÉAN
GLACIAL
ARCTIQUE

OCÉAN
PACIFIQUE

RUSSIE

PAYS-BAS

NÉPAL

CAMBODGE

BANGLADESH

INDONÉSIE

INDE

Mer
Méditerranée

OCÉAN
INDIEN

NIGER

MADAGASCAR

OCÉAN
ATLANTIQUE

ANGOLA

AFRIQUE
DU SUD

2 000 km

Échelle à l'équateur

Risques naturels (indice mondial de risque de 2012 à 2016)

◻ Très faible (0,08 – 3,46)   ◼ Haut (7,31 – 10,39)

◼ Faible (3,47 – 5,46)   ◼ Très haut (10,40 – 36,72)

◼ Moyen (5,47 – 7,30)

◻ Absence de données

Les risques comptabilisés ici sont liés à des aléas naturels qu'ils soient soudains (séismes, cyclones...) ou progressifs (sécheresse, hausse du niveau marin...). Les risques sanitaires, technologiques et politiques ne sont pas pris en compte.

Sources : d'après *World Risk Report 2017*, Bündnis Entwicklung Hilft, 2017.

4   Prévision, prévention

Maison en bambou indonésienne

Le bambou, par sa plasticité, constitue un matériau de choix pour des constructions paracycloniques efficaces. Ce type de bâtiment permet une meilleure prévention* contre les risques. La lutte contre les risques passe également par une bonne prévision*, par exemple par des systèmes d'alerte performants.

▌Confronter la carte et les documents

1. Quels sont les types de risques pris en compte par l'« indice mondial de risque » de l'ONU ? Notion-clé Quels types de risques ne sont pas pris en compte ? Légende du planisphère

2. Faites correspondre les doc 1 à 3 à chaque type de risques définis en doc 2.

3. Quel continent présente le risque de catastrophe le plus élevé ? Quel critère de la définition de l'indice est ici déterminant ?

4. Peut-on mettre en évidence, à partir du planisphère et des doc 1 à 4, des inégalités Nord-Sud face aux risques majeurs ? Faites une réponse nuancée.

Les sociétés face aux risques

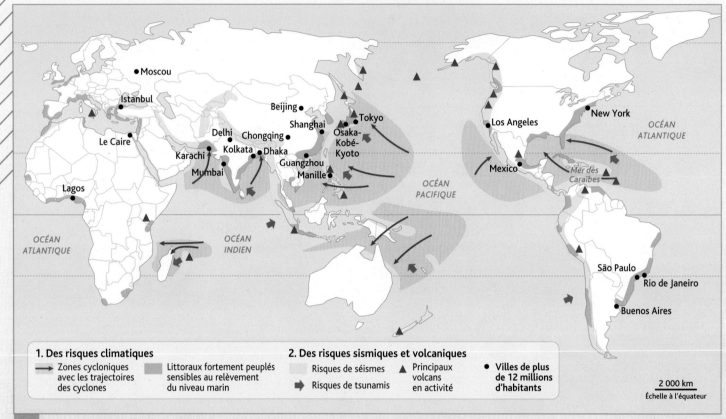

1. Des risques climatiques

→ Zones cycloniques avec les trajectoires des cyclones

▬ Littoraux fortement peuplés sensibles au relèvement du niveau marin

2. Des risques sismiques et volcaniques

Risques de séismes

➤ Risques de tsunamis

▲ Principaux volcans en activité

● Villes de plus de 12 millions d'habitants

2 000 km
Échelle à l'équateur

1 **Les principaux aléas climatiques et sismiques pesant sur les espaces habités**

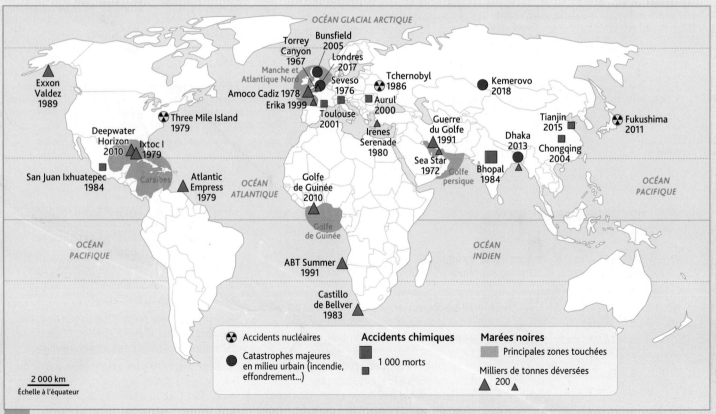

☢ Accidents nucléaires

⬤ Catastrophes majeures en milieu urbain (incendie, effondrement...)

Accidents chimiques
■ 1 000 morts
▪

Marées noires
▬ Principales zones touchées

Milliers de tonnes déversées
▲ 200 ▴

2 000 km
Échelle à l'équateur

2 **Les principales catastrophes technologiques depuis les années 1960**

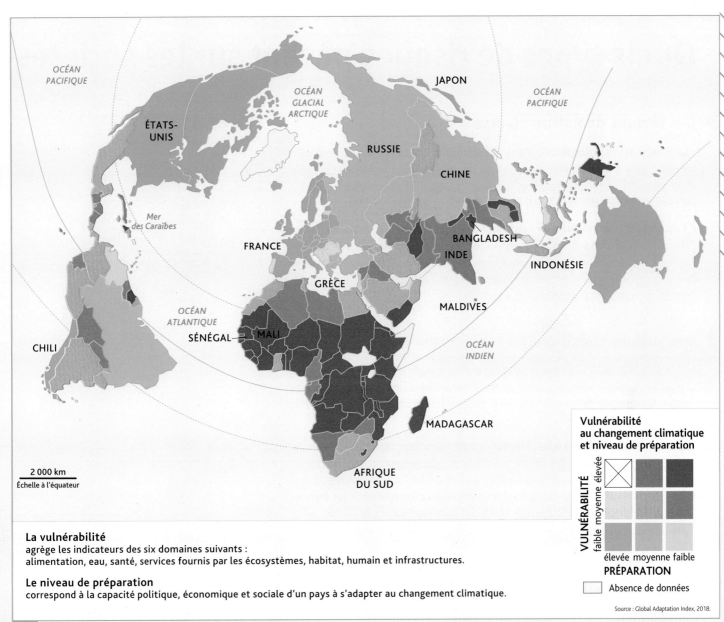

OCÉAN
PACIFIQUE

OCÉAN
GLACIAL
ARCTIQUE

JAPON

OCÉAN
PACIFIQUE

ÉTATS-
UNIS

RUSSIE

CHINE

Mer
des Caraïbes

BANGLADESH

FRANCE

INDE

INDONÉSIE

GRÈCE

MALDIVES

OCÉAN
ATLANTIQUE

SÉNÉGAL

MALI

OCÉAN
INDIEN

CHILI

MADAGASCAR

2 000 km
Échelle à l'équateur

AFRIQUE
DU SUD

**Vulnérabilité
au changement climatique
et niveau de préparation**

VULNÉRABILITÉ
faible moyenne élevée

élevée moyenne faible
PRÉPARATION

Absence de données

La vulnérabilité
agrège les indicateurs des six domaines suivants :
alimentation, eau, santé, services fournis par les écosystèmes, habitat, humain et infrastructures.

Le niveau de préparation
correspond à la capacité politique, économique et sociale d'un pays à s'adapter au changement climatique.

Source : Global Adaptation Index, 2018.

3 | **La vulnérabilité au changement climatique global**

DEUX PARCOURS AU CHOIX POUR ANALYSER LES CARTES

PARCOURS CARTOGRAPHIQUE

Réalisez un schéma des espaces les plus exposés aux risques naturels et technologiques en simplifiant la carte 1 et en la combinant avec la carte 2. Aidez-vous de l'exercice 2 p. 138.

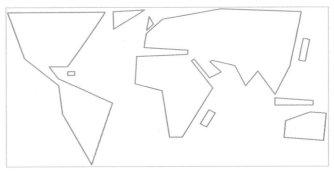

PARCOURS RÉDIGÉ

1. Quels sont les types d'espaces les plus exposés aux aléas naturels ? Doc 1 Sont-ils aussi soumis aux aléas technologiques ? Doc 2

2. Comment expliquer la forte exposition aux risques des espaces littoraux ? Doc 1 et 2

3. Quels sont les types de pays et d'espaces les plus affectés par le changement climatique ? Doc 3

BILAN Rédigez quelques lignes montrant l'inégale exposition et vulnérabilité des sociétés face aux risques majeurs.

Quels types de risques pèsent sur les sociétés ?

A Des risques de nature diverse

• **Le risque est la potentialité d'une catastrophe**. Il résulte de la combinaison entre un aléa et des enjeux, humains ou matériels. Selon la nature de l'aléa, on distingue les risques technologiques (pollutions, explosions chimiques…) et les risques dits « naturels » (tempêtes, inondations, cyclones, séismes…).

• **Cependant, de nombreux risques sont des risques combinés**. Ainsi, l'artificialisation des sols liée à l'urbanisation réduit les possibilités d'infiltration des eaux, accélérant le ruissellement et contribuant aux inondations. De même, des aléas naturels peuvent occasionner, par leurs effets induits, des risques combinés (comme à Fukushima en 2011).

B Des risques spécifiques à certains milieux

• **Certains risques dits globaux pèsent sur l'ensemble de la planète**, comme le changement climatique global (*global change*) lié à des facteurs humains. Ce sont les littoraux des zones tropicales, souvent très peuplés, qui en ressentent les premiers effets.

• **Les autres aléas menacent des milieux spécifiques**. Les volcans actifs et les séismes sont plus présents autour du Pacifique (« Ceinture de feu »), les cyclones sur les littoraux tropicaux (Bangladesh, Caraïbes, Indonésie…). Les risques technologiques sont plus nombreux en milieu urbain et dans des espaces particuliers : littoraux industrialisés (golfe du Mexique, littoraux asiatiques…), zones d'extraction minière ou pétrolière (Sibérie…), mers et océans (transport d'hydrocarbures…).

C Des catastrophes aux impacts variables dans l'espace et dans le temps

• **Bien qu'en augmentation, les catastrophes restent rares** et d'impact essentiellement local (séisme, explosion…). Leurs conséquences se mesurent aussi dans le temps. Les sécheresses et les épidémies affectent de façon chronique les populations. D'autres catastrophes ont des effets différés, comme les accidents nucléaires de Tchernobyl (1986) et de Fukushima (2011).

• **Les dérèglements climatiques** occasionnent des conséquences à long terme (fonte des glaces, relèvement du niveau marin, sécheresse…). Un changement climatique global entraîne d'importantes dégradations dont témoignent déjà les migrants environnementaux.

• **La pollution de l'air, des sols et des océans** (notamment par les gaz à effet de serre* et le plastique) peut également être considérée comme un risque global.

> **Les espaces sont diversement soumis aux risques car les aléas et les enjeux sont répartis de manière inégale. Les catastrophes sont pour la plupart localisées mais peuvent avoir des conséquences à long terme. Un changement climatique global affecte en revanche toute la planète.**

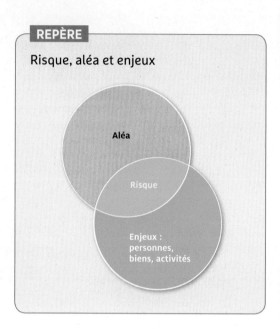

VOCABULAIRE

Aléa Événement d'origine naturelle ou technologique pouvant devenir un risque s'il menace une population.

Artificialisation Forte empreinte humaine sur un milieu, causant une perturbation des cycles naturels (étalement urbain…).

Catastrophe Réalisation d'un risque d'origine naturelle ou humaine, dont les effets sont dévastateurs.

Changement climatique global (*global change*) Modification durable des caractères du climat. D'origine anthropique, il est évalué par les experts regroupés au sein du GIEC*.

Enjeu Personnes, biens, équipements susceptibles d'être affectés par un phénomène d'origine naturelle et/ou anthropique et de subir des préjudices ou des dommages.

Risque Danger potentiel pouvant affecter une population. Un risque combiné est lié à l'interaction de plusieurs phénomènes d'origine naturelle ou humaine (anthropiques).

Risque global voir p. 26

1 ▸ Comment classer les risques ?

«On distingue classiquement les risques liés à l'action de l'homme (risques technologiques) et les risques naturels (liés à une menace naturelle tels les séismes). Cette subdivision est cependant remise en cause essentiellement du fait de la prédominance des risques combinés, liés à plusieurs phénomènes naturels et/ou humains. L'accident nucléaire de la centrale de Fukushima au Japon en 2011 est révélateur : un séisme de magnitude 9 (aléa naturel) engendre un tsunami (autre phénomène naturel) qui déclenche un accident nucléaire (risque technologique) du fait de l'insuffisance des mesures de protection de la centrale (une défaillance du système de sécurité), ce qui provoque de graves conséquences sur l'environnement, l'économie et la population. [...]

Les risques technologiques sont souvent spécifiques, comme les explosions, rares en milieu inhabité. Mais la plupart des risques technologiques ont souvent un aspect comparable aux risques naturels : des crues, des incendies, des affaissements de terrain peuvent aussi bien être liés à des aléas naturels qu'à des actions de l'homme : les incendies de forêt [...] se trouvent également facilités par le non-entretien des sous-bois. »

Pascal Baud, Serge Bourgeat et Catherine Bras,
Dictionnaire de géographie, Hatier, 5ᵉ édition, 2013.

 + 0,3°C à + 4,8°C
Hausse estimée de la température moyenne de 2000 à 2100 (GIEC, 2014)

 + 1 à + 2,5 mètres
Hausse estimée du niveau marin d'ici 2100 (GIEC 2014 et NOAA, 2018)

 de 10 000 à 20 000
Nombre d'îles qui devraient disparaître d'ici 2100 (CNRS, 2014)

 + 2 milliards
Hausse du nombre de personnes exposées au risque de transmission de la dengue d'ici 2080 (OMS, 2018)

 - 20 % à - 50 %
Baisse des prises en raison de l'acidification des océans en cas d'augmentation de la température de + 2°C (Banque mondiale, 2014)

 + 243 millions
Nombre de décès supplémentaires d'ici 2050 liés au changement climatique (sous-alimentation, maladies à vecteurs...) (OMS, 2014)

2 ▸ Les conséquences possibles du changement climatique global
Selon de grands organismes nationaux ou internationaux

ÎLES SALOMON
TUVALU

Funafuti, capitale des Tuvalu

Surface en m² de quatre îles de l'archipel des Salomon menacées par la montée des eaux ou disparues

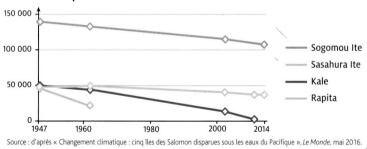

— Sogomou Ite
— Sasahura Ite
— Kale
— Rapita

Source : d'après « Changement climatique : cinq îles des Salomon disparues sous les eaux du Pacifique », *Le Monde*, mai 2016.

3 ▸ Des archipels du Pacifique menacés par la montée du niveau marin : les Tuvalu et les îles Salomon

▉ Analyser et confronter les documents

1. Pourquoi la notion de risque «naturel» est-elle contestable ? Doc 1

2. Quels domaines et types d'espaces peuvent être affectés par le changement climatique ? Doc 2

3. Pourquoi les littoraux sont-ils particulièrement vulnérables ? Doc 1 et 3 et cartes 1 et 2 p. 28

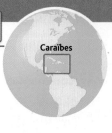

Le bassin caraïbe : une vulnérabilité particulière aux risques ?

Exposé à de nombreux aléas*, l'espace caribéen (mer des Caraïbes et golfe du Mexique) est l'une des régions les plus vulnérables de la planète. Cet espace, si divers du point de vue du développement, a parfois du mal à faire face aux risques*.

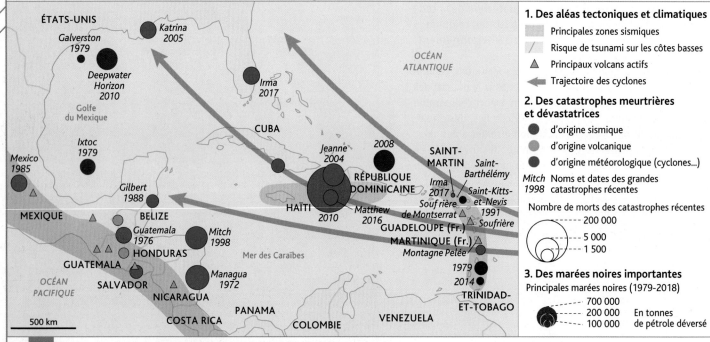

1. Des aléas tectoniques et climatiques
- Principales zones sismiques
- Risque de tsunami sur les côtes basses
- △ Principaux volcans actifs
- ← Trajectoire des cyclones

2. Des catastrophes meurtrières et dévastatrices
- ● d'origine sismique
- ● d'origine volcanique
- ● d'origine météorologique (cyclones...)

Mitch Noms et dates des grandes
1998 catastrophes récentes

Nombre de morts des catastrophes récentes
- 200 000
- 5 000
- 1 500

3. Des marées noires importantes
Principales marées noires (1979-2018)
- 700 000
- 200 000
- 100 000 — En tonnes de pétrole déversé

1 Un espace soumis à des risques naturels et technologiques

2 Les dégâts du cyclone Irma à Saint-Martin en juillet 2017

Irma est le cyclone le plus puissant jamais observé dans la Caraïbe : il a atteint des pics de 363 km/heure, a soufflé pendant 33 heures de suite et a occasionné de très nombreux dégâts, comme ici à Saint-Martin (France).

3 Une vulnérabilité très inégale en fonction du développement

« Dans les pays pauvres de la zone, les mesures de prévention sont quasi inexistantes et quand elles ont le mérite d'exister, elles se heurtent bien souvent à l'analphabétisme des populations. Les plans d'urbanisme n'existent pas, favorisant la construction à tout va d'habitations de fortune, construites en zones inondables ou sur les pentes les plus fortes des grandes agglomérations caribéennes. Elles sont les premières détruites en cas de cyclones ou de tempêtes. [...] Le cas de Haïti [seul PMA* d'Amérique] est une fois de plus révélateur de ce cercle vicieux qui se crée à la suite d'une catastrophe naturelle dans des pays pauvres et déjà fragilisés. [...] À l'inverse, dans les pays plus développés, le risque est géré différemment. [...] La population est alertée, par les canaux médiatiques (radio, presse, TV). Elle est également sensibilisée au risque par le biais de campagnes de sensibilisation. [...] Les normes de construction font l'objet de réglementations strictes, voire même parfois d'aides financières des pouvoirs publics. »

Marc-André Léopoldie, Frédérique Turbout, « Les sociétés face aux risques : le cas de la Caraïbe », *Atlas Caraïbe*, AREC, MRSH, Université de Caen Normandie, 2017-2018.

ARTICLE

4 ▶ Plymouth après l'éruption de la Soufrière de Montserrat

Depuis 1995, la Soufrière de Montserrat est en éruption. Toute la partie sud de ce territoire d'outre-mer du Royaume-Uni, y compris la capitale Plymouth, a été dévastée.
Les deux tiers de la population ont migré vers l'Europe. Le reste s'est réfugié dans la partie de l'île non touchée par l'éruption.

5 ▶ La prévention des tsunamis aux Antilles françaises

La prévention du risque de tsunami est particulièrement importante à Cuba, dans les départements français et dans les possessions britanniques ou hollandaises. Elle l'est beaucoup moins dans les États les moins développés, et notamment à Haïti, seul PMA* de la région.

6 ▶ La prévision des cyclones (Miami)

Le *National Hurricane Center* de Miami est l'un des centres météorologiques régionaux spécialisés de l'Organisation météorologique mondiale.
Sa mission est de prévoir et d'analyser les phénomènes météorologiques tropicaux dans les bassins de l'océan Atlantique nord et du Pacifique nord-est.

DEUX PARCOURS AU CHOIX

PARCOURS GUIDÉ

1. Montrez que les États de la Caraïbe sont soumis à de multiples aléas naturels. Doc 1
2. Quels types de risques naturels sont les plus meurtriers et dévastateurs ? Pourquoi ? Doc 1 et 2
3. Quelle est la part des risques technologiques dans l'espace caraïbe ? Doc 1
4. Où est situé le centre de recherche sur les cyclones ? Pourquoi est-il utile à toute l'aire caraïbe ? Doc 6
5. À l'aide des doc 5 et 6, définissez les termes de prévision et de prévention.
6. Pourquoi Haïti est-il particulièrement vulnérable ? Doc 3 et 5

PARCOURS AUTONOME

Répondez à la problématique du dossier sous forme rédigée en organisant votre plan autour de ces deux thèmes :

1. L'importance et la multiplicité des risques dans l'espace caraïbe
2. Une prévision et une prévention très variables en fonction des États

Comment les sociétés font-elles face aux risques majeurs et globaux ?

A Au Sud, une vulnérabilité importante

• **Le nombre de victimes de catastrophes* est en progression** depuis les années 1970. Ces évolutions sont surtout liées à l'essor de la vulnérabilité. Celle-ci est en relation étroite avec la densité de population des zones à risque et est donc forte sur les littoraux et dans les villes. Mais elle dépend surtout du niveau de développement.

• **Les dix pays les plus vulnérables sont des PMA***. Un cyclone de même intensité est ainsi plus dévastateur en Haïti qu'en Guadeloupe. De même, c'est en Afrique subsaharienne que les risques sanitaires sont les plus importants.

B Au Nord, une meilleure prise en compte des risques

• **Les sociétés tentent de se prémunir des risques par la prévision et par la prévention** : constructions adaptées (paracycloniques…), sensibilisation des populations, reboisement des littoraux exposés aux tsunamis… Certains aléas* (séismes…) demeurent cependant difficilement prévisibles et la prévention reste peu efficace.

• **Au Nord, le risque est souvent intégré dans des politiques d'aménagement du territoire**. Ainsi l'Union européenne doit tenir compte de la Directive Seveso. Les États et les municipalités réalisent des ouvrages performants et des compagnies de réassurance permettent ainsi une meilleure résilience. Au Sud, la situation est plus contrastée. Dans les pays émergents, l'essor industriel s'accompagne rarement d'un souci de prévenir les risques. Les PMA* tentent en priorité de limiter la vulnérabilité de leurs populations en améliorant le bâti et les infrastructures vitales (eau, sanitaires…).

C Vers une gestion planétaire des risques globaux

• **La plupart des risques sont gérés par des acteurs locaux et surtout nationaux**. Mais le développement de risques globaux* a amené l'intervention de nouveaux acteurs : ONG*, organisations internationales, groupes d'experts comme le GIEC. La gestion des migrants internes prend une place croissante dans leurs réflexions. De façon plus informelle, la prise de conscience du risque global amène une frange de la population à s'interroger sur ses modes de vie (déplacements, alimentation…).

• **Le pilier environnemental a pris la première place** dans les préoccupations de développement durable du fait du changement climatique. Malgré la tenue de conférences internationales (Rio, Kyoto), les avancées sont longtemps restées limitées. L'Accord de Paris en 2015 a permis certains progrès en matière de lutte contre le changement climatique global. Le revirement des États-Unis (2017) témoigne cependant des difficultés de mise en place d'une gouvernance mondiale afin de conduire une transition environnementale*.

> Même si des solutions peuvent répondre aux risques majeurs, leur coût et l'absence de consensus entre les acteurs limitent leur impact.

REPÈRE

La gestion des risques

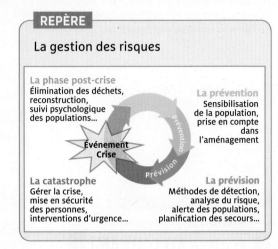

La phase post-crise
Élimination des déchets, reconstruction, suivi psychologique des populations…

La prévention
Sensibilisation de la population, prise en compte dans l'aménagement

Événement Crise

prévention
prévision

La catastrophe
Gérer la crise, mise en sécurité des personnes, interventions d'urgence…

La prévision
Méthodes de détection, analyse du risque, alerte des populations, planification des secours…

VOCABULAIRE

Accord de Paris sur le climat Il vise à contenir le changement climatique global en limitant les émissions de CO_2. Il a été signé en 2015 par la quasi-totalité des pays, mais les États-Unis s'en sont retirés en 2017.

Directive Seveso Directive de l'Union européenne qui impose aux États membres d'identifier les sites industriels sensibles, d'informer les populations des risques et de prévoir des mesures de secours.

GIEC Groupe d'experts internationaux, fondé en 1998, chargé d'étudier les évolutions du climat.

Prévention Ensemble des moyens visant à empêcher ou à limiter un risque.

Prévision Ensemble des moyens visant à surveiller un aléa pour anticiper un risque.

Résilience Capacité d'une société à se relever d'une catastrophe.

Vulnérabilité Capacité d'une société à faire face, plus ou moins efficacement, à un risque et aux dommages subis.

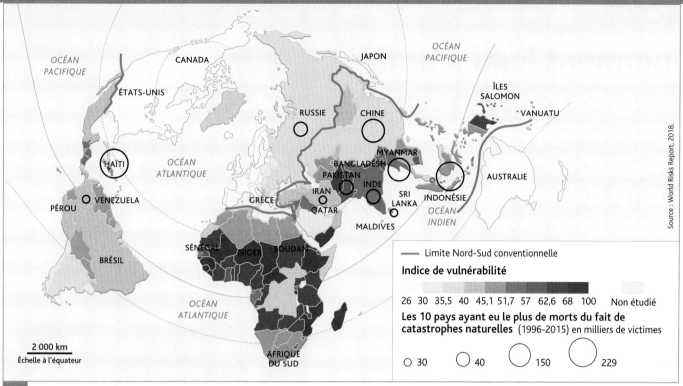

1 ▶ Des pays inégalement vulnérables

Source : World Risks Report, 2018.

— Limite Nord-Sud conventionnelle

Indice de vulnérabilité

26 30 35,5 40 45,1 51,7 57 62,6 68 100   Non étudié

Les 10 pays ayant eu le plus de morts du fait de catastrophes naturelles (1996-2015) en milliers de victimes

○ 30   ◯ 40   ◯ 150   ◯ 229

2 ▶ **Le réchauffement climatique, vu par un caricaturiste**

Dessin de Vadot

Climato-sceptique : personne qui réfute l'idée que le changement climatique est lié à l'action humaine, voire qui minimise ou nie le changement climatique.

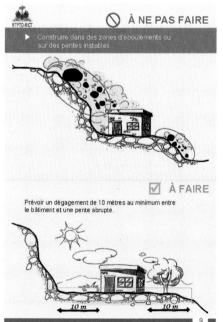

🚫 À NE PAS FAIRE
▶ Construire dans des zones d'éboulements ou sur des pentes instables

☑ À FAIRE
Prévoir un dégagement de 10 mètres au minimum entre le bâtiment et une pente abrupte.

10 m   10 m

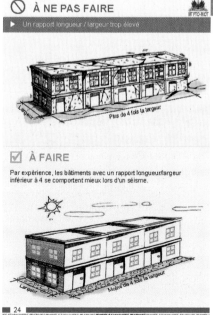

🚫 À NE PAS FAIRE
▶ Un rapport longueur / largeur trop élevé

Plus de 4 fois la largeur

☑ À FAIRE
Par expérience, les bâtiments avec un rapport longueur/largeur inférieur à 4 se comportent mieux lors d'un séisme.

Moins de 4 fois la largeur

3 ▶ **Conseils du gouvernement haïtien pour construire des bâtiments d'habitation**

Analyser et confronter les documents

1. Quels liens peut-on établir entre niveau de développement et vulnérabilité* ? Doc 1 et 3

2. À quelle phase du repère correspond le doc 3 ?

3. Quels aspects sont pris en compte dans la construction de bâtiments résilients ? Doc 3

4. Analysez la caricature à l'aide du doc 3 p. 31 et du vocabulaire ci-contre.

JAPON

Comment Fukushima s'est-elle relevée de la catastrophe de 2011 ?

En 2011, le tsunami et l'explosion induite du réacteur nucléaire de Fukushima ont causé 22 000 morts et disparus et le rejet de produits radioactifs aux lourdes conséquences sanitaires. Malgré le très haut niveau de développement du Japon, sa résilience* n'est pas totale.

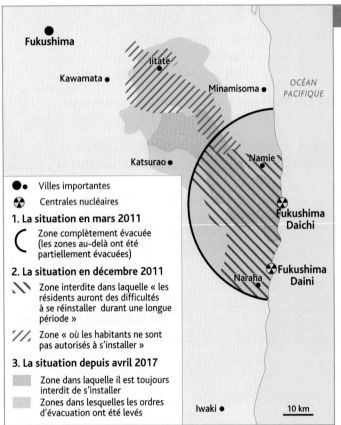

1 L'évolution des zones à accès restreint depuis 2011

Fukushima
Kawamata
Iitate
Minamisoma
OCÉAN PACIFIQUE
Katsurao
Namie
Fukushima Daichi
Naraha
Fukushima Daini
Iwaki
10 km

Légende :

●● Villes importantes

☢ Centrales nucléaires

1. La situation en mars 2011

Zone complètement évacuée (les zones au-delà ont été partiellement évacuées)

2. La situation en décembre 2011

Zone interdite dans laquelle « les résidents auront des difficultés à se réinstaller durant une longue période »

Zone « où les habitants ne sont pas autorisés à s'installer »

3. La situation depuis avril 2017

Zone dans laquelle il est toujours interdit de s'installer

Zones dans lesquelles les ordres d'évacuation ont été levés

2 Un mur contre un futur tsunami

Une digue en béton de 14 mètres de haut est en construction sur près de 400 km depuis 2015 pour faire face aux tsunamis. Achevée en 2020, et d'un coût prévu de 10 milliards d'euros, elle coupera une partie des Japonais de la vue de la mer et en rendra l'accès plus difficile.

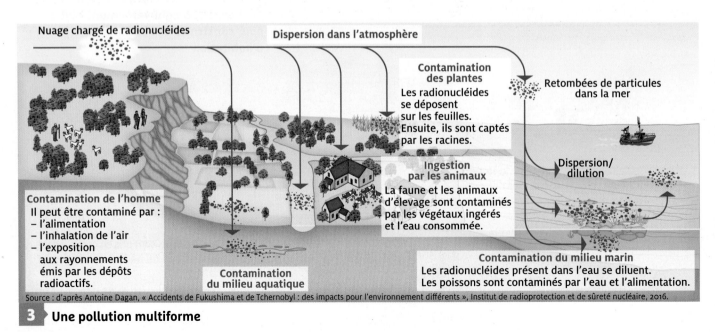

Nuage chargé de radionucléides

Dispersion dans l'atmosphère

Contamination des plantes
Les radionucléides se déposent sur les feuilles. Ensuite, ils sont captés par les racines.

Retombées de particules dans la mer

Dispersion/ dilution

Ingestion par les animaux
La faune et les animaux d'élevage sont contaminés par les végétaux ingérés et l'eau consommée.

Contamination de l'homme
Il peut être contaminé par :
– l'alimentation
– l'inhalation de l'air
– l'exposition aux rayonnements émis par les dépôts radioactifs.

Contamination du milieu aquatique

Contamination du milieu marin
Les radionucléides présent dans l'eau se diluent. Les poissons sont contaminés par l'eau et l'alimentation.

Source : d'après Antoine Dagan, « Accidents de Fukushima et de Tchernobyl : des impacts pour l'environnement différents », Institut de radioprotection et de sûreté nucléaire, 2016.

3 Une pollution multiforme

4 ▶ Une résilience* impossible ?

L'anthropologue Akiko Ida a étudié les lettres et témoignages d'enfants de la région de Fukushima après l'accident nucléaire.

« *Quand j'ai entendu que la radioactivité était émise, je me suis demandé : "C'est quoi, la radioactivité ?" Ma maman m'a demandé de ne pas me faire mouiller par la pluie. Donc j'ai porté un imperméable et j'ai aussi tenu un parapluie même les jours où il ne pleuvait pas beaucoup. Mais je me disais que la pluie [...] devait être plus dure que celle de Tokyo.* »

« *Malgré la chaleur très dure, je porte tous les jours une chemise avec des manches longues, un pantalon, un masque et un chapeau, pour aller à l'école. Je ne peux pas jouer dehors, non plus. On ne peut plus ouvrir les fenêtres comme l'année dernière.* »

« *Je voudrais que la radioactivité disparaisse et que je puisse avoir un chien dehors.* »

« *Je voudrais jouer au football dans l'équipe nationale dans le futur. Pourtant, je ne peux pas m'entraîner beaucoup à Fukushima à présent. Quand est-ce que la radioactivité va disparaître ? Est-ce que je peux devenir une grande personne ?* »

« *À l'école, j'ai entendu parler d'une histoire sur les enfants de Fukushima qui ont fui dans d'autres départements et qui ont subi les brimades (à l'école) à cause du préjugé sur la radioactivité. Je les ai profondément pris en pitié.* »

D'après Akiko Ida, *Le vécu de l'accident nucléaire de Fukushima, Japon : les paroles des enfants*, Bulletin Amades 84, 2011.

5 ▶ Le centre Kuminosato (dans l'archipel d'Okinawa), destiné aux enfants de Fukushima

Ce centre de santé héberge ponctuellement des enfants qui vivent dans des zones contaminées de Fukushima. L'accident de 2011 a entraîné une très nette hausse des risques de cancer, notamment de la thyroïde. Les enfants sont particulièrement touchés.

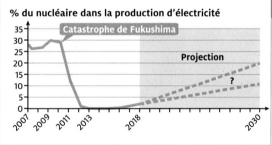

% du nucléaire dans la production d'électricité
Catastrophe de Fukushima
Projection
?

6 ▶ La part du nucléaire dans la production électrique au Japon

En 2011, l'accident de Fukushima a provoqué la décision d'arrêter toutes les centrales du pays et un débat sur la question de l'abandon du nucléaire.
Dès 2012, le gouvernement a progressivement rouvert des centrales dans tout le pays.

DEUX PARCOURS AU CHOIX

PARCOURS GUIDÉ

1. Pourquoi la nature et l'ampleur de la catastrophe de Fukushima rendent-elles difficile la résilience* des milieux et des populations affectés ? Doc 1, 3, 4 et 5

2. Pour quelles populations la résilience s'avère-t-elle difficile ? Doc 1, 2, 4 et 5

3. Quels sont les choix politiques du Japon en matière de prévention et de nucléaire ? Doc 2 et 6

PARCOURS AUTONOME

À l'aide des documents, cherchez des arguments pour répondre à la problématique du dossier et organisez-les selon le tableau ci-dessous, avant de rédiger votre réponse.

Une résilience difficile vu l'ampleur et la nature de la catastrophe	Des milieux et des populations encore fortement affectés	Des actions qui visent la résilience

Comment agir contre le « continent de plastique » ?

VOTRE MISSION

Vous allez vous mettre dans la situation d'un acteur luttant contre la pollution par le plastique en milieu océanique. Après avoir pris connaissance des documents, vous endosserez un rôle (chercheur, consommateur, député, membre d'une ONG...) et présenterez des moyens d'action.

Les trois quarts des déchets flottants rejetés dans les océans sont constitués de plastique, une matière qui met un à plusieurs siècles pour disparaître. Les conséquences néfastes sont multiples sur les animaux et organismes marins, mais aussi pour les activités et la santé humaine.

1 La pollution par le plastique en quelques chiffres

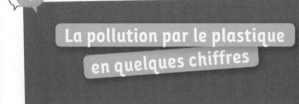

Les 3 plastiques des bouteilles et flacons faciles à trier et à recycler

01	02	05
PET	PE-HD	PP
Polyéthylène téréphtalate	Polyéthylène haute densité	Polypropylène

03	04	06	07
PVC	PE-LD	PS	O

D'autres plastiques pour l'emballage

Production mondiale de plastique (en millions de tonnes) :
1,5 en 1950. **300** en 2014. **33 000 ?** en 2050.

> à 100 ans
Temps de dégradation d'une bouteille en plastique

60 à 90 %
des déchets rejetés dans l'océan sont composés de plastique

Conséquences sur la flore et la faune : microfragments de plastique ingérés par au moins **267** espèces dans le monde (par 86 % des tortues de mer, 44 % de toutes les espèces d'oiseaux, 43 % de mammifères marins)

Dérive d'espèces invasives (méduses, bactéries...) accrochées aux déchets et modification des écosystèmes

4 des 7 types de plastique peuvent avoir des conséquences sanitaires sur l'homme

3 Collecter et agir par la recherche

AUX SOURCES DU PROBLÈME

GYRE

2 Un « continent de plastique » dans l'océan ?

VIDÉO

EXPÉDITION 7e CONTINENT
septiemecontinent.com | seventh-continent.com

Le Monstre de Plastiques

Les expéditions « 7e continent » ont été créées à l'initiative de plusieurs navigateurs et sont financées par le CNES (Centre national d'études spatiales) et l'Agence spatiale européenne. Depuis 2013, elles visent à collecter et à étudier le plastique des océans.

4 Agir par la loi et la sensibilisation (France)
Affiche du ministère de l'Environnement en 2017.

5 Collecter les détritus
Collecte de plastique sur une plage de Hong Kong,
à l'initiative de l'ONG* HK125.

**7 Nettoyer les océans :
une solution illusoire ?**

VIDÉO

6 COMPRENDRE LE PROCESSUS EN SUIVANT DES CANARDS EN PLASTIQUE !

« Le 10 janvier 1992 dans le Grand Nord, [...] l'*Evergreen Ever Laurel* [est] submergé par des vagues d'une bonne dizaine de mètres. De ses conteneurs se libèrent 28 800 jouets de bain en plastique [...]. Dix mois plus tard, les bestioles flottantes commencent à envahir les côtes de l'Alaska. [...]

L'anecdote arrive aux oreilles de deux océanographes [...] de la NOAA (National Oceanographic and Atmospheric Administration). [...]

Après avoir découvert que les jouets étaient montés jusqu'au golfe d'Alaska au lieu de descendre vers les côtes californiennes, les scientifiques ont pu prédire la suite des aventures des canards et grenouilles. [...]

Ainsi, les jouets en plastique ont-ils suivi des destins variés : certains devaient accoster à Hawaï cinq ans plus tard, d'autres continuer leur circumambulation autour du globe, d'autres encore sombrer dans la "soupe plastique", cette vaste zone calme au cœur d'un courant giratoire dans le Pacifique nord, où s'accumulent les déchets. Ceux qui, comme ces canards de bain, sont composés de plastique risquent d'y rester un moment, puisqu'il leur faut environ cinq cents ans pour disparaître, malgré les tentatives infructueuses de nombreux organismes pour les digérer. »

« Canard – Expérience océanographique autour de jouets de bain en cavale », *Le Monde*, 13 janvier 2012.

Des pistes de réflexion

• Quelle est l'importance du phénomène ? Quelles sont ses causes et son évolution ? Doc 1, 2 et 6

• Quels acteurs tentent de lutter contre la pollution par le plastique ? Doc 3 à 7

• Quelles sont les solutions évoquées par les doc 3 à 7 ? Lesquelles vous semblent les plus efficaces ?

Pour trouver des arguments complémentaires :

➜ De très nombreux articles de presse sur Internet (mots-clés possibles : pollution plastique / océan / gestes…)

➜ De nombreuses vidéos expliquant les processus et les actions menées. Par exemple :
* France TV Éducation : « Un continent de plastique dans l'océan ? »
* INA : « Déchets plastiques dans le Pacifique : un 7e continent ? »
* L'Obs : « Plastique : tour du monde choc de la pollution des océans »
* Futura Science : « L'invasion de plastique »

SITOGRAPHIE

Une source « d'eau améliorée » aux Philippines (climat tropical humide)

Source mise en place par le Fonds pour la réalisation des Objectifs du Millénaire pour le développement, qui a pour but d'éradiquer la pauvreté et les inégalités dans le monde.

Thème **1** • Sociétés et environnements : des équilibres fragiles

question Monde

2. Des ressources majeures sous pression : tensions, gestion

L'eau et l'énergie sont deux ressources majeures indispensables aux sociétés humaines. La gestion de ces ressources est parfois difficile et peut amener à des tensions socio-économiques mais aussi environnementales.

FRANCE
Tignes

Barrage hydroélectrique
de Tignes dans la haute
vallée de l'Isère

Quels usages de l'eau évoquent ces
photographies ? Montrez qu'elles témoignent de
niveaux de développement différents, mais aussi
de tensions sociales et environnementales.

···⟩ Comment les sociétés font-elles face aux besoins en eau et en énergie ?

L'empreinte écologique : des ressources sous pression

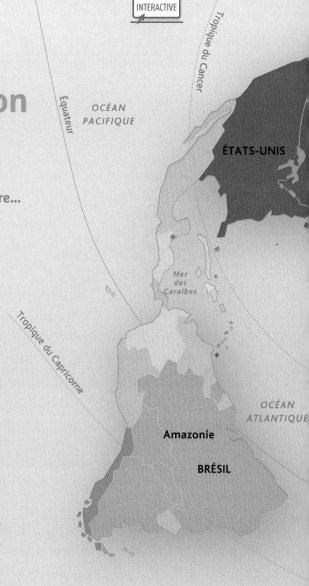

CARTE INTERACTIVE

OCÉAN PACIFIQUE

Équateur

Tropique du Cancer

ÉTATS-UNIS

Mer des Caraïbes

Tropique du Capricorne

OCÉAN ATLANTIQUE

Amazonie

BRÉSIL

Notion-clé Transition environnementale

Évolution vers un modèle économique et social marqué par plus de durabilité* qui renouvelle les façons de consommer, de produire... pour répondre aux grands enjeux environnementaux (changement climatique global*, raréfaction des ressources, diminution de la biodiversité...).

1 Ressources/besoins

La vallée du Nil à Assouan Une ressource est une richesse potentielle exploitée ou non par les sociétés pour répondre à des besoins (vitaux, économiques...). Le Nil a permis le peuplement de l'Égypte en lui apportant une ressource en eau et en fertilisant les terres en milieu désertique.

2 Consommation/pression sur les ressources

Sydney la nuit La consommation mondiale est en augmentation constante et peut même amener à l'épuisement de certaines ressources. Ainsi les villes, comme Sydney, et l'industrie sont fortement consommatrices d'énergie (électrique en particulier), issue en grande partie du pétrole ou du charbon.

3 Ressources non renouvelables/renouvelables

Mine de charbon à ciel ouvert en Chine Les ressources non renouvelables (charbon, pétrole, minerais...) sont par définition épuisables. Les ressources renouvelables (eau, éolien, solaire ou géothermie...) sont une alternative à cet épuisement.

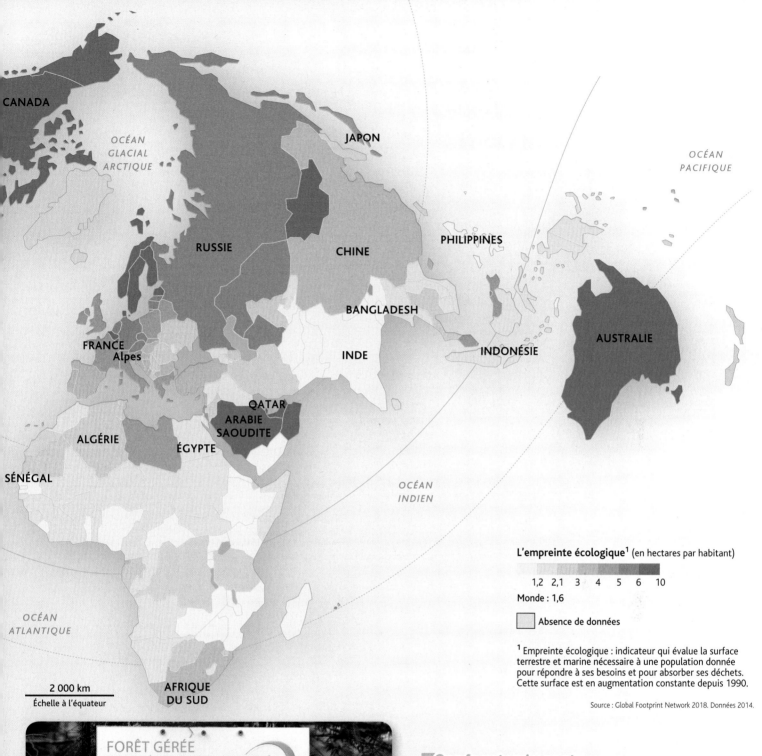

CANADA

OCÉAN
GLACIAL
ARCTIQUE

JAPON

OCÉAN
PACIFIQUE

RUSSIE

CHINE

PHILIPPINES

FRANCE
Alpes

BANGLADESH

INDE

INDONÉSIE

AUSTRALIE

QATAR
ARABIE
SAOUDITE

ALGÉRIE

ÉGYPTE

SÉNÉGAL

OCÉAN
INDIEN

OCÉAN
ATLANTIQUE

2 000 km
Échelle à l'équateur

AFRIQUE
DU SUD

L'empreinte écologique[1] (en hectares par habitant)

1,2 2,1 3 4 5 6 10

Monde : 1,6

Absence de données

[1] Empreinte écologique : indicateur qui évalue la surface terrestre et marine nécessaire à une population donnée pour répondre à ses besoins et pour absorber ses déchets. Cette surface est en augmentation constante depuis 1990.

Source : Global Footprint Network 2018. Données 2014.

FORÊT GÉRÉE
DURABLEMENT
ET CERTIFIÉE.

POUR ASSURER
L'AVENIR DES FORÊTS,
CHOISISSEZ DES
PRODUITS EN BOIS PEFC.

PEFC
PEFC/10-1-1

4 Milieux*/gestion durable

Panneau de la fédération interprofessionnelle Forêt-Bois-Alsace Les milieux, comme ici le milieu forestier, sont exploités par les sociétés de façon souvent excessive à l'échelle mondiale (déforestation, sélection d'espèces...). Une gestion durable vise à garantir leur renouvellement et la préservation de la biodiversité.

Confronter la carte et les documents

1. Sur quels continents trouve-t-on les pays qui ont la plus forte empreinte écologique ? Et la plus faible ? Peut-on faire un lien avec le niveau de développement ? Planisphère et carte p. 123

2. Localisez les pays évoqués par les photographies sur le planisphère. Quelle est leur empreinte écologique ? En quoi cela relativise-t-il cet indicateur ?

3. Quelle(s) photographie(s) témoigne(nt) plutôt d'une transition environnementale avancée ? Lesquelles témoignent d'un certain retard dans cette transition ?

4. Quelles sont les ressources évoquées par les documents ? Citez-en d'autres en feuilletant les p. 40 à 55.

Des ressources majeures sous pression : tensions, gestion

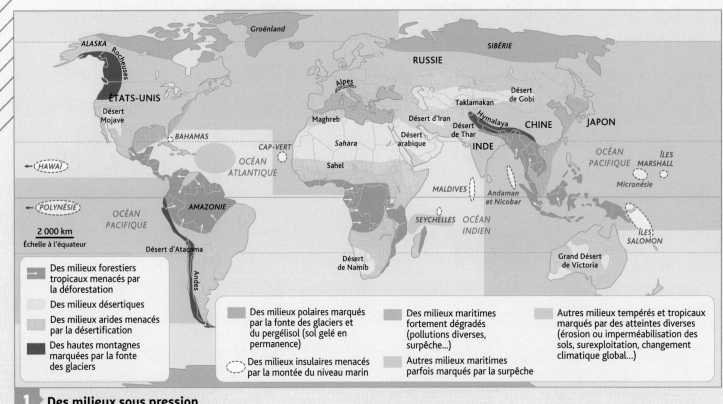

Légende :

- Des milieux forestiers tropicaux menacés par la déforestation
- Des milieux désertiques
- Des milieux arides menacés par la désertification
- Des hautes montagnes marquées par la fonte des glaciers
- Des milieux polaires marqués par la fonte des glaciers et du pergélisol (sol gelé en permanence)
- Des milieux insulaires menacés par la montée du niveau marin
- Des milieux maritimes fortement dégradés (pollutions diverses, surpêche...)
- Autres milieux maritimes parfois marqués par la surpêche
- Autres milieux tempérés et tropicaux marqués par des atteintes diverses (érosion ou imperméabilisation des sols, surexploitation, changement climatique global...)

1 Des milieux sous pression

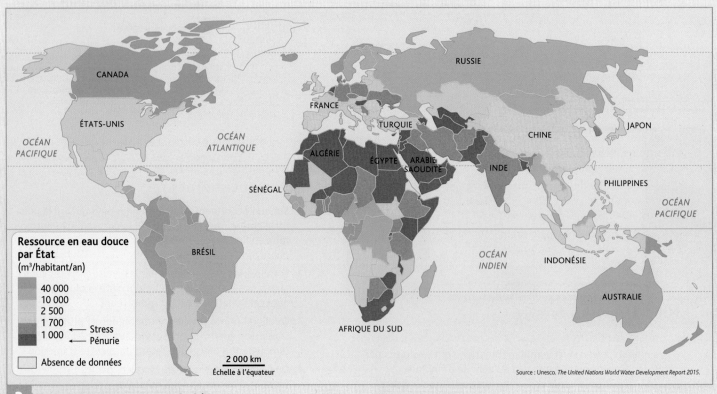

Ressource en eau douce par État
(m³/habitant/an)

- 40 000
- 10 000
- 2 500
- 1 700 ← Stress
- 1 000 ← Pénurie
- Absence de données

Source : Unesco. *The United Nations World Water Development Report 2015.*

2 La ressource en eau par habitant

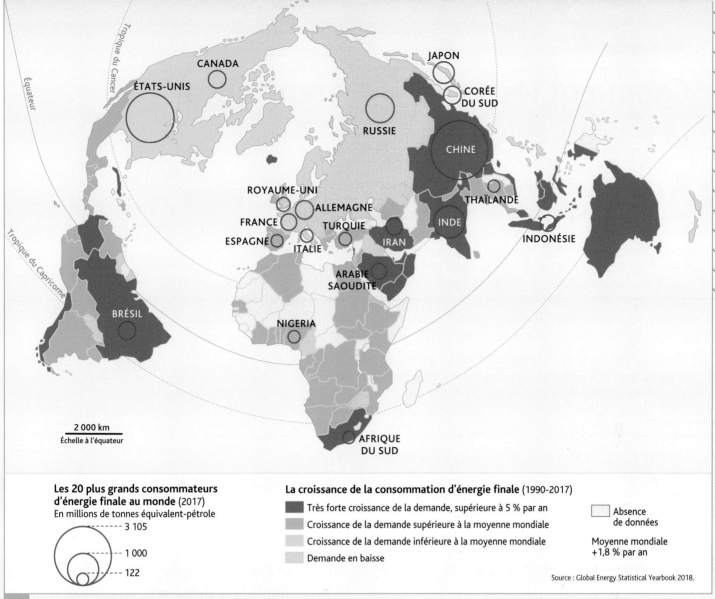

Les 20 plus grands consommateurs d'énergie finale au monde (2017)
En millions de tonnes équivalent-pétrole

- 3 105
- 1 000
- 122

La croissance de la consommation d'énergie finale (1990-2017)

- Très forte croissance de la demande, supérieure à 5 % par an
- Croissance de la demande supérieure à la moyenne mondiale
- Croissance de la demande inférieure à la moyenne mondiale
- Demande en baisse

- Absence de données

Moyenne mondiale
+1,8 % par an

Source : Global Energy Statistical Yearbook 2018.

3 La consommation d'énergie dans le monde

DEUX PARCOURS AU CHOIX POUR ANALYSER LES CARTES

PARCOURS RÉDIGÉ

1. Quelles sont les atteintes aux milieux causées par le changement climatique global* ? Celles provoquées par d'autres actions des sociétés ? Doc 1

2. Les situations de stress hydrique correspondent-elles toujours à des milieux secs ? Doc 1 et 2 Comment expliquer les différences constatées ?

3. Quels pays ont connu une forte augmentation de leur consommation énergétique depuis 1990 ? Pourquoi ? Doc 3

BILAN Rédigez quelques lignes expliquant pourquoi l'on peut parler de « ressources sous pression ».

PARCOURS CARTOGRAPHIQUE

Réalisez un schéma très simplifié synthétisant les doc 2 et 3. Pour cela, classez les espaces en deux catégories (des espaces et des sociétés où les tensions sur les ressources sont les plus fortes ; d'autres où elles sont moins fortes). Aidez-vous de l'exercice 2 p. 138.

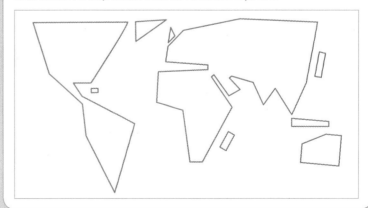

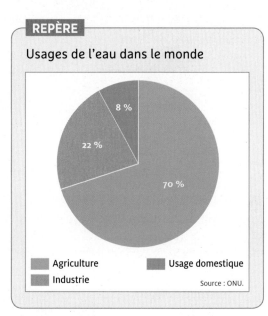

Comment les sociétés gèrent-elles la ressource en eau ?

A · Un accès inégal à une ressource indispensable

• **L'eau est une ressource indispensable à la vie. Ses usages sont multiples** : domestiques, industriels mais surtout agricoles, secteur qui effectue la majorité des prélèvements (17 % des terres cultivées dans le monde sont irriguées). Il existe donc une forte relation entre la répartition de la population et la ressource en eau. Les grands foyers de peuplement (65 % de la population mondiale) sont situés pour partie dans des zones où la ressource est importante. Neuf pays possèdent 60 % des réserves d'eau douce mondiale (Brésil, Russie...) grâce aux précipitations, à de grands lacs et à des fleuves.

• **En revanche, 15 % de la population mondiale vit en milieu aride** qui concerne 40 % des terres émergées, situées en majorité en Afrique et en Asie (Sahara, Sahel, péninsule Arabique...).

B · La gestion de l'eau par les sociétés

• **L'accès à l'eau dépend aussi de la capacité des sociétés à effectuer des aménagements** et de leur développement. 2,1 milliards de personnes n'avaient pas accès à de l'eau améliorée en 2017. L'accès à l'eau ne dépend pas que de l'aridité ; de nombreux pays, pourtant pluvieux, sont en situation de stress hydrique.

• **La maîtrise de l'eau a façonné certains espaces**, et ceci dès l'Antiquité. Des barrages de plus en plus grands permettent l'irrigation et la production d'énergie. Les transferts d'eau alimentent des régions agricoles et des métropoles parfois très éloignées de la ressource. Les aménagements destinés à produire une eau non conventionnelle (dessalement de l'eau de mer...) se développent.

• **Ces aménagements hydrauliques peuvent entraîner des bouleversements** des sociétés et des milieux. Les barrages ennoient des régions et entraînent souvent des déplacements de populations. Les transferts d'eau peuvent conduire à l'assèchement de cours d'eau (Colorado).

C · Les enjeux d'un approvisionnement durable en eau

• **Les besoins en eau peuvent provoquer des tensions** : conflits d'usages entre les acteurs de l'agriculture, du tourisme..., mais aussi tensions internationales. Lorsqu'un État construit des barrages en amont, les États situés en aval risquent d'être lésés (futurs barrages éthiopiens contestés par l'Égypte).

• **L'approvisionnement en eau pose la question de la durabilité*** en qualité et en quantité. Le changement climatique, l'essor démographique, l'urbanisation sont des facteurs aggravants qui ont amené à une prise de conscience internationale : les Objectifs de développement durable* de l'ONU visent une eau « saine et accessible à tous » d'ici 2030... Des améliorations techniques cherchent à économiser et à assainir l'eau, à lutter contre la pollution.

> La ressource en eau est renouvelable, mais elle est mal répartie et peut provoquer des tensions. L'accès à une eau de qualité dépend aussi du développement. Une gestion plus durable est nécessaire.

REPÈRE

Usages de l'eau dans le monde

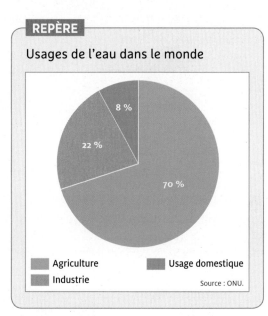

- 70 % Agriculture
- 22 %
- 8 %
- Agriculture
- Usage domestique
- Industrie

Source : ONU.

VOCABULAIRE

Aridité Caractéristique d'un climat où les précipitations sont inférieures à 400 mm par an.

Conflit d'usages Concurrence entre plusieurs acteurs pour l'utilisation d'un espace ou d'une ressource.

Eau améliorée Eau non partagée avec des animaux et protégée de leurs déjections. Elle peut être fournie par une adduction individuelle, par des fontaines ou des puits, individuels ou collectifs. Sa potabilité n'est pas garantie.

Eau non conventionnelle Eau ne provenant pas de « sources conventionnelles » et qui n'est donc pas issue des nappes et des réseaux de surface : eau de mer dessalée, eau puisée dans des nappes fossiles...

Grands foyers de peuplement Espaces concentrant une grande partie de la population mondiale.

Ressource Richesse potentielle exploitée ou non par les sociétés humaines.

Stress hydrique Situation dans laquelle la demande en eau est supérieure aux ressources.

1 L'approvisionnement en eau dans un quartier de New Delhi (Inde)

Des résidents de Sanjay Colony, un bidonville de New Delhi, s'approvisionnent autour d'une citerne d'eau.

À Singapour, Veolia gère l'eau ultrapure d'un grand site industriel de micro électronique, avec un recyclage en boucle fermée. Partout dans le monde, Veolia développe des systèmes permettant de réutiliser la même eau en continu, pour préserver la ressource naturelle. Découvrez comment sur **veolia.com**

Ressourcer le monde   ○ VEOLIA

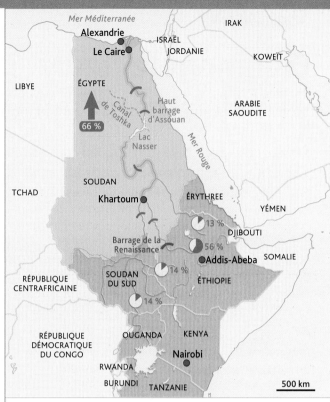

1. Un fleuve indispensable à différents usages

▢ Pays en aval, dont l'approvisionnement dépend presque en totalité du Nil

● Approvisionnement des villes

▢ Agriculture irriguée

⌒ Grands barrages (électricité, irrigation)

----- Projet de canal

2. Un partage des eaux favorable à l'Égypte, contesté par l'Éthiopie

↑ Part du débit annuel accordé à l'Égypte avec un droit de veto sur tout projet sur le Nil (accords de 1929 et 1959)

14 % ◑ Apport des différentes branches du Nil

▢ Pays en amont, signataires d'un accord contestant la domination de l'Égypte

⌒ Barrage de la Renaissance en construction

2 Le Nil : un enjeu géopolitique en milieu aride

3 Les solutions proposées par Veolia (entreprise internationale) pour la gestion de l'eau en ville

Sur l'affiche on peut lire : « À Singapour, Veolia gère l'eau ultrapure d'un grand site industriel de microélectronique, avec un recyclage en boucle fermée. Partout dans le monde, Veolia développe des systèmes permettant de réutiliser la même eau en continu, pour préserver la ressource naturelle. »

▮ Analyser et confronter les documents

1. Montrez que l'inégal accès à l'eau est autant lié aux inégalités de développement qu'aux conditions naturelles. Doc 1 et 2 et cartes 1 et 2 p. 44

2. Quels sont les usages de l'eau possibles grâce au Nil ? Quels pays se disputent ses eaux ? Pourquoi ? Doc 2

3. De qui émane le doc 3 ? Recensez les solutions proposées par cette firme.

DONNÉES PAYS

MAURITANIE

SÉNÉGAL   MALI

GUINÉE

Comment le fleuve Sénégal permet-il de valoriser un milieu aride ?

Le fleuve Sénégal coule sur 1 700 km dans un milieu aride en marge du Sahara, le Sahel.
Il constitue un apport en eau indispensable, dans un contexte de faible développement.
Son delta est aussi une réserve de biosphère notamment pour les oiseaux migrateurs.

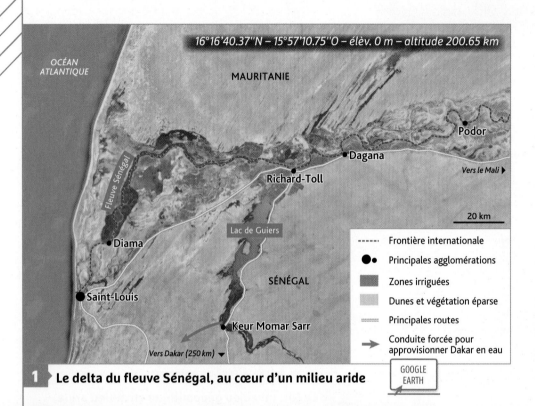

16°16'40.37''N – 15°57'10.75''O – élèv. 0 m – altitude 200.65 km

OCÉAN ATLANTIQUE

MAURITANIE

Podor

Dagana

Richard-Toll

Fleuve Sénégal

Diama

Lac de Guiers

20 km

Vers le Mali ▶

SÉNÉGAL

Saint-Louis

Keur Momar Sarr

Vers Dakar (250 km) ▼

- - - - Frontière internationale
●● • Principales agglomérations
Zones irriguées
Dunes et végétation éparse
Principales routes
→ Conduite forcée pour approvisionner Dakar en eau

GOOGLE EARTH

1 Le delta du fleuve Sénégal, au cœur d'un milieu aride

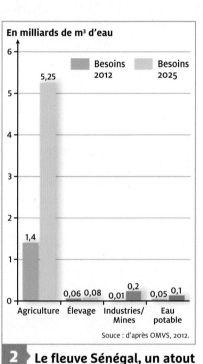

En milliards de m³ d'eau

	Besoins 2012	Besoins 2025
Agriculture	1,4	5,25
Élevage	0,06	0,08
Industries/Mines	0,01	0,2
Eau potable	0,05	0,1

Souce : d'après OMVS, 2012.

2 Le fleuve Sénégal, un atout pour les populations

3 Pêcheurs et éleveurs sur les rives du Sénégal

4 La corvée d'eau en milieu urbain (Saint-Louis du Sénégal)

L'accès à l'eau en milieu urbain se fait principalement par des bornes-fontaines. Si 90 % des habitants de Saint-Louis (qui compte 277 000 habitants) ont un accès direct à l'eau, ce chiffre tombe à 21 % dans les autres villes du delta.

5 Les objectifs de l'Organisation de la mise en valeur du fleuve Sénégal (OMVS)

« Le fleuve Sénégal est géré depuis 1972 de manière collective, via l'OMVS, qui regroupe le Sénégal, le Mali et la Mauritanie ainsi que la Guinée depuis 2006. [...]

À quels enjeux l'OMVS doit-elle faire face ?
Les pluies diminuent d'année en année et se font irrégulières. Nous devons stocker l'eau et rendre son utilisation plus rationnelle, car la sécurité alimentaire de nos populations en dépend. Dans notre région, [...] 80 % de l'eau pompée pour irriguer les champs est perdue en cours de route, à cause de la vétusté des canaux, des techniques d'irrigation et de l'infestation de l'embouchure du fleuve par les plantes aquatiques nuisibles [...].

Quels plans concrets ont-ils été mis en œuvre ?
Plusieurs barrages ont été construits : Diama [...] approvisionne en eau les villes de Nouakchott (à 100 %) et de Dakar (à 50 %). [...] Aujourd'hui, cinq nouveaux barrages sont en projet [...]

Quelles sont les perspectives pour votre réseau de distribution d'électricité ?
À ce jour, seulement 54 % des ménages du bassin sont raccordés au réseau – un taux qui descend à 13 % dans les zones rurales. Nous prévoyons [...] à l'horizon 2030 [...] l'autosuffisance énergétique. »

Interview de Kabiné Komara, haut-commissaire de l'OMVS par Moctar Ficou, ViVAfrik, 7 avril 2016.

ARTICLE

6 Le projet de Grande Muraille verte

« C'est un projet ambitieux, initié en 2007 par les pays sahélo-sahariens. Ils veulent stopper l'avancée du désert du Sahara. [...]
[Selon] le chercheur français Gilles Boetsch [...], "l'idée [...] est de multiplier par 20 la densité d'arbres actuelle, en réalisant une coulée verte [...]. Il a été décidé de ne planter que des arbres ayant une utilité sociale : l'acacia au Sénégal fournit la gomme arabique très utilisée en confiserie et en pharmacie ; le dattier du désert donne des petits fruits et une huile comestibles. Tous les arbres plantés peuvent également servir de matériaux pour construire des maisons ou élaborer des outils". [...] L'initiative avance bien au Sénégal qui préfigure ce que pourrait être la Grande Muraille verte : un endroit régénéré, qui modifie l'écosystème et le mode de vie des habitants en leur apportant des ressources nouvelles pour lutter contre la pauvreté. »

Catherine Le Brech, « Désertification : le Sahel s'organise pour stopper l'avancée du Sahara »,
France Info, 18 juillet 2017.

VIDÉO

7 La Grande Muraille verte au Sénégal : des arbres pour stopper la désertification

---

DEUX PARCOURS AU CHOIX

PARCOURS GUIDÉ

1. Localisez le fleuve Sénégal et son delta. Dans quel type de milieu sont-ils situés ? Quel est leur apport en termes de biodiversité ? Introduction et doc 1
   Allez sur Google Earth avec les coordonnées données en référence du doc 1 et parcourez la zone étudiée en téléchargeant des photos illustrant les différents milieux.

2. Analysez les différents usages de l'eau du fleuve. Doc 1 à 5

3. Pourquoi de nouveaux aménagements hydrauliques sont-ils nécessaires ? Qui les impulse ? Doc 4 et 5

4. Analysez les actions visant à protéger la biodiversité mais aussi à lutter contre la désertification du Nord du Sénégal. Doc 5, 6 et 7

BILAN Rédigez quelques lignes pour répondre à la problématique du dossier.

PARCOURS AUTONOME

À l'aide des doc 1 à 7, complétez le schéma fléché ci-dessous.

- Les caractéristiques du milieu : ...
- De nombreux aménagements : ...
- Les caractéristiques économiques : des PMA
- **Le fleuve Sénégal : un atout pour le développement en milieu aride**
- Une coopération internationale : ...
- Les usages du fleuve par la population : ...
- Une protection des espèces et une lutte contre la désertification : ...

Comment les sociétés gèrent-elles les ressources énergétiques ?

A. Un accès inégal aux ressources

• **Les ressources énergétiques, notamment fossiles, sont très inégalement réparties :** 50 % du gaz mondial est en Russie, au Qatar et en Iran, la moitié des réserves de pétrole au Moyen-Orient. La prospection permet de trouver de nouveaux gisements, mais ces ressources sont en voie d'épuisement. Les gisements de ressources non conventionnelles sont encore peu connus. Il en est de même du potentiel en énergies renouvelables : solaire, éolien, géothermie…

• **La consommation mondiale augmente encore sensiblement.** Si les pays du Nord consomment énormément, les pays émergents* ont des besoins* croissants. Il y a ainsi une forte dépendance énergétique de certains pays comme la France : elle a choisi dans les années 1970 de développer l'électricité d'origine nucléaire comme alternative aux hydrocarbures.

B. Des tensions croissantes autour de l'énergie

• **Il existe de fortes tensions économiques autour de l'énergie.** Son prix a une incidence sur les économies mondiales. Le marché des hydrocarbures est dominé par quelques acteurs : pays producteurs, principaux pays importateurs, grandes firmes pétrolières. L'augmentation des besoins mondiaux et l'épuisement des réserves entraînent une hausse de ces prix et fragilisent de nombreux États.

• **Les tensions politiques sont également fortes** et peuvent prendre une dimension planétaire lorsqu'elles concernent un pays pétrolier (guerre du Golfe en 1991, Libye en 2011…). La recherche de nouveaux gisements *offshore* crée des différends frontaliers en mer, par exemple en mer de Chine méridionale.

• **Les tensions environnementales sont en augmentation.** La consommation d'énergie a un impact direct sur la santé et sur le réchauffement climatique. L'Accord de Paris sur le climat* vise à réduire les émissions de GES. Mais la non-signature de la Russie et le retrait des États-Unis freinent les progrès globaux.

C. Vers une transition énergétique ?

• **Les gouvernements favorisent les économies d'énergie :** campagnes de sensibilisation, entretien des réseaux, utilisation de l'informatique (*smart grids**). La prise de conscience des acteurs favorise la réussite de ces mesures.

• **Les énergies renouvelables permettent aux États de miser sur les potentiels de leur territoire.** Les pays émergents occupent les premiers rangs dans ce domaine. Cependant, les impacts environnementaux des énergies renouvelables ne sont pas négligeables : barrages, recyclage des matériaux (panneaux photovoltaïques…), besoin de terres rares*… La transition énergétique doit donc s'inscrire dans la transition environnementale*.

> Le modèle énergétique actuel est remis en cause et oblige à penser une transition énergétique. Les choix des États sont en partie liés à leur niveau de développement.

REPÈRE

Vers une transition énergétique ?

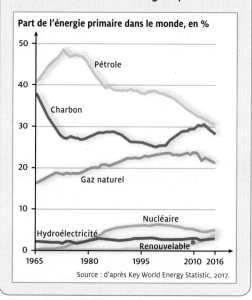

Part de l'énergie primaire dans le monde, en %

Source : d'après Key World Energy Statistic, 2017.

VOCABULAIRE

Énergie fossile Énergie créée à partir de ressources non renouvelables à l'échelle humaine (charbon, hydrocarbures conventionnels et non conventionnels*…).

Énergie renouvelable Une énergie est renouvelable lorsque son stock est illimité (hydraulique, éolien, solaire…) ou peut se reconstituer à l'échelle humaine (bois, agrocarburants…) sauf en cas de surexploitation.

Gaz à effet de serre (GES) Gaz principalement liés à l'activité humaine (CO_2, méthane…) et qui piègent le rayonnement solaire. Leur concentration dans l'atmosphère participe au réchauffement climatique.

Ressource non conventionnelle / Gaz et pétrole de schiste Ressource fossile dont l'extraction et la transformation en combustible utilisable nécessitent des investissements et des technologies particulières, le pétrole et le gaz de schiste étant contenus à l'intérieur même des roches, contrairement au pétrole et au gaz « conventionnels » qui sont présents dans des nappes du sous-sol.

Transition énergétique Processus qui vise à limiter la consommation énergétique et à diminuer la consommation basée sur les énergies fossiles au profit des énergies renouvelables.

1 Tension environnementale liée à l'exploitation pétrolière au Nigeria

2 L'Inde se met aux *smart grids**

Les *smart grids* (« réseaux intelligents ») utilisent les systèmes informatiques pour améliorer le réseau électrique et faire des économies d'énergie. L'Inde fait partie des pays en pointe dans ce domaine.

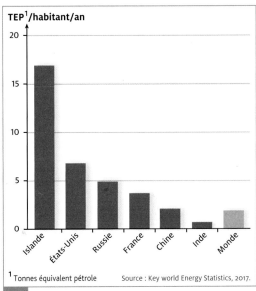

3 La consommation d'énergie rapportée au nombre d'habitants

4 La prospection et la recherche de nouvelles ressources

Caricature de Piet
En Norvège, le gouvernement envisage de pratiquer des forages pétroliers sous la banquise arctique.

Analyser et confronter les documents

1. Quels risques économiques et environnementaux liés à la production de pétrole évoquent les doc 1 et 4 ?

2. Par quels moyens l'Inde cherche-t-elle à diminuer sa consommation électrique et à procéder à une transition énergétique* ? Doc 2

3. Dans quels types de pays la consommation énergétique rapportée au nombre d'habitants est-elle très forte ? Doc 3

Quels choix énergétiques pour les États-Unis ?

Deuxième pays consommateur et producteur d'énergie derrière la Chine, et ce pour une population bien moindre (une différence d'1 milliard d'habitants), les États-Unis privilégient les énergies fossiles et se sont retirés de l'Accord de Paris*. Cependant les énergies renouvelables sont en essor.

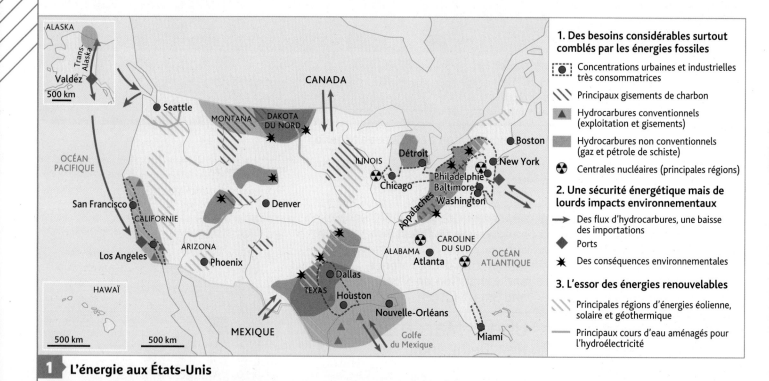

1. Des besoins considérables surtout comblés par les énergies fossiles

- Concentrations urbaines et industrielles très consommatrices
- Principaux gisements de charbon
- Hydrocarbures conventionnels (exploitation et gisements)
- Hydrocarbures non conventionnels (gaz et pétrole de schiste)
- Centrales nucléaires (principales régions)

2. Une sécurité énergétique mais de lourds impacts environnementaux

- Des flux d'hydrocarbures, une baisse des importations
- Ports
- Des conséquences environnementales

3. L'essor des énergies renouvelables

- Principales régions d'énergies éolienne, solaire et géothermique
- Principaux cours d'eau aménagés pour l'hydroélectricité

1 L'énergie aux États-Unis

2 Pour Noël, les États-Unis consomment plus d'électricité que l'Éthiopie en un an

Selon le *Center for Global Development*, les lumières décoratives de Noël qui ornent les maisons américaines pèsent 6,63 milliards de kilowatts/heure, soit plus que ce qui est consommé en un an par des pays comme l'Éthiopie (5,30 milliards).

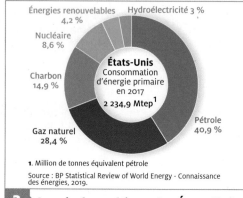

Énergies renouvelables 4,2 %
Hydroélectricité 3 %
Nucléaire 8,6 %
Charbon 14,9 %
Gaz naturel 28,4 %
Pétrole 40,9 %

États-Unis Consommation d'énergie primaire en 2017 2 234,9 Mtep[1]

1. Million de tonnes équivalent pétrole

Source : BP Statistical Review of World Energy - Connaissance des énergies, 2019.

3 Le mix énergétique des États-Unis

4 ▸ **Exploitation du gaz de schiste* au Texas**

L'exploitation du gaz et du pétrole de schiste* s'est développée à partir des années 2000, avec une production multipliée par 10 entre 2007 et 2018 au prix de conséquences environnementales majeures. Le président des États-Unis, Donald Trump, a accentué la priorité donnée aux énergies fossiles : large autorisation de l'exploitation des hydrocarbures en mer, mais aussi en Alaska, et sortie de l'Accord de Paris*.

5 ▸ **L'essor des énergies renouvelables**

« Cinq mois après l'annonce du retrait américain de l'Accord de Paris, les énergies renouvelables continuent de progresser aux États-Unis. [...] Le solaire (2 %) et l'éolien (8 %) représentent désormais 10 % de l'électricité totale produite dans le pays. Dans plusieurs États sensibles au changement climatique, comme la Californie, la proportion est encore plus importante. [...] 1 800 entreprises et investisseurs, 250 municipalités et 9 États favorisent les investissements dans les énergies renouvelables et le développement des technologies propres. [...] Solaire et éolien sont par ailleurs devenus des secteurs très créateurs d'emplois, plus que dans n'importe quel autre secteur énergétique. Dans le solaire, les effectifs ont progressé de 25 % entre 2014 et 2016 pour atteindre près de 375 000 postes et ils ont bondi de 32 % dans l'éolien, pour dépasser les 100 000 emplois. »

ARTICLE « États-Unis : les énergies renouvelables en pleine croissance », RFI, novembre 2017.

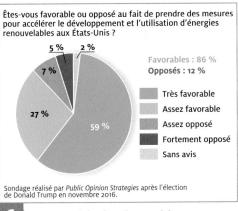

Êtes-vous favorable ou opposé au fait de prendre des mesures pour accélérer le développement et l'utilisation d'énergies renouvelables aux États-Unis ?

5 %   2 %
7 %
27 %
59 %

Favorables : 86 %
Opposés : 12 %

- Très favorable
- Assez favorable
- Assez opposé
- Fortement opposé
- Sans avis

Sondage réalisé par *Public Opinion Strategies* après l'élection de Donald Trump en novembre 2016.

6 ▸ **Des Américains favorables à la transition énergétique ?**

DEUX PARCOURS AU CHOIX

PARCOURS GUIDÉ

1. Analysez la consommation énergétique aux États-Unis (ampleur, types d'énergie). Doc 1, 2, 3 et carte 3 p. 45

2. Montrez l'importance et la diversité de leurs ressources. Doc 1

3. Quels sont les choix énergétiques faits par l'État fédéral ? Quelles en sont les conséquences environnementales ? Doc 1 et 4

4. Caractérisez la place et l'évolution des énergies renouvelables. Quels sont les acteurs qui y sont favorables ? Pourquoi ? Doc 1, 3, 5 et 6

BILAN Rédigez quelques lignes résumant les choix énergétiques des États-Unis.

PARCOURS AUTONOME

À l'aide des documents, complétez le schéma ci-dessous.

Les énormes besoins de la première puissance mondiale :
....

Le choix d'exploiter les ressources en énergies fossiles :
....
....

Des importations en baisse et diversifiées :
....

Des impacts environnementaux :
....

Vers un essor des énergies renouvelables ?

ACTEURS & ENJEUX

L'eau en bouteille : plus d'inconvénients que d'avantages ?

Boire de l'eau est une nécessité du quotidien. Or, de nombreuses personnes à travers le monde n'ont pas accès à une eau de qualité, ni tout simplement potable. Le recours croissant à l'eau en bouteille répond-il à ce problème ? N'est-il pas aussi porteur d'inégalités et de risques ?

1 La consommation d'eau en bouteille dans le monde

Consommation annuelle moyenne d'eau en bouteille en litres par habitant, en 2016

- Amérique du Nord 102
- Europe 110
- Moyen-Orient 33
- Asie 21
- Afrique 29
- Amérique du Sud 32
- Océanie 30

5 000 km
Échelle à l'équateur

Sources : Kantar, Canadean, La Vie-Le Monde, 2017.

« La consommation mondiale d'eau en bouteille est passée de 9 litres par habitants en 1999 à 27 litres en 2013 [...]. Une croissance portée, notamment, par les classes moyennes chinoise et indienne, qui ont les moyens de consommer une eau considérée comme meilleure pour la santé, présentant moins de risques que leur eau courante. [...] Au Mexique, situé au 2e rang derrière les États-Unis, la consommation augmente de 10 % par an. Une progression liée, là encore, à la mauvaise qualité du réseau d'eau potable. »

Laurent Gzybowski, « Le Business juteux de l'eau en bouteille », *L'Atlas de l'eau et des océans*, Hors-Série La Vie-Le Monde, 2017.

2 L'eau en bouteille en France, un marché florissant

Les trois grands groupes et leurs marques les plus connues

  Perrier, Vittel, Hépar, Contrex, San Pellegrino, Valvert

 Chateldon, Cristaline, Courmayeur, Rozana, Saint-Yorre, Thonon, Vals

  Volvic, Badoit, Évian, Salvetat

La consommation des Français
Sur 10 verres d'eau consommés...

6 verres d'eau du robinet **+** **4** verres d'eau en bouteille

15 % des Français ne boivent pas l'eau du robinet.

Pour **63** % d'entre eux, elle n'a pas bon goût.

12 % des Français ne boivent pas l'eau en bouteille.

Pour **66** % d'entre eux, c'est trop cher.

Budget annuel nécessaire à un ménage français pour 1,5 l d'eau par jour, selon l'eau consommée ;

 1,65€

 De 76,5€ à 230€

Sources : Mathieu Castagnet, La Croix, 2017. Laurent Gzybowski, *Le Business juteux de l'eau en bouteille*, La Vie-Le Monde, 2017.

« Premier exportateur mondial, la France est aussi 3e producteur européen d'eau embouteillée. Le secteur emploie 10 000 personnes. Le nombre d'emplois indirects est évalué à plus de 30 000. »

Laurent Gzybowski, « Le Business juteux de l'eau en bouteille », *L'Atlas de l'eau et des océans*, La Vie-Le Monde Hors-Série, 2017.

L'eau en bouteille : un produit de première nécessité ? ③

Enfants transportant de l'eau potable en bouteille donnée par des habitants de Beijing vers leurs foyers à Qinglong (Yunnan, Chine)

Acheter de l'eau en bouteille est un moyen d'accéder à l'eau potable, mais le coût est trop élevé pour les populations pauvres.

④ **Manifestation contre Nestlé à Vittel**

Manifestation de 2018 contre le projet de transfert d'eau sur des dizaines de kilomètres de Valfroicourt à Vittel. La nappe exploitée par le géant mondial Nestlé est en déficit chronique. Cette solution a été imaginée avec les services de l'État et certains acteurs locaux, afin de continuer d'alimenter la population locale.

⑤ **Un autocollant mis à disposition des propriétaires de campings ou de locations saisonnières en Bretagne**

⑥ **Une source de pollution plastique**

Illustration de Méli Mélo, groupe de recherche sur les infrastructures de l'eau.

Des pistes de réflexion

- Le succès de l'eau en bouteille dans le monde s'explique-t-il partout par les mêmes raisons ? Doc 1, 2 et 3

- Quels acteurs bénéficient le plus de ce phénomène ? Doc 2 et 4

- Quels sont les inconvénients socio-économiques et environnementaux de l'eau en bouteille plastique ? Doc 2, 3, 4 et 6

- Boire de l'eau du robinet : en quoi est-ce plus écologique ? Est-ce possible partout ? Doc 3 et 5

Pour trouver des arguments complémentaires :

➜ Le site d'une association écologiste : France Nature Environnement

➜ Le site d'une entreprise multinationale : Perrier

➜ Un site de consommateurs : Que choisir ?

➜ Une vidéo : *Eau du robinet : les bons et les mauvais points en France*, France TV, 2017.

SITOGRAPHIE

Sociétés et environnements : des équilibres fragiles

 A **Les sociétés face aux risques**

• Les **aléas** entraînent des **risques** naturels, technologiques, sanitaires et, de plus en plus, des risques combinés*. Il existe des risques globaux* (changement climatique*, pollution de l'air, des océans...), mais la plupart des risques concernent des espaces spécifiques (littoraux, zones sismiques, villes...). L'Asie est le continent le plus affecté (cyclones, séismes...).

• Le nombre de victimes de **catastrophes** augmente depuis les années 1970, non pas du fait d'un essor du nombre de catastrophes mais parce que les populations sont plus vulnérables. La **vulnérabilité** est en grande partie liée au développement, de même que la résilience*, mais certains accidents, nucléaires en particulier, montrent que celle-ci est également délicate au Nord.

• Une amélioration de la prévision* et de la prévention* des risques s'avère nécessaire. Ses acteurs sont multiples mais la prévention des risques globaux* se heurte aux insuffisances en matière de gouvernance mondiale.

 B **Des ressources sous pression : eau et énergie**

• L'accès aux **ressources** (eau et énergie en particulier) dépend de facteurs naturels (climats, fleuves, présence de gisements...) mais aussi du niveau de développement des sociétés. Les aménagements hydrauliques, l'exploitation des ressources énergétiques nécessitent en effet souvent de forts investissements.

• La nécessité de ces ressources peut conduire à des tensions : **conflits d'usages**, notamment pour l'eau, mais aussi tensions internationales, en particulier pour l'énergie. Les États cherchent ainsi à diversifier leurs approvisionnements ou à trouver d'autres formes de production (ressources non conventionnelles*...).

• L'exploitation et l'utilisation des ressources conduisent à de fortes pressions sur l'environnement (épuisement d'énergies non renouvelables*, pollution...). Une prise de conscience internationale semble se dessiner en faveur d'une **transition environnementale** (transition énergétique*...).

NOTIONS-CLÉS

• **Conflit d'usages** Concurrence entre plusieurs acteurs pour l'utilisation d'un espace ou d'une ressource.

• **Ressource** Richesse potentielle exploitée ou non par l'homme pour répondre à des besoins (vitaux, économiques...).

• **Risque** Danger pouvant affecter une population. Il peut être naturel, technologique, sanitaire mais est souvent combiné. Il peut être global comme le changement climatique.

• **Transition environnementale** Évolution vers un modèle économique et social marqué par plus de durabilité* qui renouvelle les façons de consommer, de produire... pour répondre aux grands enjeux environnementaux : changement climatique global, raréfaction des ressources, diminution de la biodiversité...

• **Vulnérabilité** Capacité d'une société à faire face, plus ou moins efficacement, à un risque et aux dommages subis.

NE PAS CONFONDRE

• **Aléa, risque et catastrophe** Un **aléa** est un phénomène physique (séisme, cyclone...) ou technologique (explosion, incendie...) qui constitue un **risque** s'il affecte des enjeux (personnes, biens...). La **catastrophe** résulte de la réalisation du risque.

RETENIR AUTREMENT

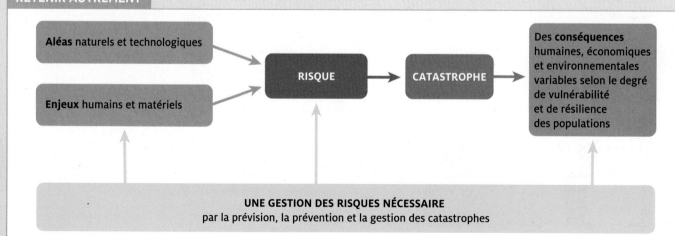

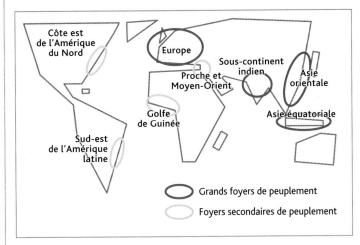

1. Les grands foyers de peuplement

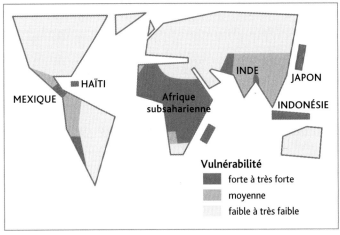

2. Une vulnérabilité* inégale

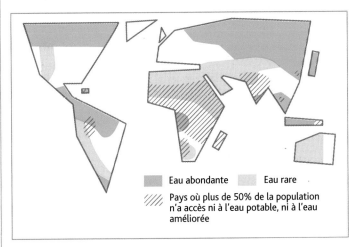

3. Les inégalités face à la ressource en eau

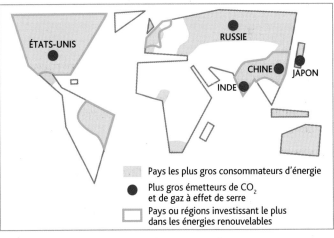

4. La nécessité d'une transition énergétique : consommation d'énergie et émissions de gaz à effet de serre*

CHIFFRES-CLÉS

96 millions
de personnes ont été affectées par des **catastrophes naturelles** en 2017

- Inondations
- Tempêtes et cyclones
- Autres

90 % des victimes
de catastrophes naturelles vivent dans des pays du Sud

2,1 milliards
de personnes n'ont pas accès à l'eau améliorée* (OMS)

1 milliard
de personnes n'ont pas accès à l'électricité

---

1 Je maîtrise les idées du cours

Les affirmations suivantes sont-elles vraies ou fausses ?

	Vrai	Faux
1. Les risques sismiques sont faciles à prévoir.		
2. Les littoraux tropicaux sont parmi les milieux les plus sensibles au changement climatique.		
3. La vulnérabilité est généralement plus élevée au Nord qu'au Sud.		
4. La catastrophe de Fukushima est le résultat d'un risque combiné.		
5. Prévention et prévision signifient la même chose.		
6. Plus un pays se développe, plus ses besoins en eau et en énergie augmentent.		
7. Les besoins en eau et en énergie peuvent provoquer des conflits.		
8. Contrairement à l'eau, l'énergie ne peut pas provenir d'une ressource renouvelable.		
9. La transition environnementale repose sur une réduction de la population mondiale.		
10. Des mesures pour réduire les émissions de gaz à effet de serre sont prises par tous les pays.		

2 Je maîtrise les notions principales

Pour chaque scénario de catastrophe, quelle vignette se rapporte à l'aléa, à l'enjeu et au risque ? S'agit-il d'un risque naturel ou technologique ? Imaginez un scénario de risque combiné (que vous pourrez dessiner).

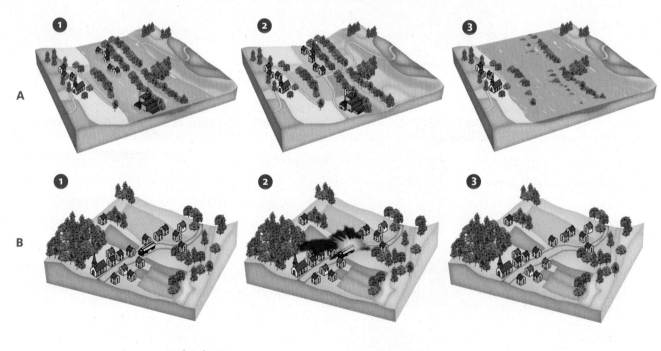

Scénario A

« Une catastrophe ... »

Aléa : vignette n° ...
Enjeu : vignette n° ...
Risque : vignette n° ...

Scénario B

« Une catastrophe ... »

Aléa : vignette n° ...
Enjeu : vignette n° ...
Risque : vignette n° ...

3 J'utilise mes connaissances pour analyser une caricature

Complétez les cadres de manière à analyser cette caricature de 2017 réalisée lors du désengagement des États-Unis de l'Accord de Paris*, résultat de la COP 21 de 2015.

Donald Trump, ...

Un navire de guerre, symbolisant ....

Un océan déchaîné, symbolisant ....

La fumée du navire, symbolisant ....

L'accord, résultat de la COP 21 de 2015 (voir p. 34) : ....

Angela Merkel, chancelière allemande

Une île menacée par les eaux, symbolisant ....

4 Je révise à l'aide d'un court documentaire

Pour mieux cerner les problèmes d'accès à l'électricité dans les pays du Sud :

1. Visionnez le documentaire « Le Nigeria, premier producteur de pétrole d'Afrique, toujours plongé dans le noir » (2017)

VIDÉO

2. Récapitulez les causes de cette pénurie ainsi que les solutions trouvées.

Métropole

La Réunion

Parc national de La Réunion

question France

3. Des milieux entre valorisation et protection

En France, la diversité et la richesse des milieux métropolitains et ultramarins ont favorisé la valorisation de multiples ressources, suscitant des défis environnementaux mais aussi des conflits d'acteurs dans les choix d'aménagements.

Pollution aux algues vertes en Bretagne
La prolifération de ces algues est favorisée par l'action humaine et par les rejets de l'élevage.

Montrez que ces photographies illustrent la richesse et la fragilité des milieux en France, mais aussi la nécessité d'actions de valorisation et de protection.

···⟫ Comment concilier la protection et la valorisation des milieux ?

CARTE INTERACTIVE

Des milieux entre valorisation et protection

Notion-clé Milieu

Espace relativement homogène marqué par des caractéristiques naturelles modifiées par les sociétés. Celles-ci aménagent les milieux pour en surmonter les contraintes et valoriser les potentialités, en exploitant les ressources. La plupart des milieux sont donc anthropisés*.

1. Valoriser des ressources en aménageant les milieux

- Plaines et plateaux d'agriculture intensive
- Autres milieux à forte empreinte agricole
- Grands massifs forestiers
- Cours d'eau
- Grands couloirs de circulation terrestres et maritimes
- ★ Montagnes et littoraux exploités pour le tourisme (stations de sport d'hiver / balnéaires)

2. Gérer les contraintes et les risques liés aux milieux

- Massifs montagneux
- ▲ Volcans actifs
- → Tempêtes ou cyclones fréquents

3. Ménager des milieux fragilisés

- Territoires fortement artificialisés
- Parc national
- Parc marin

1 Risque, vulnérabilité

La Martinique après le passage de l'ouragan Maria en 2017
Les risques* naturels et technologiques sont très présents en France métropolitaine mais aussi dans les DROM. La vulnérabilité* de la société française est plus faible que celle de pays moins développés qui ont plus de difficultés à se relever des catastrophes.

2 Ressource, patrimoine, protection

Vignoble alsacien La mise en valeur des potentialités d'un milieu passe par la mobilisation de ressources* : sols, eau... mais aussi paysages. Ces ressources constituent un patrimoine à protéger, d'où la demande d'élus locaux alsaciens de classer ce vignoble au Patrimoine mondial de l'humanité.

3 Gestion durable, conflit environnemental

Manifestation contre un projet d'enfouissement de déchets radioactifs
La société civile se mobilise parfois pour influencer les décisions concernant la gestion des territoires. Dans ces conflits environnementaux*, la question de la durabilité est souvent mise en avant, comme ici à Bure (Meuse).

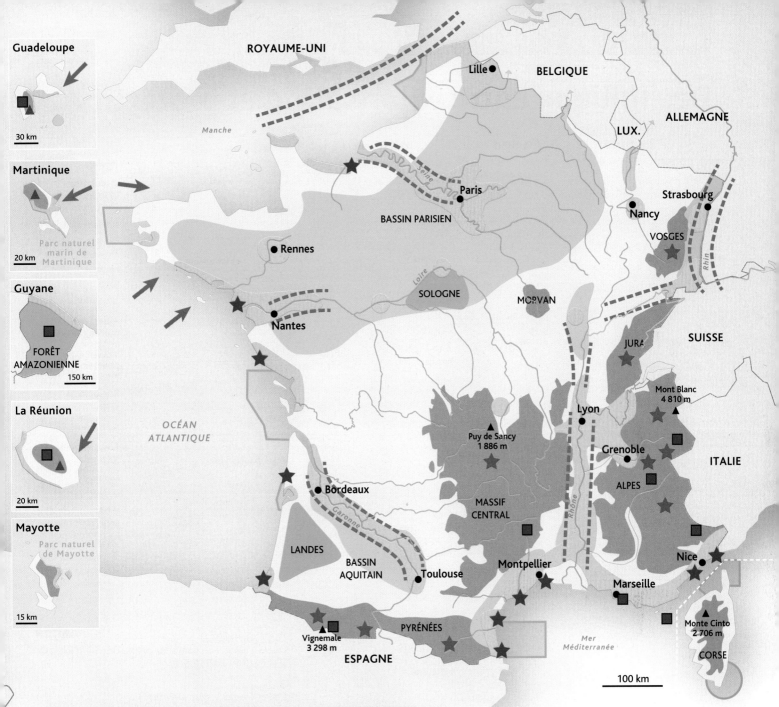

Guadeloupe

30 km

Martinique

Parc naturel marin de Martinique

20 km

Guyane

FORÊT AMAZONIENNE

150 km

La Réunion

20 km

Mayotte

Parc naturel de Mayotte

15 km

ROYAUME-UNI

Lille •

BELGIQUE

LUX.

ALLEMAGNE

Manche

Paris

BASSIN PARISIEN

Rennes •

SOLOGNE

Nantes •

Loire

MORVAN

Nancy •

Strasbourg •

VOSGES

Rhin

JURA

SUISSE

OCÉAN ATLANTIQUE

Bordeaux •

Garonne

LANDES

BASSIN AQUITAIN

Puy de Sancy 1 886 m

MASSIF CENTRAL

Rhône

Lyon •

Mont Blanc 4 810 m

Grenoble •

ALPES

ITALIE

Montpellier •

Toulouse •

Marseille •

Nice •

Vignemale 3 298 m

PYRÉNÉES

Mer Méditerranée

Monte Cinto 2 706 m

CORSE

ESPAGNE

100 km

4 Aménagement, valorisation

Canon à neige (Pyrénées orientales)

Valoriser un milieu nécessite de l'aménager. Le développement des sports d'hiver a conduit à l'aménagement des zones de montagne. Les stations de moyenne montagne doivent cependant faire face au changement climatique (les canons à neige sont à 95 % la seule solution).

Confronter la carte et les documents

1. Quelles activités contribuent à valoriser les ressources du territoire français, mais aussi à le transformer ? Carte

2. Quels types de mesures visent à protéger les différents milieux et les populations ? Carte

3. Localisez les doc 1 à 4 sur la carte. Montrez qu'ils témoignent d'une valorisation de milieux mais aussi de la nécessité de leur protection.

4. Observez-vous des différences entre la métropole et les DROM du point de vue des risques et de la protection des milieux ? Carte et doc 1

CARTES INTERACTIVES

Des milieux entre valorisation et protection

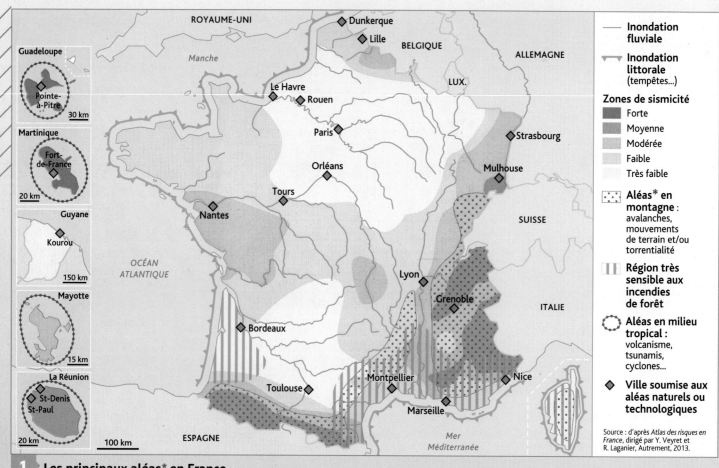

Légende :

Inondation fluviale

Inondation littorale (tempêtes...)

Zones de sismicité
- Forte
- Moyenne
- Modérée
- Faible
- Très faible

Aléas* en montagne : avalanches, mouvements de terrain et/ou torrentialité

Région très sensible aux incendies de forêt

Aléas en milieu tropical : volcanisme, tsunamis, cyclones...

Ville soumise aux aléas naturels ou technologiques

Source : d'après *Atlas des risques en France*, dirigé par Y. Veyret et R. Laganier, Autrement, 2013.

1 **Les principaux aléas* en France**

Villes et territoires mentionnés : Guadeloupe (Pointe-à-Pitre, 30 km), Martinique (Fort-de-France, 20 km), Guyane (Kourou, 150 km), Mayotte (15 km), La Réunion (St-Denis, St-Paul, 20 km), ROYAUME-UNI, Manche, Dunkerque, Lille, BELGIQUE, ALLEMAGNE, LUX., Le Havre, Rouen, Paris, Strasbourg, Orléans, Mulhouse, Tours, SUISSE, Nantes, OCÉAN ATLANTIQUE, Lyon, Grenoble, ITALIE, Bordeaux, Montpellier, Nice, Toulouse, Marseille, Mer Méditerranée, ESPAGNE, 100 km

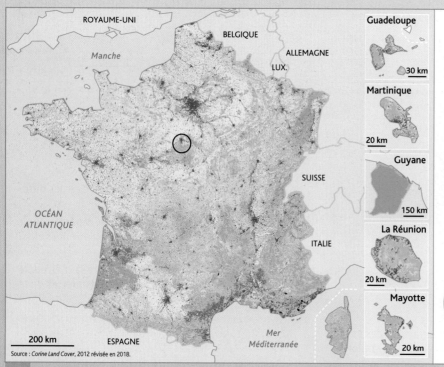

Légende :

Espaces artificialisés (espaces urbains, zones portuaires, commerciales...)

Espaces agricoles (cultures diverses, vergers, vignobles...)

Espaces forestiers ou semi-naturels (forêt de conifères, de résineux, landes, maquis...)

Zones humides et surfaces en eau (lacs, étangs, rivières...)

Une carte interactive visible sur :
https://www.geoportail.gouv.fr/donnees/corine-land-cover-2018

CARTE ZOOMABLE

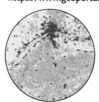

et sur laquelle on peut zoomer jusqu'à l'échelle locale comme ici dans la région d'Orléans.

Territoires : Guadeloupe (30 km), Martinique (20 km), Guyane (150 km), La Réunion (20 km), Mayotte (20 km), ROYAUME-UNI, Manche, BELGIQUE, ALLEMAGNE, LUX., SUISSE, ITALIE, OCÉAN ATLANTIQUE, Mer Méditerranée, ESPAGNE, 200 km

Source : *Corine Land Cover*, 2012 révisée en 2018.

2 **Des milieux plus ou moins anthropisés***

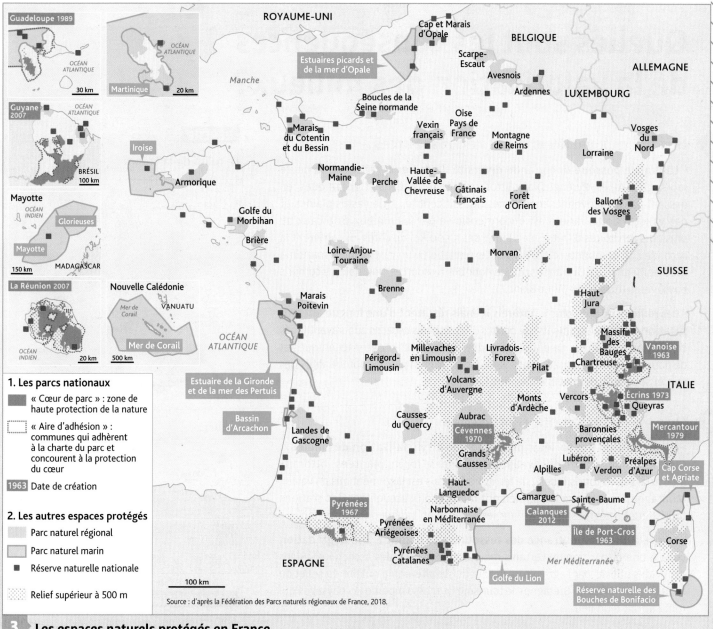

1. Les parcs nationaux

■ « Cœur de parc » : zone de haute protection de la nature

▢ « Aire d'adhésion » : communes qui adhèrent à la charte du parc et concourent à la protection du cœur

1963 Date de création

2. Les autres espaces protégés

▨ Parc naturel régional

▨ Parc naturel marin

■ Réserve naturelle nationale

⋯ Relief supérieur à 500 m

Source : d'après la Fédération des Parcs naturels régionaux de France, 2018.

3 | **Les espaces naturels protégés en France**

DEUX PARCOURS AU CHOIX POUR ANALYSER LES CARTES

PARCOURS RÉDIGÉ

1. Dans quels types de milieux les aléas* sont-ils nombreux ? Doc 1

2. Montrez qu'il existe des risques naturels*, anthropiques* mais aussi combinés*. Doc 1 et 2

3. Quelle est l'étendue des zones artificialisées en France ? Doc 2

4. Distinguez différents types de milieux protégés. Sont-ils situés dans des territoires très anthropisés* ? Doc 2 et 3

BILAN Montrez que les milieux en France sont divers mais qu'ils sont tous concernés par la valorisation et la protection.

PARCOURS CARTOGRAPHIQUE

1. Allez sur le site hébergeant le doc 2.

2. Zoomez sur la carte de manière à faire apparaître la région de votre lycée (un rayon de 20 à 30 kilomètres par exemple).

3. Faites un schéma de ce territoire en délimitant deux à quatre types d'espaces (artificialisés, agricoles, forestiers ou semi-naturels, humides).

Quelles sont les conséquences de la valorisation des milieux ?

A Des milieux variés et riches en ressources

• **La France possède une grande diversité de milieux*,** allant de la haute montagne (Alpes, Pyrénées) aux littoraux méditerranéens et océaniques, en passant par les moyennes montagnes (Massif central...), de vastes plaines et des vallées. Cette variété est encore enrichie par les milieux tropicaux de plusieurs territoires d'Outre-mer. Enfin, ses 5 500 km de côtes lui confèrent la seconde ZEE au monde, ce qui permet l'exploitation d'un vaste espace maritime (pêche, minerais...). La France possède donc des ressources* multiples, y compris paysagères (massif du Mont-Blanc...).

• **Ces milieux ne sont plus « naturels », mais résultent d'une longue anthropisation.** Les aménagements ont permis d'investir des espaces auparavant jugés contraignants : canaux de drainage, endiguement... Les progrès techniques et de nouveaux besoins ont conduit à valoriser de plus en plus les potentialités des sols et sous-sols, des cours d'eau, des forêts...

B Une valorisation qui fragilise les milieux

• **L'intervention des sociétés provoque une artificialisation des milieux.** Grandes plaines cultivées, vallées urbanisées, forêts plantées, littoraux industrialisés ou touristiques..., le territoire français est largement mis en valeur. Montagnes et littoraux anciennement marécageux accueillent des stations touristiques intégrées, comme dans les Alpes et en Languedoc-Roussillon.

• **Le prélèvement à outrance des ressources a conduit à une dégradation** voire à une disparition de certains milieux (zones humides asséchées). Si les pesticides utilisés par l'agriculture productiviste altèrent la qualité du sol et de l'eau (algues vertes en Bretagne), le tourisme de masse modifie les paysages qui font l'attrait d'un lieu.

C De nombreux aléas et une vulnérabilité parfois accrue

• **Les aléas* naturels sont nombreux :** crues, incendies de forêt, avalanches, séismes mais aussi éruptions volcaniques et cyclones dans certains DROM*. D'intensité diverse, ils peuvent provoquer des catastrophes* (cyclone Irma en 2017).

• **Certaines pratiques peuvent aggraver les risques* :** le déboisement augmente le ruissellement, l'artificialisation des sols aggrave les inondations ; la vulnérabilité* est aussi accrue par l'urbanisation de zones à risques autrefois non peuplées (cordons littoraux, fonds de vallée inondables...). Aux risques naturels et combinés s'ajoutent des risques technologiques : usines chimiques, centrales nucléaires... La prévention des risques passe par des plans de prévention des risques (PPR naturels, technologiques...) élaborés sous l'autorité du préfet en concertation avec les collectivités locales.

> **La France dispose de potentialités multiples valorisées par des aménagements, sans toujours tenir compte de la vulnérabilité des populations et de la fragilité des milieux.**

REPÈRE

Le relief de la France

La Manche · Seine · Meuse · Rhin · VOSGES · Loire · MORVAN · Saône · JURA · OCÉAN ATLANTIQUE · Garonne · MASSIF CENTRAL · Rhône · ALPES · 200 km · PYRÉNÉES · Mer Méditerranée

GUADELOUPE — 30 km
MARTINIQUE — 20 km
GUYANE — 150 km
LA RÉUNION — 20 km
MAYOTTE — 15 km
500 m

VOCABULAIRE

Anthropisation Transformation d'un milieu par les sociétés.

Artificialisation Forte empreinte humaine sur un milieu. Dans un sens plus restrictif : perte du caractère naturel ou agricole d'un espace, au profit de zones urbaines, industrielles et commerciales et d'infrastructures de transport.

Potentialités Composantes d'un milieu qui peuvent être valorisées ou non par la société en fonction de ses moyens.

Plan de prévention des risques (PPR) Document d'urbanisme visant à limiter l'exposition de la population aux risques majeurs en l'informant, en organisant les secours et en réglementant l'utilisation des sols d'une commune.

ZEE Espace maritime d'un État côtier (jusqu'à 200 milles marins), sur lequel il est souverain en matière d'exploitation des richesses (pêche, énergie, minerais...).

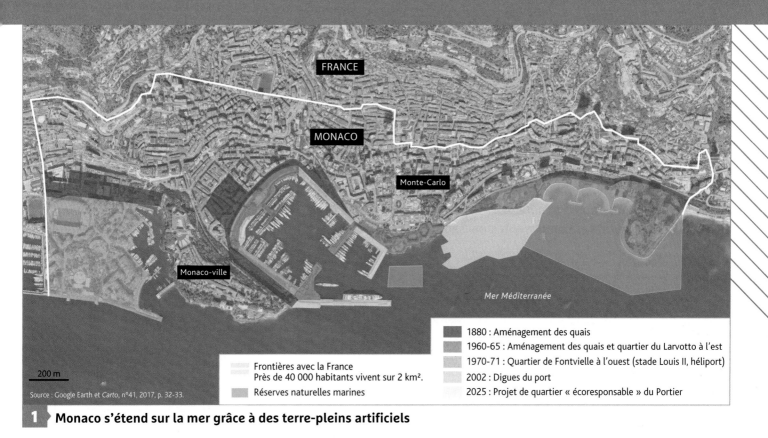

FRANCE

MONACO

Monte-Carlo

Monaco-ville

Mer Méditerranée

200 m

Frontières avec la France
Près de 40 000 habitants vivent sur 2 km².

Réserves naturelles marines

1880 : Aménagement des quais
1960-65 : Aménagement des quais et quartier du Larvotto à l'est
1970-71 : Quartier de Fontvielle à l'ouest (stade Louis II, héliport)
2002 : Digues du port
2025 : Projet de quartier « écoresponsable » du Portier

1 ▸ **Monaco s'étend sur la mer grâce à des terre-pleins artificiels**

2 ▸ **Couverture d'une brochure d'information « Alerte cyclonique » en Polynésie française**

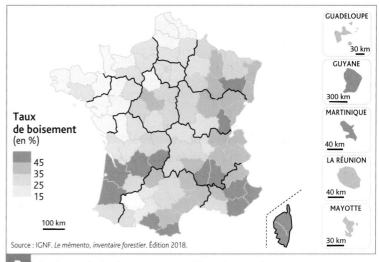

Taux de boisement (en %)

45
35
25
15

100 km

GUADELOUPE
30 km
GUYANE
300 km
MARTINIQUE
40 km
LA RÉUNION
40 km
MAYOTTE
30 km

3 ▸ **Le taux de boisement par département**

En France métropolitaine, la forêt couvre 16,9 millions d'hectares soit 31% du territoire en 2017 (contre 14,1 millions d'hectares en 1985). C'est l'occupation du sol la plus importante après l'agriculture (50% du territoire).

Analyser et confronter les documents

1. Analysez l'artificialisation* du littoral à Monaco et ses conséquences. Doc 1

2. Donnez des éléments d'explication de la répartition de la forêt en France et de l'évolution du taux de boisement. Doc 3 et repère Pour quels types d'activités la forêt est-elle une ressource ?

3. Localisez sur un planisphère le territoire concerné par le doc 2 puis analysez le document (source, but, aléa, langues, dessin).

FRANCE

Comment aménager durablement les fleuves et les vallées ?

Les grands fleuves français ont été fortement transformés pour exploiter leurs ressources mais aussi pour se prémunir des risques d'inondation. Cette maîtrise progressive de l'eau par des aménagements a modifié de façon durable les composantes physiques des cours d'eau et les composantes paysagères de leur vallée.

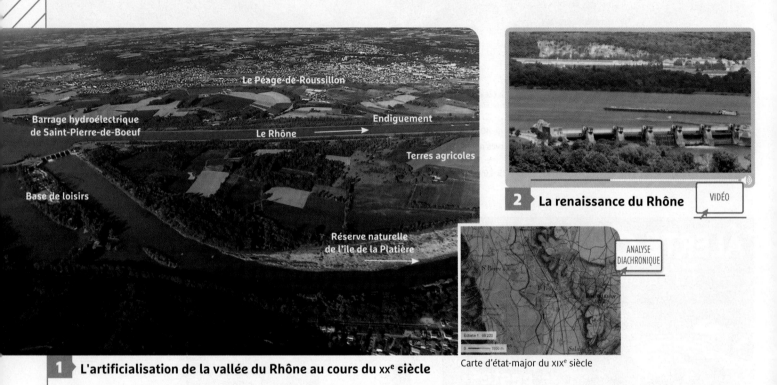

1 L'artificialisation de la vallée du Rhône au cours du XXᵉ siècle

2 La renaissance du Rhône — VIDÉO

ANALYSE DIACHRONIQUE

Carte d'état-major du XIXᵉ siècle

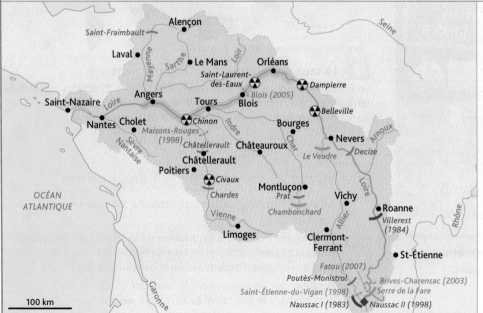

3 L'évolution de la conception d'aménagement du bassin de la Loire

Légende :
— Cours d'eau
▨ Limite du bassin-versant de la Loire
● Unités urbaines de plus de 40 000 habitants
☢ Centrale nucléaire
Grand barrage réalisé avant 1986
Barrage plus récent constituant un obstacle majeur à la continuité écologique
◆ Usine de pompage-turbinage
Projet de grand barrage aujourd'hui abandonné
Petit barrage récemment supprimé afin de restaurer la libre circulation des poissons migrateurs
▨ Périmètre classé au Patrimoine mondial de l'Unesco (2000)

Source : d'après Sylvain Rode, « De l'aménagement au ménagement des cours d'eau : le bassin de la Loire, miroir de l'évolution des rapports entre aménagement fluvial et environnement », Cybergeo, 22 septembre 2010.

4 ▶ **Paris au risque des inondations de la Seine**

5 ▶ **La Seine, baignable pour les JO de 2024 ?**

ARTICLE

« C'était une promesse de la Ville de Paris pour accueillir les Jeux olympiques en 2024. La capitale a prévu que les épreuves de triathlon et de nage libre se déroulent dans la Seine. Actuellement, il est pourtant interdit de s'y baigner. Le fleuve est en effet pollué par la présence d'Escherichia coli, une bactérie qui révèle une contamination fécale. Pas très encourageant pour les athlètes…

Les travaux pour assainir la Seine pourraient coûter entre 800 millions et 1 milliard d'euros. Une somme répartie entre la mairie de Paris, la région, l'État et le contribuable.

Le chantier le plus coûteux consistera à vérifier les branchements d'eau chez les particuliers. Des erreurs ont été faites au fil des années entre les eaux usées des logements évacuées vers les stations d'épuration et les eaux de pluie en milieu naturel. Par ailleurs, il sera nécessaire de construire de nouveaux déversoirs d'orage. Ils permettent lors de pluies importantes d'éviter que les eaux sales ne débordent des égouts. De plus, deux grandes stations d'épuration devront être équipées de systèmes pour dépolluer les eaux rejetées en milieu naturel. Enfin, la loi olympique de 2018 prévoit déjà des dispositions pour améliorer le traitement des eaux usées des bateaux, en général recrachées dans la Seine. »

D'après « Se baigner dans la Seine : le coût exorbitant de la promesse d'Anne Hidalgo », *Capital*, juin 2018.

6 ▶ **Le projet « Grand Parc Garonne » au cœur de la métropole toulousaine**

Le projet urbain Grand Parc Garonne lancé en 2012 vise à reconquérir les bords du fleuve sur 32 kilomètres de linéaire et 3 000 hectares. Il répond à quatre objectifs :
– développer les cheminements piétons et cyclistes ;
– valoriser le patrimoine fluvial naturel ;
– renforcer les usages liés à l'eau (navigation, sports nautiques) ;
– développer de nouveaux espaces de culture et de convivialité (observatoire, guinguette).

DEUX PARCOURS AU CHOIX

PARCOURS GUIDÉ

1. Montrez que les vallées fluviales sont densément peuplées. Doc 3, 6 et cartes du rabat

2. Pour quelles activités constituent-elles des milieux attractifs ? Comment ont-elles été aménagées ? Doc 1, 2 et 3

3. Pourquoi les vallées fluviales sont-elles des milieux fragiles et à risques ? Doc 2 à 5

4. Montrez que les aménagements actuels tendent à ménager davantage ces milieux. Doc 2, 3, 5 et 6

PARCOURS AUTONOME

Construisez un schéma fléché à partir des éléments ci-dessous. Complétez-le à l'aide des documents afin de montrer la nécessité d'un aménagement durable.

Des milieux fragilisés	Des milieux attractifs pour des activités diverses
Des milieux à risques	Des milieux fortement transformés par les aménagements
Des milieux très peuplés	Des aménagements plus durables

3. Des milieux entre valorisation et

Comment mettre en œuvre une gestion durable des milieux ?

A Favoriser la préservation de l'environnement

• **La France a mis en place une politique de protection environnementale** à partir des années 1960, tout en ménageant les activités économiques. Les parcs nationaux (Vanoise en 1963...), dans leur zone d'adhésion, les parcs naturels marins (mer d'Iroise en 2007...), et surtout les 53 parcs naturels régionaux tentent de concilier ces orientations.

• **Depuis les années 1980, des mesures spécifiques relevant du droit de l'environnement** (loi montagne, loi littoral, loi sur l'eau) encadrent l'aménagement de milieux vulnérables du fait de leur attractivité et de la fragilité de leurs écosystèmes. En 2009, la loi Grenelle 1 a fixé des objectifs environnementaux déclinés à l'échelle locale par des territoires de projets reposant sur un diagnostic partagé par les différents acteurs.

• **Considérer l'ensemble des milieux français comme un patrimoine commun** permettrait d'étendre la préservation aux milieux non protégés. Certains grands sites font déjà l'objet d'une politique de patrimonialisation (baie du Mont-Saint-Michel, Étretat...). La France s'inscrit dans le réseau Natura 2000 mis en place par l'Union européenne pour une gestion durable de sites « naturels » et « semi-naturels » terrestres et marins à valeur patrimoniale. Il s'agit de concilier la protection de la biodiversité (flore, faune) et les activités économiques et sociales. La France compte 1 766 sites (13 % du territoire terrestre métropolitain, 11 % de la ZEE* métropolitaine).

B Concilier les différents acteurs et usages

• **L'intensification de l'exploitation des milieux provoque des conflits environnementaux** (exploitation du gaz de schiste, enfouissement des déchets radioactifs...) entre divers acteurs : particuliers et associations de défense de l'environnement, entreprises privées mises en cause pour leur activité (implantation d'usine, pollution...), État et collectivités territoriales contestées dans leurs décisions d'aménagement.

• **Les conflits d'acteurs et d'usages* ont un rôle moteur** dans la prise en compte de l'environnement, nécessaire à une gestion durable*. Certains territoires de projets reposent sur la mobilisation des élus, riverains et usagers autour d'un projet commun (contrat de rivière...).

• **La gouvernance* territoriale doit aussi concilier les différents échelons de décision** qui interviennent dans les aménagements, au niveau local, national et européen. Ainsi, la gestion intégrée des zones côtières (GIZC) conforme à l'Agenda 21* (Rio 1992) et impulsée par l'Union européenne consiste à réunir les différents acteurs pour établir un diagnostic partagé sur un territoire et prendre en compte tous les enjeux (risque de pollution, d'érosion...), tout en faisant le lien entre de multiples législations.

> **La protection des milieux est une préoccupation croissante, mais la gestion durable se heurte à des conflits d'usages et d'acteurs. Une concertation entre les différents échelons de décision est nécessaire.**

REPÈRE

Conflit environnemental

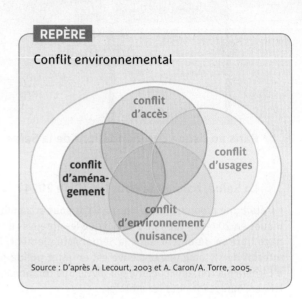

conflit d'accès

conflit d'usages

conflit d'aménagement

conflit d'environnement (nuisance)

Source : D'après A. Lecourt, 2003 et A. Caron/A. Torre, 2005.

VOCABULAIRE

Conflit environnemental Conflit déclenché par un projet d'aménagement entre des acteurs qui s'opposent, plus ou moins fortement, sur son opportunité et sur les risques et nuisances.

Droit de l'environnement Lois visant à la protection, à l'aménagement ou à la restauration de l'environnement. En France, on distingue notamment la loi montagne de 1985, la loi littoral de 1986 (qui interdit toute construction à moins de 100 m du rivage), la loi sur l'eau de 1992.

Gestion durable Mode de gestion destinée à concilier le développement économique et social avec la préservation de l'environnement, ce dernier étant considéré comme un patrimoine devant être transmis aux générations futures.

Parc national Territoire où le milieu naturel présente un « intérêt spécial » et qu'il importe de protéger. Il comporte un « cœur de parc » totalement préservé et une « zone d'adhésion » pouvant être peuplée.

Parc naturel marin Territoire maritime remarquable où l'on cherche à concilier protection et développement durable.

Parc naturel régional Territoire (souvent à caractère rural) qui présente un fort intérêt culturel et naturel et que l'on cherche à valoriser durablement.

Patrimoine Bien commun considéré comme devant être légué aux générations futures. La **patrimonialisation** tend donc à préserver ce bien en l'état.

1 **La côte d'Albâtre (de Fécamp à Étretat) :
un site classé**

La côte d'Albâtre possède deux sites Natura 2000.
Site classé, elle fait aussi l'objet d'une Opération
Grand Site initiée par l'État et 13 communes pour
concilier la préservation d'un paysage exceptionnel,
l'activité agricole et une très forte fréquentation
touristique (1 million de visiteurs par an).

2 **La loi montagne**

« Les territoires de montagne couvrent un tiers de la France et
15 % de la population y vit. Destination phare en Europe pour
la pratique des sports d'hiver, la montagne française a su
également préserver ses paysages et ses activités agricoles et
pastorales. Lieu de vie, de savoir-faire et de traditions, poumon
économique pour le tourisme hivernal et dorénavant estival,
la montagne présente de nombreux visages, souvent contrastés.
Comme le littoral, il s'agit d'un territoire à enjeux et qui mérite
un statut particulier pour trouver un bon équilibre entre
développement et protection.

C'est pour répondre à cet objectif que la loi du 9 janvier 1985
relative au développement et à la protection de la montagne
dite "loi montagne" complétée récemment par la loi du
28 décembre 2016 de modernisation, de développement et de
protection des territoires de montagne, a inscrit dans la loi
des principes d'équilibre, proches de ceux de la loi dite "littoral"
de 1986.

[Parmi les 5 659 communes concernées en 2019], certaines
sont également soumises aux dispositions d'urbanisme de la
loi littoral. Il s'agit des communes de montagne riveraines des
lacs de plus de 1 000 hectares ou situées en bord de mer. »

Ministère de la Cohésion des territoires et des Relations
avec les collectivités territoriales

3 **Une manifestation contre un projet d'éoliennes
(Dordogne)**

Manifestation d'une centaine de personnes au début de l'enquête
publique en 2016 sur le projet de parc d'éoliennes de Puymangou-
Parcoul. Fin 2018, l'entreprise spécialisée dans les énergies
renouvelables maintient l'implantation de cinq éoliennes.

▼Analyser et confronter les documents

1. Recensez différents moyens mis en place pour préserver l'environnement. Quels types de milieux, d'acteurs et d'échelles
sont concernés ? Doc 1 et 2

2. Montrez que le doc 3 évoque un conflit environnemental*.
Repère Pourquoi peut-il paraître paradoxal par rapport à
l'aménagement mis en cause ?

Guadeloupe et Martinique : comment protéger un milieu tropical fragilisé ?

La Guadeloupe et la Martinique possèdent un milieu tropical humide exceptionnel, mais qui a connu diverses atteintes liées à l'agriculture, à l'urbanisation et au tourisme. Depuis quelques années, des efforts sont entrepris pour arriver à mieux le valoriser tout en le protégeant.

1 Les Antilles, une biodiversité exceptionnelle

« La Guadeloupe et la Martinique figurent parmi les 25 "points chauds" de la biodiversité dans le monde qui, bien que ne couvrant que 1,4 % de la surface des terres émergées, abritent 44 % des espèces mondiales de plantes à fleurs et 35 % des mammifères. Mais les pertes de diversité ont été 60 fois plus rapides dans les collectivités de l'outre-mer français qu'en métropole (disparition d'espèces de flore et de faune, mort des récifs coralliens, réduction des ressources halieutiques, destruction des paysages...), au point que les espèces de faune et de flore y sont menacées, dans des proportions allant de 8 à 30 %, d'extinction rapide. À cela s'ajoutent les conséquences d'un réchauffement climatique qui accentue gravement les menaces sur la biodiversité, auquel la Caraïbe n'échappe pas plus que les autres régions de la planète. »

D'après Jean-Marie Breton, « La protection du littoral au regard des spécificités du droit du littoral et de sa mise en œuvre outre-mer », *Revue juridique de l'environnement*, mai 2012.

2 La forêt tropicale humide (saut de la Lézarde, Guadeloupe)
La forêt couvre 45 % de la Guadeloupe et 36 % de la Martinique.

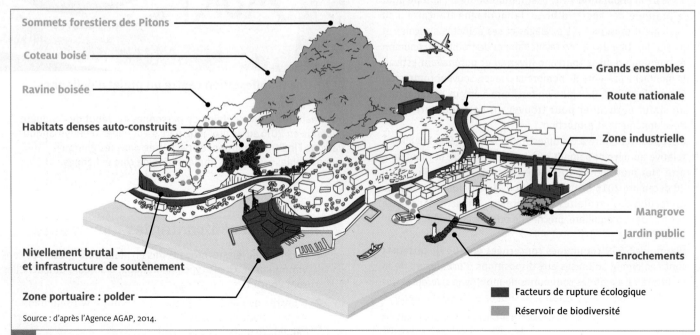

Sommets forestiers des Pitons

Coteau boisé

Ravine boisée

Habitats denses auto-construits

Nivellement brutal et infrastructure de soutènement

Zone portuaire : polder

Grands ensembles

Route nationale

Zone industrielle

Mangrove

Jardin public

Enrochements

■ Facteurs de rupture écologique

■ Réservoir de biodiversité

Source : d'après l'Agence AGAP, 2014.

3 Un milieu fragilisé par l'urbanisation : Fort-de-France en Martinique (160 000 habitants)

4 ▸ **Le développement de l'écotourisme (Cap Chevalier, Martinique)**

Guadeloupe et Martinique ont accueilli en 2017 plus de 1,7 million de touristes. Si le tourisme dans de grandes structures stagne, en revanche l'écotourisme, plus respectueux de l'environnement, connaît une nette progression.

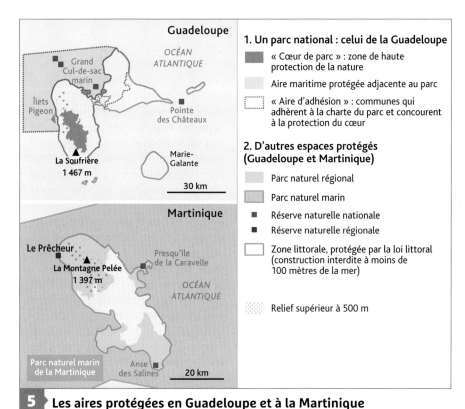

1. **Un parc national : celui de la Guadeloupe**

- « Cœur de parc » : zone de haute protection de la nature
- Aire maritime protégée adjacente au parc
- « Aire d'adhésion » : communes qui adhèrent à la charte du parc et concourent à la protection du cœur

2. **D'autres espaces protégés (Guadeloupe et Martinique)**

- Parc naturel régional
- Parc naturel marin
- Réserve naturelle nationale
- Réserve naturelle régionale
- Zone littorale, protégée par la loi littoral (construction interdite à moins de 100 mètres de la mer)
- Relief supérieur à 500 m

5 ▸ **Les aires protégées en Guadeloupe et à la Martinique**

6 ▸ **Le label « zéro chlordécone »**

«L'État a annoncé [...] son projet de lancer un label "zéro chlordécone" pour rassurer producteurs et consommateurs. [...] Cet insecticide, considéré comme cancérogène et perturbateur endocrinien, a été utilisé pendant vingt ans aux Antilles. [...] Cette molécule, du fait de sa persistance, est encore présente dans les sols et peut se retrouver dans certains aliments d'origine végétale ou animale. [...] Un nouveau plan de lutte contre ce polluant s'étend de 2014 à 2020. Objectifs : protéger le consommateur et accompagner les professionnels. [...] Mais une question fondamentale reste posée : comment se débarrasser des 300 tonnes de chlordécone qui ont été déversées en Martinique et en Guadeloupe pendant vingt ans ? Si ce n'est attendre plusieurs dizaines d'années, voire plus, pour que les sols se dépolluent naturellement par lessivage.»

Frédérique Schneider, « Vers un label zéro chlordécone en Martinique », *La Croix*, 12 avril 2018.

DEUX PARCOURS AU CHOIX

PARCOURS GUIDÉ

1. Montrez que la Guadeloupe et la Martinique possèdent des milieux exceptionnels. Doc 1, 2 et 4

2. Quelles atteintes ont été portées à ces milieux ? Doc 1, 3 et 6

3. Quelles mesures de protection ont été prises ? Doc 4 à 6

BILAN Rédigez quelques lignes pour répondre à la problématique du dossier.

PARCOURS AUTONOME (ORAL)

Conseiller auprès du président de la région Martinique ou Guadeloupe, vous devez présenter les mesures de valorisation du milieu tropical.

À l'aide des documents du dossier, préparez le plan détaillé de votre exposé. Pour cela, commencez par lire l'introduction du dossier, afin de déterminer deux ou trois parties possibles. Puis complétez chacune d'entre elles par les principales informations extraites des documents (un même document peut illustrer deux parties différentes).

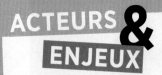
Les « boues rouges » polluent-elles toujours les Calanques ?

Le Parc national des Calanques s'étend de Marseille à Cassis. C'est non loin de là, à Gardanne, que l'entreprise Alteo, premier producteur mondial d'alumine, s'est installé il y a cinquante ans. Face aux exigences environnementales croissantes, le rejet des déchets industriels, connus sous le nom de « boues rouges », reste problématique.

VOTRE MISSION ORAL

Quelques années après le reportage de *Thalassa*, vous participez à une émission qui fait le point sur la situation. Choisissez votre rôle : journaliste menant l'émission, représentant(e) d'Alteo, ministre, élu(e) local(e), pêcheur(euse), habitant(e), touriste, « défenseur(euse) » de l'environnement... Et préparez votre intervention.

1 Le Parc national des Calanques (créé en 2012)

Avec ses falaises calcaires tombant dans la Méditerranée, le paysage des calanques est apprécié des touristes et des citadins de l'aire métropolitaine marseillaise.

2 Le territoire régional concerné par les rejets

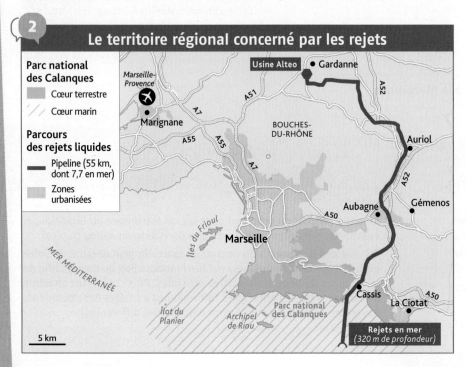

3 Un scandale dénoncé à l'échelle nationale

« Le 2 septembre 2016, l'émission *Thalassa* sur France 3 diffuse un reportage sur le déversement des boues rouges en Méditerranée. La ministre de l'Écologie Ségolène Royal, qui s'était déjà opposée en décembre 2015 au Premier ministre Manuel Valls sur l'autorisation donnée à Alteo de poursuivre ses rejets liquides en mer, s'interroge : "Le jour où [ces rejets seront] interdits, on dira : 'Mais comment a-t-on pu autoriser ça et renouveler cette autorisation ?' C'est inadmissible." En réponse, Manuel Valls juge que la décision de poursuivre l'activité d'Alteo permet "à l'activité économique et à des milliers d'emplois d'être préservés." En plus des 400 salariés de l'usine, Alteo ferait travailler environ 300 personnes via la sous-traitance. [...]

Les craintes sur l'avenir économique d'Alteo et le chantage à l'emploi brandi au plus haut niveau de l'État inquiètent les voix critiquant l'usine. En 2021, les dérogations permettant à l'industriel de rejeter ses déchets liquides en mer et de stocker les boues rouges à Mange-Garri prendront fin. Malgré un soutien politique national et local, ils redoutent de voir Alteo plier bagage et laisser derrière lui plus d'un siècle de pollution. »

Carole Filiu-Mouhali, « Au nom de la sauvegarde de l'emploi, la pollution aux "boues rouges" continue de sévir à Gardanne », Observatoire des multinationales, 9 janvier 2017.

Les poussières rouges de bauxite à Gardanne

De 1906 à 1966, les boues rouges sont stockées à deux kilomètres de l'usine, à Bouc-Bel-Air. L'espace de stockage n'est plus utilisé entre 1967 et 2007 où l'industrie rejette tous ses déchets en Méditerranée. Il l'est à nouveau lorsque l'usine obtient un arrêté préfectoral d'exploitation pour 14 ans. Depuis 2016, Alteo ne rejette plus en mer que des résidus liquides, et les déchets solides sont entreposés à Bouc-Bel-Air, sur le site de Mange-Garri. Les riverains se plaignent des poussières qui envahissent l'environnement et les maisons.

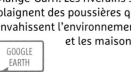

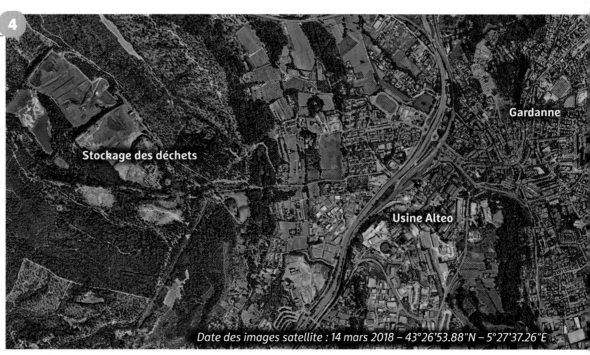

Date des images satellite : 14 mars 2018 – 43°26'53.88"N – 5°27'37.26"E

5 « Boues rouges, la mer empoisonnée »
(0'56-2'58 mn)

Reportage de Sophie Bontemps et Nedjima Berder, diffusé dans l'émission *Thalassa* le 2 septembre 2016.

VIDÉO

Des pistes de réflexion

● Localisez les lieux les uns par rapport aux autres : le Parc national des Calanques, l'usine Alteo, le lieu de stockage... Doc 1, 3 et 4

● Dégagez différentes phases concernant les lieux où ont été effectués les rejets et les autorisations ou interdictions diverses. Doc 2, 3, 4 et 6

● Listez les acteurs concernés et approfondissez les arguments de certains d'entre eux. Ensemble des doc

Pour trouver des arguments complémentaires :

→ Une vidéo : le reportage de l'émission *Thalassa* (diffusion le 2 septembre 2016)

→ Le site du Parc national des Calanques

→ Un article du site de l'association écologiste la Ligue pour la protection des oiseaux (publication du 20 juillet 2018)

→ Un article du magazine d'information professionnelle *L'Usine nouvelle* (publication du 15 mars 2018)

SITOGRAPHIE

6 Manifestation contre les boues rouges

Suite aux recours déposés par des particuliers et des associations, le tribunal administratif de Marseille a demandé en juin 2018 à ce que les rejets en mer soient stoppés d'ici fin 2019 (et non 2021) et que soit menée une nouvelle étude d'impact des rejets liquides en mer et solides à terre.

L'ESSENTIEL

Des milieux entre valorisation et protection

 A Des milieux exploités et souvent dégradés

• La France possède une très grande diversité de **milieux**, tant en métropole qu'outre-mer. Ces milieux constituent un cadre dans lequel se déploie l'activité humaine. Ils offrent un certain nombre de potentialités*, qui peuvent devenir des ressources* lorsque les sociétés les mettent en valeur.

• Cette exploitation opérée sur le temps long a profondément transformé les paysages. L'artificialisation* d'une grande partie du territoire français entraîne une dégradation des milieux.

• Le territoire métropolitain mais aussi ultramarin est sujet à de multiples aléas* à l'origine de risques* naturels et combinés. Les atteintes environnementales liées aux aménagements augmentent la vulnérabilité*. Des mesures de prévention et de protection sont donc nécessaires.

 B La gestion durable des milieux passe par de nombreux moyens

• Des mesures ont été mises en œuvre pour protéger les territoires les plus fragiles (**parcs nationaux, parcs naturels régionaux**…) et les ressources les plus menacées (loi sur l'eau, loi montagne…), faisant ainsi naître un droit de l'environnement*. Une prise de conscience collective du fait que les milieux constituent un patrimoine* à sauvegarder, dans l'intérêt même des populations, conduit à des politiques de sauvegarde. Elles se font dans le cadre de l'État mais aussi de l'Union européenne.

• La cohabitation entre des acteurs aux intérêts très divergents pose la question des conflits d'usages* pour l'exploitation des ressources. Les **conflits environnementaux** mettent particulièrement en lumière la concurrence entre les différentes priorités d'une **gestion durable** : développement économique, qualité de vie, préservation des milieux.

• La concertation doit s'effectuer entre les acteurs et en tenant compte des différentes échelles de décision, locale, nationale et européenne, voire mondiale.

NOTIONS-CLÉS

• **Conflit environnemental** Conflit déclenché par un projet d'aménagement entre des acteurs qui s'opposent, plus ou moins fortement, sur son opportunité et sur les risques et nuisances.

• **Gestion durable** Mode de gestion destinée à concilier le développement économique et social avec la préservation de l'environnement. Ce dernier étant considéré comme un patrimoine devant être transmis aux générations futures.

• **Milieu** Espace relativement homogène marqué par une combinaison de caractéristiques naturelles le plus souvent modifiées par les sociétés. Celles-ci aménagent les milieux pour en surmonter les contraintes et en valoriser les potentialités en exploitant leurs ressources. La plupart des milieux sont anthropisés*.

NE PAS CONFONDRE

Parc national / Parc naturel régional Un **parc national** est composé d'un « cœur de parc » totalement protégé et d'une « aire d'adhésion » pouvant être peuplée. Un **parc naturel régional** veille au développement durable de territoires peuplés et essentiellement ruraux.

RETENIR AUTREMENT

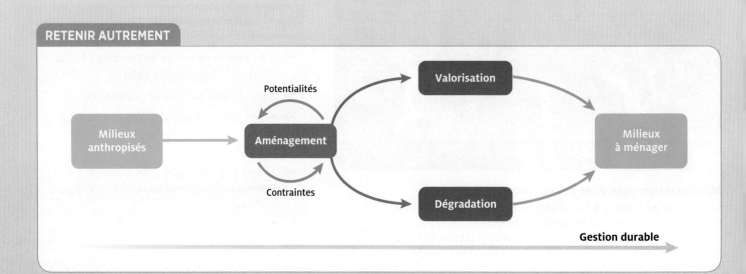

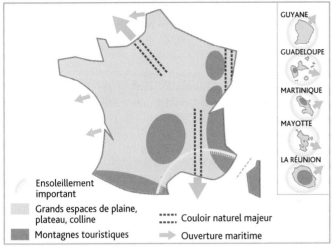

Légende :
- Ensoleillement important
- Grands espaces de plaine, plateau, colline
- Montagnes touristiques
- Couloir naturel majeur
- Ouverture maritime

GUYANE
GUADELOUPE
MARTINIQUE
MAYOTTE
LA RÉUNION

1. **Des potentialités multiples**

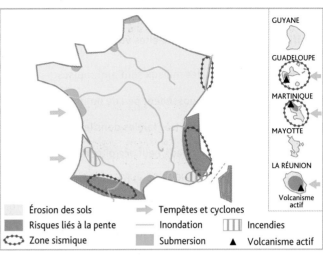

Légende :
- Érosion des sols
- Risques liés à la pente
- Zone sismique
- Tempêtes et cyclones
- Inondation
- Submersion
- Incendies
- Volcanisme actif

GUYANE
GUADELOUPE
MARTINIQUE
MAYOTTE
LA RÉUNION
Volcanisme actif

2. **Des risques à maîtriser**

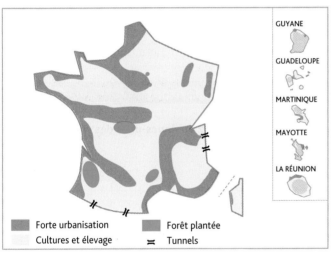

Légende :
- Forte urbanisation
- Cultures et élevage
- Forêt plantée
- Tunnels

GUYANE
GUADELOUPE
MARTINIQUE
MAYOTTE
LA RÉUNION

3. **Des milieux très aménagés**

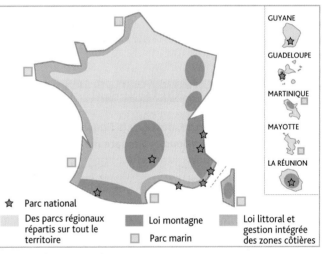

Légende :
- Parc national
- Des parcs régionaux répartis sur tout le territoire
- Loi montagne
- Parc marin
- Loi littoral et gestion intégrée des zones côtières

GUYANE
GUADELOUPE
MARTINIQUE
MAYOTTE
LA RÉUNION

4. **Des milieux fragiles protégés**

CHIFFRES-CLÉS

Sols artificialisés = **9%**
du territoire métropolitain

800 km²
artificialisés par an
soit l'équivalent d'un département tous les 10 ans

Espaces protégés = **57%**
du territoire français
(métropole et outre-mer)

1   Je maîtrise les idées du cours

Les affirmations suivantes sont-elles vraies ou fausses ?

	Vrai	Faux
1. En France, la plupart des milieux sont anthropisés.		
2. En France, les milieux possèdent peu de potentialités touristiques.		
3. Les risques naturels sont très faibles dans les territoires ultramarins.		
4. L'artificialisation des milieux peut accroître la vulnérabilité aux risques.		
5. Les parcs nationaux n'existent qu'en zones de montagne.		
6. Les parcs régionaux visent à concilier protection de l'environnement et activités économiques.		
7. Des parcs nationaux et régionaux sont également présents outre-mer.		
8. Les conflits d'acteurs concernant les milieux sont rares.		
9. La gestion durable de l'environnement ne peut se faire qu'à une échelle locale.		
10. La patrimonialisation ne concerne que les monuments historiques.		

2   Je dessine un schéma représentant la France en respectant les proportions

ÉTAPE 1 Pour commencer, dessinez la figure suivante, qui donne les grandes proportions de l'espace métropolitain.

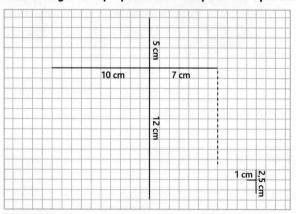

ÉTAPE 2 Positionnez quelques-unes des villes françaises.

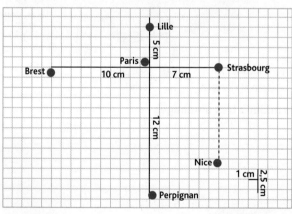

ÉTAPE 3 Terminez le schéma en traçant les contours du territoire.

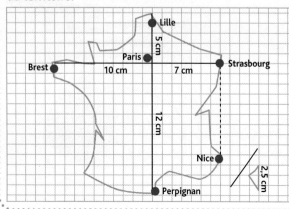

ÉTAPE 4 Vous pouvez, selon les cas, ajouter les DROM.

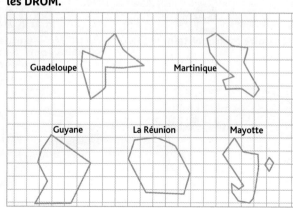

3 ⎸ Je maîtrise les enjeux de la gestion durable d'une zone côtière

Sur cette image de zone côtière, faites correspondre les numéros (1 à 7) aux éléments de légende (A à G).
À quelle notion correspondent les étoiles rouges ?

A. Agriculture (risque de rejets de pesticides, fertilisants...)

B. Aquaculture (risque de conversion de zones humides, de déversement de déchets...)

C. Industries (pollution de l'air et de l'eau, réchauffement thermique)

D. Pêche (risque de surpêche, de méthodes destructrices)

E. Tourisme

F. Transport maritime (déversement de pétrole...)

G. Urbanisation (risque de rejets d'eaux usées, d'ordures...)

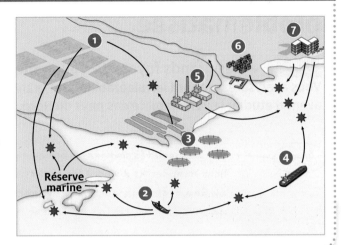

4 ⎸ Je maîtrise les localisations

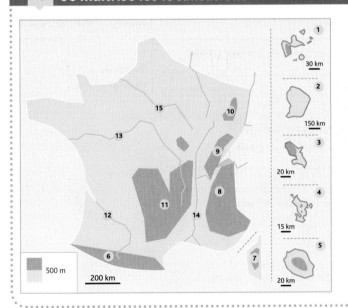

À quels lieux, fleuves, massifs montagneux correspondent les numéros sur la carte ?

A. Alpes   **B.** Corse   **C.** Garonne   **D.** Guadeloupe

E. Guyane   **F.** Jura   **G.** Loire   **H.** Martinique

I. Massif central   **J.** Mayotte   **K.** Pyrénées

L. Réunion   **M.** Rhône   **N.** Seine   **O.** Vosges

5 ⎸ Je révise à l'aide d'un court documentaire

Pour mieux cerner le rôle des parcs nationaux, cherchez sur Internet le film officiel « Les parcs nationaux de France-le film ».

1. Visionnez le film « Les parcs nationaux de France-le film ».

VIDÉO

2. Récapitulez les différents types de milieux qu'ils protègent et les moyens de protection qu'ils utilisent.

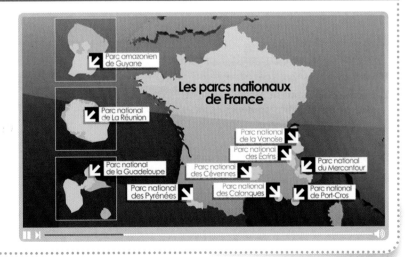

Rédiger une réponse à une question problématisée

SUJET **« Des grands foyers de peuplement inégalement vulnérables aux risques ? »**
Vous analyserez d'abord la vulnérabilité des grands foyers de peuplement situés dans les pays du Sud, avant d'étudier la vulnérabilité des pays du Nord.

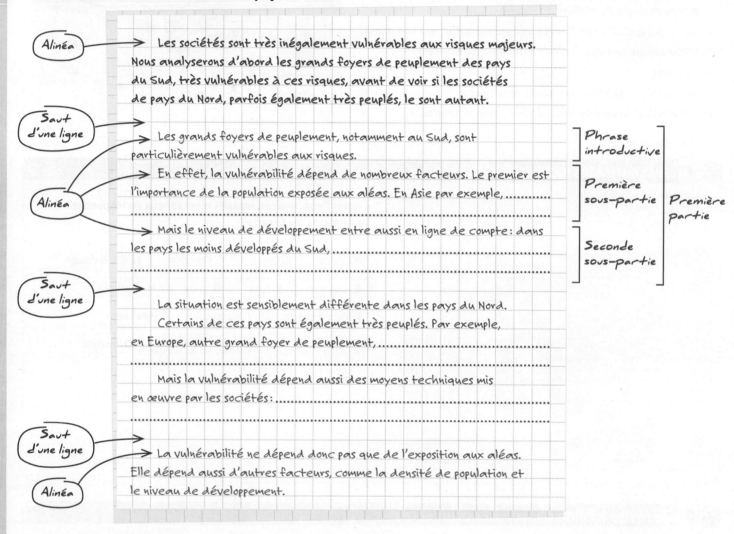

POUR TRAITER LE SUJET

1. Quel est le plan suggéré par le sujet ?

2. Dans la proposition de réponse au sujet ci-dessus, à quelles couleurs correspondent l'introduction et la conclusion ? Qu'annonce l'introduction ?

3. Comme cela a été fait pour la première partie, notez comment se compose la seconde partie.

4. Finissez de rédiger la réponse au sujet, en vous aidant de la **p. 30**.

POINT MÉTHODE

Rédiger une réponse à un sujet

Cela nécessite de faire apparaître l'organisation des idées dans une copie.

→ **Suivre un plan** préalablement établi en deux ou trois parties.

→ **Sauter une ligne** après l'introduction, entre les différentes parties et avant la conclusion, et **faire un retrait** (alinéa) au début de chaque partie et sous-partie s'il y en a.

→ Faire une **phrase introductive** au début de chaque partie pour annoncer l'idée principale.

Voir aussi les méthodes p. 84 et 248.

Analyser un cartogramme 1/2

SUJET

À partir du cartogramme, analysez les émissions de gaz carbonique dans le monde.

Un **cartogramme** est un schéma qui modifie les surfaces en fonction de la valeur plus ou moins élevée d'un phénomène, ici l'émission globale de CO_2 par pays.

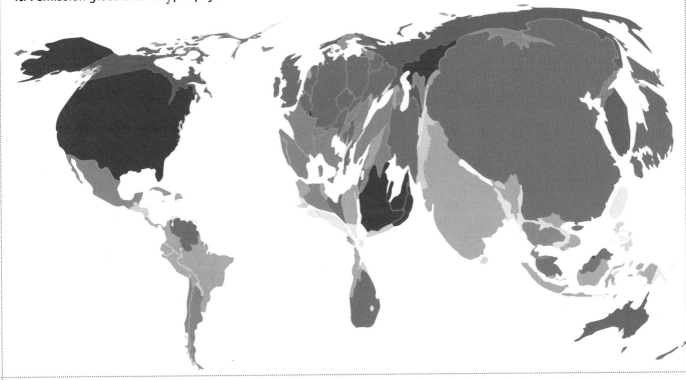

Les émissions de CO_2 sont liées à 80 % à l'utilisation des énergies fossiles (pétrole, gaz...), mais aussi pour environ 5 à 10 % à la production de ciment, et à l'agriculture.

Émissions de CO_2 liées aux énergies fossiles et au ciment (en tonnes par personne)

0,25 0,5 1 3 6 10 15 20

1 ▶ **Les émissions de CO_2 liées aux énergies fossiles et au ciment**
Source : d'après Glen Peters et al., Global Carbon Project, 2013.

POUR TRAITER LE SUJET

1. Le doc 1 présente-t-il toutes les émissions de CO_2 ? Quel est l'espace représenté ? À quelle échelle correspondent les figures géométriques ? Quels sont les avantages et les inconvénients des cartogrammes ?

2. Les phénomènes représentés par le doc 1 sont-ils en valeur absolue, en valeur relative ou les deux ?

3. Citez plusieurs pays anormalement gros par rapport à leur taille réelle, puis d'autres anormalement petits. Aidez-vous du planisphère de la page de garde.

4. Rédigez une réponse au sujet en décrivant le phénomène et en l'expliquant, à l'aide du cours.

POINT MÉTHODE

Comprendre un cartogramme

C'est analyser la répartition spatiale d'un phénomène représenté par des figures géométriques proportionnelles à l'intensité de celui-ci. Il faut :

→ **Identifier le ou les phénomène(s) représenté(s)**, repérer l'espace concerné et l'échelle des territoires correspondant aux formes géométriques (États, régions...).

→ **Prélever les informations** en repérant les régions les plus déformées, les moins déformées.

→ **Expliquer les différences constatées** à l'aide de ses connaissances.

Réaliser un croquis

SUJET

Réalisez un croquis de synthèse sur le sujet : « **Les espaces exposés aux risques majeurs** ».
Vous utiliserez notamment les cartes p. 26 et 1 et 2 p. 28.

Légende du croquis

1. Des risques « naturels » importants

L'importance du risque : ☐ fort
                           ☐ moyen
                           ☐ faible

☐ Trajets des principaux cyclones

 Principales zones sismiques

2. Des catastrophes technologiques de plus en plus fréquentes

● Grandes catastrophes technologiques depuis les années 1990

3. Des risques globaux en augmentation

☐ Relèvement du niveau des mers du fait du réchauffement climatique

☐ Les conférences du développement durable

POUR TRAITER LE SUJET

1. Observez la carte p. 26 : à quel élément de la légende ci-dessus correspond-elle ? Quel type de figuré est utilisé ? Rabat du manuel

2. Complétez cet élément de la légende puis le croquis en employant l'une des trois propositions ci-dessous.

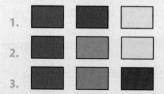

3. Analysez la carte 1 p. 28. À quels éléments de la légende correspond-elle ? Quels types de figurés sont utilisés ? Complétez la légende et le croquis.

4. Comment, d'après la légende, le croquis simplifie-t-il les données de la carte 2 p. 28 (deux réponses attendues) ? Quel type de figuré doit-on utiliser ici pour la légende et le croquis ?

5. Terminez le croquis en utilisant aussi la carte p. 26. Pensez à rajouter la nomenclature (nom des océans, des lieux de catastrophes, dates).

POINT MÉTHODE

Choisir des figurés, c'est :

→ **évoquer graphiquement des faits et des idées** : des flèches pour montrer des flux et des liens, des couleurs d'intensité différente ou des figurés de taille variable pour hiérarchiser des phénomènes...

→ **respecter des conventions cartographiques** en évitant, en particulier, de choisir des figurés « imagés » (ex. : arbres pour représenter la forêt).

Voir le tableau des figurés sur le rabat du manuel.

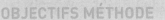

Confronter un texte et une carte

OBJECTIFS MÉTHODE
– Confronter des documents de natures différentes
– Mobiliser des notions

SUJET

« La pollution "ordinaire" : une catastrophe globale ? »

Après avoir présenté les documents (nature, source, date et thème), montrez que la pollution est un risque global majeur mais que son impact est variable selon le niveau de développement des pays.

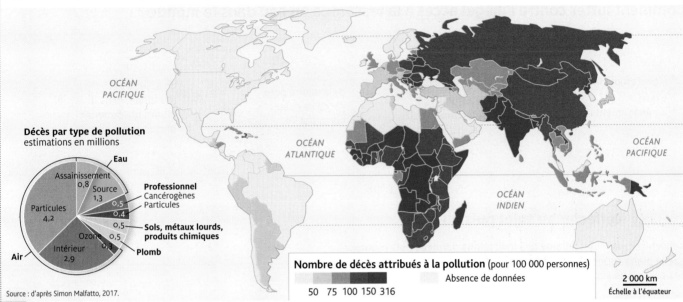

Source : d'après Simon Malfatto, 2017.

1 ▶ **Un décès sur six dans le monde lié à la pollution en 2015**

2 ▶ **La pollution, responsable de 9 millions de morts dans le monde par an**

« Selon la très respectée revue médicale *The Lancet* [...] la pollution représente un décès sur six dans le monde (16 %) [...] soit "trois fois plus que les morts combinées du sida, de la tuberculose et du paludisme". [...] La plupart (plus de 70 %) des décès attribués à la pollution sont dus à des maladies non transmissibles : pathologies cardiaques, accidents vasculaires cérébraux (AVC), cancers du poumon, broncho-pneumopathies chroniques obstructives (BPCO), maladies gastro-intestinales ou encore infections parasitaires.

Si tous les pays sont touchés, ce sont essentiellement les plus pauvres qui paient le prix fort. Environ 92 % des 9 millions de victimes de la pollution se trouvent dans des pays à bas et moyen revenus (où le revenu national brut est inférieur à 12 235 dollars par habitant et par an) [...]. Dans les pays où l'industrialisation se fait à marche forcée (Inde, Pakistan, Chine, Bangladesh, Madagascar et Kenya), la pollution peut être responsable de plus d'un quart de tous les décès. Quel que soit le niveau de développement des pays, les effets de la pollution affectent de façon "disproportionnée" les populations les plus pauvres et marginalisées. Les auteurs pointent ainsi une "injustice environnementale" ».

Stéphane Mandard, « La pollution, responsable de 9 millions de morts dans le monde par an », *Le Monde*, 20 octobre 2017.

POUR TRAITER LE SUJET

1. Quel est le phénomène étudié ? Justifiez, à l'aide des titres des documents, que l'on parle de « catastrophe ».
2. Quel est le paradoxe soulevé par le sujet ? Quelles sont les sources de pollution conduisant à des décès ? Pourquoi parler de risque global ?
3. D'après les doc 1 et 2, quels sont les pays les plus touchés ? Les moins touchés ?
4. Rédigez la réponse au sujet.

OBJECTIFS MÉTHODE
– Analyser un sujet
– Organiser une argumentation

Répondre à une question problématisée

SUJET « **Comment lutter contre l'inégal accès à la ressource en eau dans le monde ?** »
Après avoir montré ces inégalités, vous les expliquerez puis donnerez des solutions envisagées.

Comment lutter contre l'inégal accès à la ressource en eau dans le monde ?

- quels moyens ?
- quels aménagements ?

- dans le temps
- dans l'espace
- et selon les niveaux de développement

c'est-à-dire pour l'accès à l'eau et surtout à l'eau potable

un sujet à l'échelle mondiale, mais il faudra raisonner à plusieurs échelles

ÉTAPE 1 Réfléchir au sujet puis au plan

Réfléchissez au sujet à l'aide des indications données puis montrez que le plan proposé ci-dessous est conforme au sujet tout en apportant des précisions supplémentaires.

Plan possible
1. Un inégal accès à l'eau à différentes échelles
2. Des raisons naturelles mais surtout économiques et sociales
3. Des solutions pour réduire ces inégalités

ÉTAPE 2 Bâtir un plan détaillé

Voici une liste de sous-parties possibles accompagnées de quelques exemples. Intégrez les sous-parties dans les grandes parties du plan en donnant à chaque fois un ou plusieurs exemples à l'aide de votre manuel.

Liste des sous-parties
- des améliorations techniques Exemples : ...
- des inégalités entre les régions du monde Exemples : ...
- des ressources inégales selon les climats et les réserves en eau Exemples : ...
- des inégalités à l'intérieur d'un pays voire d'une ville Exemples : ...
- des programmes internationaux Exemples : ...
- des aménagements hydrauliques coûteux Exemples : ...

ÉTAPE 3 Rédiger le devoir

Rédigez la réponse organisée au sujet. Aidez-vous de la méthode p. 80 pour la présentation de votre copie.

POINT MÉTHODE

Répondre de façon structurée à un sujet

Cela nécessite d'organiser les arguments. Il faut :

→ **Comprendre le sujet** (thème ou question posée, espace concerné...).

→ **Organiser les éléments** de réponse en **différentes parties** selon un plan détaillé.

→ **Sélectionner des exemples** sur lesquels s'appuyer.

→ **Rédiger en veillant à la présentation de la copie** (introduction, différentes parties, conclusion). Voir la méthode « Rédiger une réponse à une question problématisée » p. 80.

Confronter une photographie et un texte

SUJET « Le Colorado, un fleuve sous pression »
Présentez le contexte géographique de l'espace concerné puis les usages de l'eau du Colorado et leurs conséquences.

1 Pourquoi le Colorado ne se jette-t-il plus dans la mer ?

« Si nous avons tous en tête quelques images de "la soif en Afrique", nous ne soupçonnons pas au premier abord de possibles tensions sur les ressources en eau au cœur de la toute-puissante Amérique, notamment s'agissant du grand Colorado ! Et pourtant... ce fleuve mythique [...] connaît un destin inquiétant. Depuis sa source [...] l'homme fait des prélèvements tout au long de son trajet. À l'embouchure du fleuve [au Mexique], plus une goutte d'eau ne se jette dans la mer ! Les eaux du fleuve sont d'abord pompées pour alimenter la zone de Denver, à l'est des Rocheuses, puis Las Vegas [...]. Un peu plus bas, [au barrage Parker] 20 % des eaux du Colorado sont détournées chaque année pour alimenter Los Angeles (Californie) à l'ouest, et Phoenix (Arizona) à l'est, à plusieurs centaines de kilomètres. [...] Phoenix, oasis en plein désert, regorge d'espaces verts. [...] Golfs, piscines, fontaines et jardins complètent idéalement les hautes températures du climat local. [...] Pourtant, la surexploitation du Colorado ne s'explique pas par le développement des villes. [...] La plus grande partie des eaux prélevées dans le fleuve est en effet destinée à l'agriculture intensive. »

Gérard Payen, *De l'eau pour tous. Abandonner les idées reçues, affronter les réalités*, Armand Colin, 2013.

2 Le delta du fleuve Colorado, désormais à sec (Mexique)

POUR TRAITER LE SUJET

1. En vous aidant du point méthode, présentez le contexte géographique de l'espace concerné par le doc 2, puis le contexte plus général du Colorado (doc 1). En quoi ces documents sont-ils complémentaires ?

2. À l'aide des documents et de la question précédente, trouvez des arguments pour chaque idée du tableau, puis rédigez une réponse au sujet.

Un fleuve situé essentiellement aux États-Unis, dans une zone aride mais peuplée	
Un fleuve utilisé pour de multiples usages grâce à des aménagements coûteux	
Des conséquences multiples (environnement, conflits...)	

POINT MÉTHODE

Connaître le contexte géographique

Cela est nécessaire pour analyser un document. Il s'agit de :

→ **Localiser et situer** les espaces concernés (dans quel pays et/ou quelle région ? dans quelle ville ?...).

→ **Préciser le contexte environnemental** (désert, montagne, île, climat...) **et/ou socio-économique** (un pays du Nord ? un PMA*?...).

→ **Déterminer le type d'espace** (rural, urbain...).

→ **Se poser la question de l'échelle**, c'est-à-dire de l'étendue de l'espace concerné (quartier ? continent ?).

Utiliser une carte interactive

SUJET

« La durabilité des politiques énergétiques dans le monde en 2017, selon l'Indice RISE[1] »
À partir du planisphère, montrez que l'accès durable à l'énergie est inégal selon les pays.

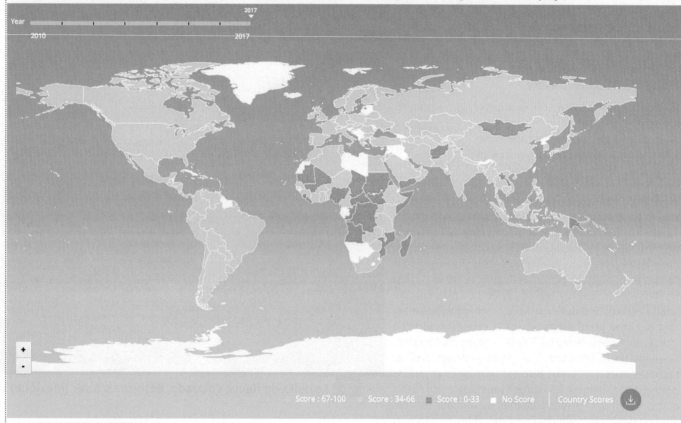

Score : 67-100   Score : 34-66   Score : 0-33   No Score   Country Scores

[1] Indice RISE *(Regulatory Indicators for Sustainable Energy)* : calculé par la Banque mondiale (de 0 à 100), il mesure l'accès à l'énergie, l'efficacité énergétique et les énergies renouvelables.

POUR TRAITER LE SUJET

1. Prenez connaissance du document et de ce qu'il cartographie :
- source et date du planisphère,
- idée générale,
- composition de l'indice,
- logique de la légende et des couleurs choisies.

2. Analysez la carte :
- Dans quelles régions du monde l'accès durable à l'énergie est-il le meilleur (supérieur à 64) ?
- Le moins bon ?
- Donnez des facteurs explicatifs.

3. Approfondissez l'analyse en allant sur le site de cette carte interactive :

CARTE INTERACTIVE

- Cliquez sur l'onglet *Energy Access* : dans quel continent l'accès à l'énergie est-il le plus faible ? Relevez quelques indices précis par survol de pays sur la carte.
- Cliquez sur l'onglet *Renewable Energy* : quels sont les groupes de pays en avance pour le développement des énergies renouvelables ? Relevez quelques indices précis.
- Cliquez sur l'Inde puis sur les États-Unis pour faire apparaître la fiche-pays et faire une rapide comparaison.

POINT MÉTHODE

Utiliser une carte interactive

C'est exploiter les potentialités fournies. Il faut :

→ Repérer la source, les espaces concernés, les dates...

→ Comprendre le phénomène cartographié et la légende.

→ Utiliser les différents onglets.

→ Penser que certaines informations sont accessibles par survol de la carte.

Analyser un document

OBJECTIFS MÉTHODE

– Analyser une caricature
– Porter un regard critique sur un document

SUJET

« Quel est l'impact des voitures électriques sur l'environnement ? »

En vous aidant du document d'aide et de vos connaissances, analysez le document 1. Vous donnerez des arguments allant dans le sens de la caricature mais aussi des contre-arguments.

1 **Quelle énergie choisir pour les voitures ?**

Source : Caricature de Hub.

POUR TRAITER LE SUJET

1. Pourquoi le message délivré par la caricature peut-il paraître *a priori* surprenant ? Comment le dessinateur le fait-il passer ? (logos, couleurs, personnages…)

2. Utilisez le document d'aide pour trouver des arguments qui confortent ce message.

3. Pour trouver des arguments qui vont dans un sens opposé, examinez la carte 3 p. 45 et l'ensemble des p. 50-51.

4. Rédigez la réponse au sujet en pensant à décrire la caricature.

Les voitures électriques et hybrides peuvent contenir de 9 à 11 kg de terres rares
(Deux fois la quantité trouvée dans les voitures à essence)

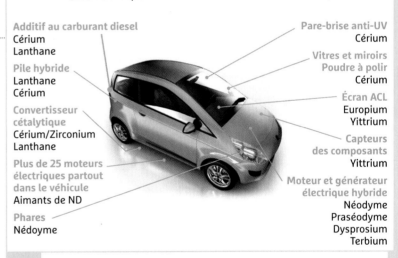

Additif au carburant diesel
Cérium
Lanthane

Pile hybride
Lanthane
Cérium

Convertisseur cétalytique
Cérium/Zirconium
Lanthane

Plus de 25 moteurs électriques partout dans le véhicule
Aimants de ND

Phares
Nédoyme

Pare-brise anti-UV
Cérium

Vitres et miroirs
Poudre à polir
Cérium

Écran ACL
Europium
Yttrium

Capteurs des composants
Yittrium

Moteur et générateur électrique hybride
Néodyme
Praséodyme
Dysprosium
Terbium

Aide **Les voitures électriques et hybrides très consommatrices en terres rares[1]**

[1] Métaux indispensables à la fabrication de produits électroniques dont les réserves mondiales sont faibles et dont l'extraction est très polluante.

POINT MÉTHODE

Porter un regard critique sur un document

C'est évaluer sa conformité à la réalité. Il faut :

→ **Utiliser ses connaissances** pour les confronter aux affirmations du document.

→ **Faire une critique nuancée** (ne pas faire ressortir que des points négatifs).

→ **Tenir compte de la nature** du document (une caricature, par exemple, est souvent simplificatrice) **et de la source**.

VERS LE
BAC
ÉPREUVE COMMUNE

Réaliser un croquis

SUJET

« La vallée de l'Arve à Chamonix, entre pureté et pollution »

À l'aide du texte, vous réaliserez un croquis montrant le développement touristique du massif du Mont-Blanc fondé sur une image de pureté mais aussi la très forte pollution de la vallée.

1 Chamonix sous un grand manteau de pollution

« Au pied de Chamonix et du massif du Mont-Blanc, la vallée de l'Arve, en Haute-Savoie, est l'une des dix zones les plus polluées de France. "L'air de notre vallée est mortel", lançait dans le JT de 20 heures le 15 février 2015, Frédéric Champly, médecin à Chamonix. "Des élus me sont tombés dessus, parce qu'il ne fallait pas toucher à l'image de la vallée" [1], raconte le praticien.

Pourquoi, ici, où dans l'imaginaire l'air devrait être si pur, doit-on consulter la qualité de celui-ci pour savoir si on pourra, ou non, faire un footing aujourd'hui? Déjà, la topographie du lieu est particulière : un fond de vallée encaissé où se combinent une forte densité de population, beaucoup d'activités industrielles et un intense trafic routier. À cause de la géographie, les vents ne permettent pas de disperser les particules hors de la vallée. Mais le phénomène le plus aggravant reste l'inversion des températures: les jours de beau temps, quant au fond de la vallée la température est plus froide que sur les hauteurs, il se forme un voile qui recouvre la cuvette, emprisonnant ainsi la pollution.

Trois sources de pollution sont mises en avant: le chauffage au bois, le transport routier sur l'axe autoroutier qui mène au tunnel du Mont-Blanc et à l'Italie, et l'industrie, notamment à Passy du fait de la présence d'une importante usine de graphite.

[1] Avec environ 5 millions de touristes par an, la vallée de Chamonix est le troisième site naturel le plus fréquenté au monde. En été, la population de Chamonix est multipliée par 10.

D'après Benjamin Hourticq, « La montagne sous un grand manteau de pollution », *L'Imprévu*, 2018.

Des indications géographiques qui permettent de localiser les phénomènes

Des informations sur la pollution et ses causes

....

Aide **Le massif du Mont-Blanc**

a Chamonix, 9 000 hab. (70 000 en été) **b** station d'arrivée du téléphérique de l'Aiguille du Midi (800 000 visiteurs par an) **c** le Mont-Blanc, 4 810 m **d** route d'accès au tunnel du Mont-Blanc et à l'Italie

POINT MÉTHODE 1

Sélectionner des informations pour réaliser un croquis

→ **Réfléchir au sujet** du croquis et **repérer l'espace** à cartographier.

→ Faire une première lecture du texte pour **noter les idées principales**.

→ Relire le texte pour **repérer les indications géographiques** (localisations, types d'espaces...) et les éléments **utiles au sujet** (vous pouvez surligner des passages dans le texte en utilisant plusieurs couleurs).

→ **Classer les informations** en deux ou trois parties, qui serviront de base à la légende.

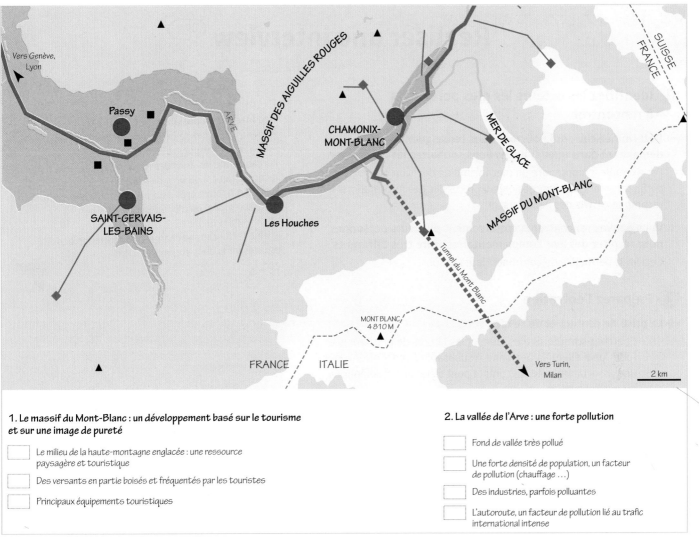

1. Le massif du Mont-Blanc : un développement basé sur le tourisme et sur une image de pureté

☐ Le milieu de la haute-montagne englacée : une ressource paysagère et touristique

☐ Des versants en partie boisés et fréquentés par les touristes

☐ Principaux équipements touristiques

2. La vallée de l'Arve : une forte pollution

☐ Fond de vallée très pollué

☐ Une forte densité de population, un facteur de pollution (chauffage …)

☐ Des industries, parfois polluantes

☐ L'autoroute, un facteur de pollution lié au trafic international intense

Titre : ....

POUR TRAITER LE SUJET

1. Lisez le point méthode 1 qui explique comment l'on passe d'un texte à un croquis.

2. Lisez le sujet puis le texte qui sert de base au croquis. À quoi correspondent les trois couleurs utilisées dans le texte ? Finissez de surligner le sujet ci-dessous avec les bonnes couleurs.

   Sujet : La vallée de l'Arve à Chamonix, entre pureté et pollution

3. Pour vous aider à mieux repérer les lieux et les types d'espaces mentionnés dans le texte, utilisez le document d'aide. Puis observez comment ces lieux sont représentés sur le croquis.

4. L'organisation de la légende et les informations sélectionnées permettent-elles de répondre au sujet ? Justifiez en utilisant le point méthode 2.

5. Recopiez la légende en indiquant pour chaque élément le figuré correspondant à ce qui a été fait sur le croquis.

POINT MÉTHODE 2

Organiser une légende

Cela permet de répondre au sujet de façon structurée.

→ **Lister les éléments indispensables** en veillant à ce qu'ils ne soient pas trop nombreux et qu'ils puissent être représentés graphiquement.

→ **Les organiser en deux ou trois parties** (en choisissant des titres).

→ **Classer** aussi l'intérieur de chaque partie de façon logique.

AUTONOMIE

Réaliser une interview

1 Identifiez les acteurs les plus pertinents à rencontrer

→ **Déterminez ceux qui pourront vous renseigner en vous demandant dans quel(s) but(s) vous souhaitez les rencontrer.**
Par exemple, comprendre un mécanisme de décision ou de financement, évaluer des enjeux, recueillir des informations techniques, l'avis des habitants, etc.

→ **Vous pouvez rencontrer successivement plusieurs personnes pour récolter des avis complémentaires voire très différents.**
Ceci vous permettra de confronter leurs propos.

Exemples

Des interviews possibles pour le thème 1 :
– Une association de protection de l'environnement.
– Le·a maire (responsable de la maîtrise de l'urbanisation vis-à-vis des risques naturels et technologiques) ou un·e de ses adjoints·es.
– Si vous habitez près d'un parc national, d'un parc naturel régional ou d'une réserve, un·e des responsables du parc.
– Un·e technicien·ne chargé·e de l'entretien des espaces verts de la commune.
etc.

2 Préparez l'entretien

→ **La prise de contact et de rendez-vous**
– Cherchez sur Internet les jours et les heures de permanence (pour un·e élu·e), la personne responsable à rencontrer (pour une association), etc. Le contact peut s'établir par téléphone ou par courriel.
– Pour augmenter vos chances de rendez-vous, veillez à bien préciser l'objet de votre rencontre et ce sur quoi vous souhaitez des informations.

→ **La préparation matérielle de l'entretien**
– Prévoyez la prise de notes ou l'enregistrement.
– Pensez à avoir les moyens de photographier voire de filmer (si la personne est d'accord).
– Prévoyez comment vous rendre sur place.

→ **La préparation de la trame de l'entretien**
– Rédigez et organisez les questions en fonction de vos objectifs. Ceci ne vous empêchera pas de vous en détacher ensuite.

3 Réalisez l'entretien

→ Pendant l'entretien, **ne perdez pas de vue l'objet de votre visite**, gardez un œil sur votre trame de questions pour collecter les informations recherchées.

→ **Soyez réactif !** Votre interlocuteur peut aborder des aspects auxquels vous n'avez pas pensé.

→ **Demandez de la documentation.**

4 Exploitez l'entretien

→ **Une fois l'entretien passé, il vous faut le traiter.**
– Vous avez des notes, un enregistrement, des photographies, de la documentation... Il faut les trier pour ne garder que les informations utiles.
– Organisez votre reprise en fonction de la restitution demandée par votre professeur.

POINT MÉTHODE

Réaliser un entretien

→ Cela suppose de respecter certaines **règles** et **contraintes**.

→ **Lors de la prise de contact,** il faut **vous présenter** et énoncer clairement l'**objectif de la demande** de rendez-vous.

→ **Pour que l'entretien soit efficace,** vous devez **connaître votre sujet** et vous être fixé des objectifs précis.
La préparation d'une trame de questions est donc nécessaire, même si vous pouvez vous en détacher ensuite.

→ **Si vous souhaitez enregistrer, photographier, voire filmer** tout ou partie de l'entretien, il faut **demander l'accord** de votre interlocuteur et donc lui présenter les exploitations envisagées.

Les métiers de l'environnement

PARCOURS INTERACTIF

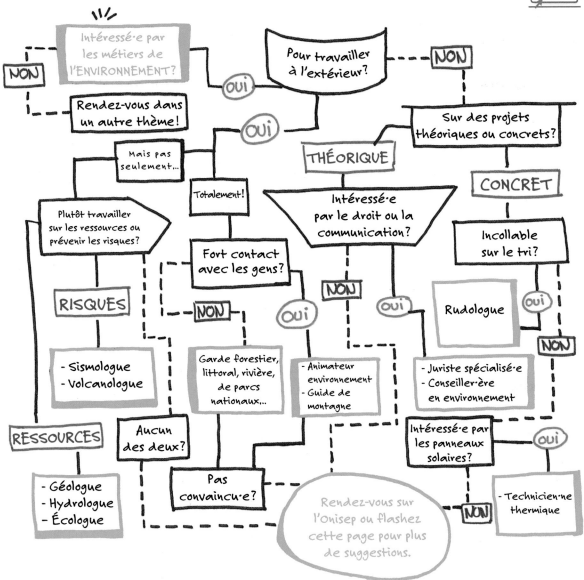

Intéressé·e par les métiers de l'ENVIRONNEMENT?

NON → Rendez-vous dans un autre thème!

Pour travailler à l'extérieur? — NON

OUI

Sur des projets théoriques ou concrets?

OUI

Mais pas seulement...

THÉORIQUE — Intéressé·e par le droit ou la communication?

CONCRET

Totalement!

Plutôt travailler sur les ressources ou prévenir les risques?

Incollable sur le tri?

Fort contact avec les gens?

RISQUES

NON

OUI

NON

OUI

Rudologue — OUI

NON

- Sismologue
- Volcanologue

- Garde forestier, littoral, rivière, de parcs nationaux...

- Animateur environnement
- Guide de montagne

- Juriste spécialisé·e
- Conseiller·ère en environnement

RESSOURCES

Aucun des deux?

Intéressé·e par les panneaux solaires? — OUI

- Géologue
- Hydrologue
- Écologue

Pas convaincu·e?

Rendez-vous sur l'Onisep ou flashez cette page pour plus de suggestions.

NON

- Technicien·ne thermique

Zoom métier

 VIDÉO

Interview d'une ingénieure écologue

→ Quel type d'études permet de devenir ingénieur·e écologue?

→ Quels sont les attraits et les difficultés de ce métier?

Et à côté de chez moi?

→ Organisez l'interview d'une personne travaillant dans un secteur de l'environnement. Aidez-vous de la méthode p. 90.

→ Préparez un oral d'une dizaine de minutes pour présenter le parcours permettant d'accéder à ce métier, ainsi que les atouts et les compétences nécessaires à sa pratique. Aidez-vous de la méthode p. 172.

En quoi l'image illustre-t-elle les contrastes de développement ?

Un hôtel jouxtant un bidonville
(Hoi An, Vietnam)

développement : quels défis ?

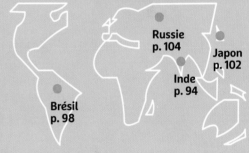

VIETNAM
● Hoi An

Les défis liés à la population et au développement sont multiples : essor démographique, vieillissement, inégalités... Ils jouent à toutes les échelles : échelle continentale, nationale, régionale ou locale, ou d'un quartier.

Études de cas

Russie p. 104

Japon p. 102

Inde p. 94

Brésil p. 98

questions Monde

question France

Pour quelles modalités de développement l'Inde a-t-elle opté ?

Sixième économie mondiale, l'Inde est une grande puissance industrielle et agricole mais est aussi le pays qui compte le plus de mendiants au monde. Ce pays émergent, membre des BRICS*, doit faire face au poids du nombre : peuplée d'1,4 milliard de personnes en 2019, l'Inde va devenir la première puissance démographique mondiale, devant la Chine, avec sans doute 1,62 milliard d'habitants en 2050.

A Une transition démographique* bientôt achevée ?

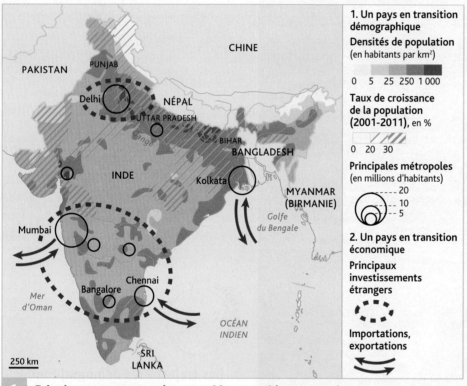

1 Développement et croissance démographique en Inde

1. Un pays en transition démographique
Densités de population (en habitants par km²)
0 5 25 250 1 000

Taux de croissance de la population (2001-2011), en %
0 20 30

Principales métropoles (en millions d'habitants)
20 10 5

2. Un pays en transition économique
Principaux investissements étrangers

Importations, exportations

3 La stérilisation des femmes en Inde

« Pour contrôler les naissances, les autorités continuent à encourager une méthode qu'elles jugent efficace : la stérilisation.

Les vasectomies pour les hommes, plus faciles à réaliser que la stérilisation des femmes, sont très peu pratiquées [...]. Mais 65 % des femmes, quant à elles moins habituées à protester, ont recours à la stérilisation pour contrôler leur fécondité. [...] Sur le papier, tout est simple : les femmes sont libres de leur choix et la procédure est sans risque. Dans la réalité, les faits dessinent un tout autre tableau, parfois bien plus sinistre.

De récentes tragédies ont remis en lumière une dérive : la mise en danger de la santé des villageoises pauvres. Le 8 novembre 2014, 13 d'entre elles sont mortes dans un camp de stérilisation dans le Chhattisgarh. Elles avaient été opérées par le même chirurgien, R.K. Gupta, qui a traité 83 femmes à la chaîne en cinq heures. [...] C'est là toute l'ambiguïté des politiques de contrôle des naissances. Car la stérilisation est imposée à des villageoises illettrées. Au Rajasthan, un tiers des candidates ignore que l'opération est irréversible. [...]

L'approche actuelle [du gouvernement], formulée en 2012, interdit la course aux chiffres et s'engage à proposer des moyens contraceptifs variés. [...] Mais les abus persistent. »

Vanessa Dougnac, « En Inde, les dérives de la politique de stérilisation », *La Croix*, 3 mars 2015.

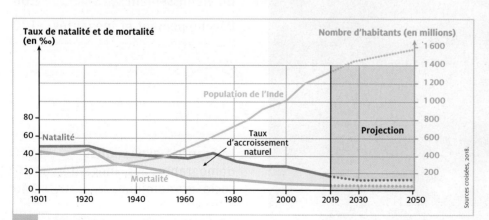

2 La transition démographique en Inde

4 La page d'accueil du site du planning familial indien

SITES

5 L'Inde manque de femmes

«L'Inde accuse un déficit de 63 millions de femmes. [...] Ainsi, bien qu'il ne soit pas autorisé, en Inde, de révéler le sexe du futur bébé, il est courant qu'il soit annoncé lors de l'échographie, et qu'un avortement illégal le suive, quand il s'agit d'une fille. Selon l'Institut américain Guttmacher, 15,6 millions d'avortements auraient eu lieu en 2015 dans le pays. De même, nombre de familles décident de ne plus avoir d'enfants après la naissance d'un garçon. [...] Les filles bénéficient aussi de moins de soins et d'attention en matière de santé, d'alimentation et d'éducation, ce qui nuit à leur espérance de vie. Elles sont traditionnellement considérées comme un poids financier important, du fait de la dot dont les parents doivent s'acquitter lors du mariage. [...]

Alors que la croissance économique, évaluée à 7 %, apporte une amélioration constante des conditions de vie des Indiens, la population féminine n'en bénéficie que partiellement. Bien que de nombreux points aient été améliorés, comme le recul de l'âge au premier enfant, l'écart se creuse quand il est question de l'accès à l'emploi.»

Shannah Mehidi, «L'Inde "manque" de 63 millions de femmes», *Le Figaro*, 31 janvier 2018.

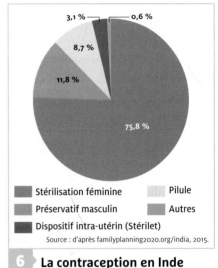

3,1 % — 0,6 %
8,7 %
11,8 %
75,8 %

- Stérilisation féminine
- Pilule
- Préservatif masculin
- Autres
- Dispositif intra-utérin (Stérilet)

Source : d'après familyplanning2020.org/india, 2015.

6 La contraception en Inde

7 Un pays en transition urbaine*

Scène de la vie quotidienne dans une petite ville de l'Inde. Le pays est encore très peu urbanisé (33 % de la population), mais la population urbaine est en plein essor. Les villes de moins de 100 000 habitants abritent plus de 40 % de la population urbaine indienne.

Analyser et confronter les documents

1. Les régions très densément peuplées d'Inde coïncident-elles avec celles qui ont connu la plus forte croissance démographique ? Doc 1

2. Pourquoi la croissance de la population a-t-elle été aussi forte des années 1950 à 2013 ? Le rythme de la croissance va-t-il rester aussi élevé ? Quelles sont les prévisions pour 2050 ? Doc 2

3. Par quels moyens l'Inde freine-t-elle la croissance démographique ? Doc 4 et 6 Quels sont les aspects négatifs de certains d'entre eux ? Doc 3 et 5

4. Pourquoi l'Inde est-elle en transition urbaine* ? Doc 1, 2 et 7

SYNTHÉTISER À l'aide des questions précédentes, montrez que la transition démographique sera bientôt achevée en Inde.

B Comment la transition économique a-t-elle permis l'émergence de l'Inde ?

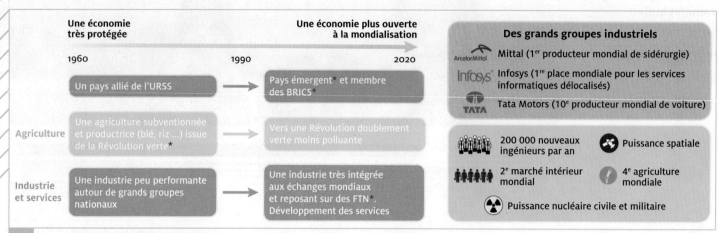

8 Un pays en transition économique

Une économie très protégée		Une économie plus ouverte à la mondialisation

1960 — 1990 — 2020

Un pays allié de l'URSS → Pays émergent* et membre des BRICS*

Agriculture
Une agriculture subventionnée et productrice (blé, riz ...) issue de la Révolution verte* → Vers une Révolution doublement verte moins polluante

Industrie et services
Une industrie peu performante autour de grands groupes nationaux → Une industrie très intégrée aux échanges mondiaux et reposant sur des FTN*. Développement des services

Des grands groupes industriels

ArcelorMittal — Mittal (1er producteur mondial de sidérurgie)

Infosys — Infosys (1re place mondiale pour les services informatiques délocalisés)

TATA — Tata Motors (10e producteur mondial de voiture)

- 200 000 nouveaux ingénieurs par an
- 2e marché intérieur mondial
- Puissance nucléaire civile et militaire
- Puissance spatiale
- 4e agriculture mondiale

9 Bangalore, la « Silicon Valley indienne »

La ville est le siège de grandes entreprises informatiques indiennes comme Infosys et accueille des filiales d'Amazon, Google, Microsoft, Dell, IBM, etc.

10 Des défis socio-économiques et environnementaux

« L'économie indienne est la 7e économie du monde [...]. Mais en revenu par habitant, l'Inde reste un pays pauvre. De plus, à la différence des autres émergents, une grande partie de sa population n'a pas accès aux services publics de base, comme un système scolaire convenable, des soins primaires, ou le traitement des eaux. [...] L'alphabétisation est loin d'être une réalité [...] La forte croissance économique indienne ne s'accompagne pas d'une amélioration équivalente du niveau de vie des plus pauvres [et] ne parvient pas à créer suffisamment d'emplois, notamment pour ceux qui ont des compétences limitées. [...]
Sur le plan environnemental, le niveau des nappes phréatiques diminue, [...] la population urbaine augmente. [...] Le pays dispose d'un fort potentiel d'énergie solaire. Ses coûts seront bientôt inférieurs à ceux des énergies conventionnelles. [...] Mais, en attendant, l'économie indienne dépend encore largement du charbon, avec les coûts sociaux et environnementaux que l'on sait. »

Entretien avec Jean Drèze, « Une puissance émergente en trompe l'œil », *L'Histoire*, n°437-438, juillet-août 2017.

▌**Analyser et confronter les documents**

1. Pourquoi parle-t-on de transition économique en Inde ? Quels sont les signes d'une émergence économique ? Doc 1, 8 et 9

2. Quels défis l'Inde doit-elle encore relever pour que sa croissance économique se transforme en un véritable développement durable ? Doc 7 et 10

SYNTHÉTISER À l'aide des réponses précédentes, montrez que l'Inde est une puissance économique marquée par un développement inégal.

Bilan

➜ Complétez le schéma fléché à partir de l'étude de cas.

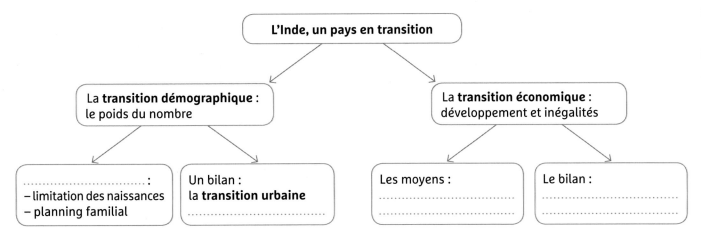

L'Inde, un pays en transition

La **transition démographique** : le poids du nombre

La **transition économique** : développement et inégalités

.... :
– limitation des naissances
– planning familial

Un bilan :
la **transition urbaine**

Les moyens :
....
....

Le bilan :
....
....

➜ Complétez le titre et la légende du croquis à l'aide de l'étude de cas.

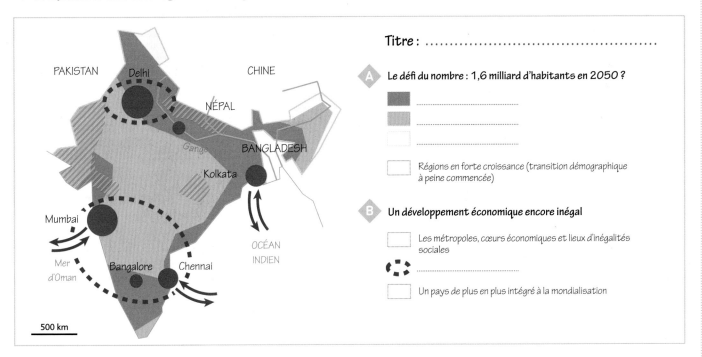

Titre : ....

A Le défi du nombre : 1,6 milliard d'habitants en 2050 ?

▢ ....
▢ ....
▢ Régions en forte croissance (transition démographique à peine commencée)

B Un développement économique encore inégal

▢ Les métropoles, cœurs économiques et lieux d'inégalités sociales
⟳ ....
▢ Un pays de plus en plus intégré à la mondialisation

500 km

PAKISTAN — Delhi — CHINE — NÉPAL — Gange — BANGLADESH — Kolkata — Mumbai — Mer d'Oman — Bangalore — Chennai — OCÉAN INDIEN

Mise en perspective

➜ Répondez aux questions pour replacer le cas de l'Inde à l'échelle mondiale.

A • À quel(s) pays l'Inde est-elle comparable pour sa situation démographique ? Planisphère et doc 2 p. 108-109 et cartes p. 110-111

• Les conséquences de la forte natalité se retrouvent-elles dans d'autres pays ? Carte 2 p. 110

B • Citez d'autres grands États ayant un niveau de développement comparable à l'Inde. Planisphère p. 122-123 et carte 1 p. 124

• Analysez la carte 3 p. 125. À quels types de pays peut-on comparer l'Inde du point de vue des inégalités sociales et de l'insécurité alimentaire ?

DONNÉES
PAYS

BRÉSIL

L'émergence du Brésil a-t-elle réduit les inégalités socio-spatiales ?

Pays émergent* depuis les années 2000, le Brésil est la 8e puissance économique mondiale.
Mais c'est aussi un pays marqué par de vifs contrastes économiques et sociaux à toutes
les échelles.

A Quelles sont les bases de l'émergence du Brésil ?

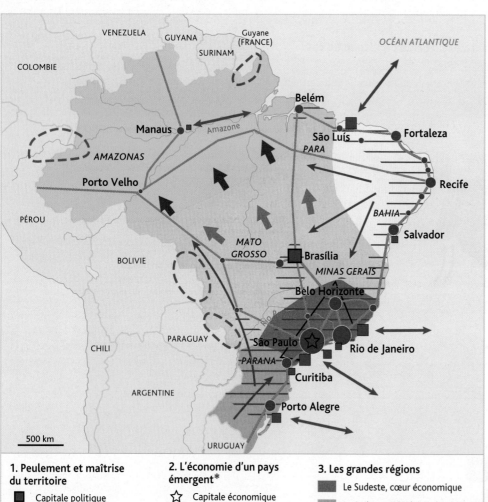

1. L'organisation spatiale du Brésil

1. Peuplement et maîtrise du territoire

- ■ Capitale politique
- ▭ Densité de population supérieure à 50 hab/km²

Principales agglomération (en millions d'habitants)

- • 0,5 ● 2 ● 6 ● 21

← Principales migrations internes
— Principaux axes de communication
◄ Fronts pionniers de déforestation

2. L'économie d'un pays émergent*

- ☆ Capitale économique
- ◁ «Triangle industriel»
- ◄ Front pionnier agricole (soja,élevage)
- ■ Principaux ports
- ↔ Principaux échanges par voies maritime et fluviale
- ⊂⊃ Le développement de régions transfrontalières, notamment dans le cadre du «Mercosur»

3. Les grandes régions

- ▨ Le Sudeste, cœur économique
- ▨ Le Sud, une périphérie dynamique
- ▨ La périphérie agricole, région exportatrice
- ▨ Le Nordeste, ancien centre marginalisé
- ▨ L'Amazonie, encore en marge

Une puissance émergente

14e → 8e
PIB mondial en 2004 → PIB mondial en 2018

Le Brésil, « ferme du monde »

14,3 milliards de dollars d'exportations agricoles en 2000 → 85 milliards d'exportations agricoles en 2017

2e exportateur de soja au monde

Une croissance très variable

3,2 % en 2005 → 1 % en 2017

Croissance du PIB en pourcentage annuel

La pauvreté recule-t-elle encore ?

21 % en 2005 → 10,1 % en 2017

Un chômage fluctuant

9,3 % en 2005 → 12,7 % en 2018

Un pays très inégalitaire

1 % des richesses du pays sont détenues par les 10 % les plus pauvres

41,8 % sont contrôlées par les 10% les plus riches

Parmi les 10 % les plus pauvres, 74 % sont des noirs

Parmi les 10 % les plus riches, 70 % sont des blancs

2 Le Brésil, pays émergent* au XXIe siècle

3 ▸ Une réorganisation territoriale déjà ancienne : Brasília

Brasília a été créée *ex-nihilo* pour devenir la capitale politique du Brésil en 1960, à la place de Rio de Janeiro. L'objectif était d'affirmer la volonté de développer l'intérieur du pays. Entièrement planifiée, elle est située à 1 000 km de Rio et São Paulo et, de manière symbolique, sur la ligne de partage des eaux entre les trois grands fleuves brésiliens.

4 ▸ Comment se manifeste l'émergence du Brésil ?

« Le Brésil est passé de "pays du tiers monde", dans les années 1950-1960, à "nouveau pays industriel" (NPI), dans les années 1970 avant de devenir "émergent" dans les années 2000. [...] Ce qui distingue les pays émergents des pays développés c'est qu'ils n'ont pas atteint un stade équilibré de développement du fait, notamment de très fortes inégalités sociales. [...] Malgré ces handicaps, des succès significatifs sont à remarquer dans des secteurs tels que l'agro-énergie, l'exploitation minière, le pétrole off-shore, l'aéronautique, les cosmétiques etc. [...] Le Brésil est le 1er exportateur et producteur mondial de sucre, éthanol, café, jus d'orange, viande de poulet et viande bovine, sans oublier le soja [...]. Si l'agriculture est souvent mise au premier plan, 28 % du PIB vient pourtant encore de l'industrie. [...]
Enfin, le Brésil s'impose de façon originale comme une puissance via son ouverture internationale : [...] au niveau de l'Amérique du Sud, l'alliance avec ses voisins du Cône Sud dans le cadre du Mercosur est ancienne. Il a créé le groupe des BRICS*. Des partenariats se développent avec les pays africains. Avec les États-Unis les relations sont plus empreintes d'incertitudes. En revanche, l'Union européenne est avec la Chine, le premier partenaire commercial du Brésil. »

D'après Martine Droulers, « Le Brésil, pays émergent », *Confins*, 26, 22 février 2016.

5 ▸ Quel avenir pour la forêt amazonienne et les Amérindiens ?

« Le sujet est sensible au Brésil où il oppose préservation de l'environnement et protection des peuples indiens d'un côté, au développement de l'agriculture et de l'exploitation minière de l'autre. [...] Jair Bolsonaro [le président brésilien depuis 2018] a promis qu' "il n'y aura pas un centimètre supplémentaire de terres indigènes" et que celles déjà reconnues – soit environ 13 % du territoire brésilien, véritable rempart contre la déforestation – seront ouvertes à l'exploitation minière et à d'autres activités économiques. [...] Même chose pour la BR-319, une autoroute désaffectée de 890 km qui relie Manaus à Porto Velho, au cœur de l'Amazonie. L'équipe de Jair Bolsonaro a promis sa réouverture et sa rénovation, au grand dam des associations environnementales qui craignent l'accaparement et la déforestation des zones alentour, via notamment la construction de routes secondaires. »

Fabrice Pouliquen, « L'Amazonie est-elle en péril avec Jair Bolsonaro comme président ? », *20 minutes*, 6 novembre 2018.

▸ Analyser et confronter les documents

1. Quels indicateurs témoignent de l'émergence du Brésil ? Sur quels secteurs économiques est-elle fondée ? Doc 2 et 4

2. Montrez que cette émergence a aussi une dimension internationale. Doc 1 et 4

3. Quels en sont les espaces moteurs ? Quels espaces sont peu à peu intégrés et par quels moyens ? Doc 1, 3 et 5

4. Pourquoi peut-on parler d'une fragilité du modèle économique brésilien ? Doc 2, 4 et 5

SYNTHÉTISER À l'aide des réponses aux questions précédentes, montrez que les bases de l'émergence sont nombreuses mais fragiles.

B ◆ Comment se manifestent les inégalités à toutes les échelles ?

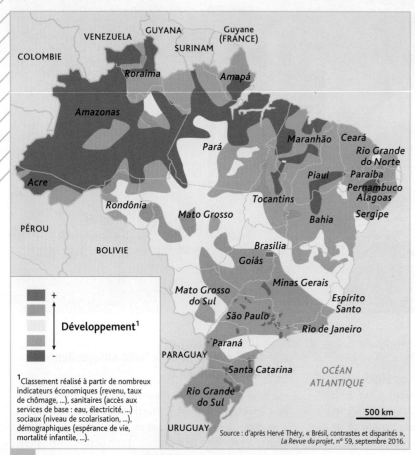

1Classement réalisé à partir de nombreux indicateurs économiques (revenu, taux de chômage, ...), sanitaires (accès aux services de base : eau, électricité, ...) sociaux (niveau de scolarisation, ...), démographiques (espérance de vie, mortalité infantile, ...).

Source : d'après Hervé Théry, « Brésil, contrastes et disparités », *La Revue du projet*, n° 59, septembre 2016.

6 ▸ Des écarts de développement entre les régions

7 ▸ **Les inégalités urbaines à São Paulo**

En dehors du quartier des affaires, le centre de São Paulo est souvent dégradé et peuplé par des populations pauvres. Les riches habitent en proche périphérie, généralement dans des résidences fermées. Plus loin, des bidonvilles (favelas) et des quartiers populaires sont construits de manière anarchique.

8 ▸ **La violence au Brésil (2017)**

63 880 homicides (hausse de 3,7 % par rapport à 2016)

4 539 femmes tuées, dont **1 133** ont été victimes de féminicide

31 homicides pour **100 000** habitants en moyenne (contre **7,5** en moyenne pour le monde)

68 homicides pour **100 000** habitants au Nordeste contre **10,7** à São Paulo

Source : rfi.fr

 ARTICLE

9 ▸ **De vives tensions sociales**

Hommage à la militante Marielle Franco. Le 14 mars 2018, l'assassinat de Marielle Franco a ému tout le pays. Cette élue locale de Rio de Janeiro, porte-voix des favelas et des populations noires, militante afro-féministe et LGBT dénonçait la violence policière dans ces quartiers.

▌**Analyser et confronter les documents**

1. Montrez que les inégalités sociales restent très fortes et sont sources de tensions. Doc 2, 6, 8 et 9

2. Comment les inégalités se manifestent-elles à toutes les échelles du territoire ? Quels flux migratoires en découlent ? Doc 1, 5, 6 et 7

SYNTHÉTISER À l'aide des questions précédentes, dressez un bilan économique et social de l'émergence du Brésil.

Bilan

→ Complétez le schéma fléché à l'aide de l'étude de cas.

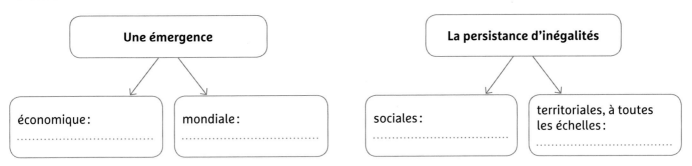

Une émergence		La persistance d'inégalités	
économique :	mondiale :	sociales :	territoriales, à toutes les échelles :

→ Complétez le titre, la légende et le schéma cartographique, à l'aide de l'étude de cas.

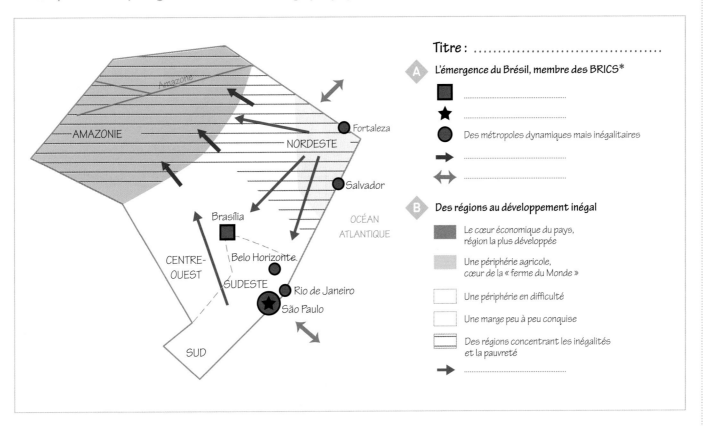

Titre : ....

A   L'émergence du Brésil, membre des BRICS*

■   ....

★   ....

●   Des métropoles dynamiques mais inégalitaires

→   ....

↔   ....

B   Des régions au développement inégal

Le cœur économique du pays, région la plus développée

Une périphérie agricole, cœur de la « ferme du Monde »

Une périphérie en difficulté

Une marge peu à peu conquise

Des régions concentrant les inégalités et la pauvreté

→   ....

Mise en perspective

→ Répondez aux questions pour replacer le cas du Brésil à l'échelle mondiale.

- • Citez d'autres pays émergents. Doc 3 p. 122 et carte 1 p. 124
- • Que représente l'économie brésilienne en Amérique latine ? Et à l'échelle mondiale ? Carte 2 p. 124
- • Citez d'autres pays où les métropoles sont à la fois le lieu de l'émergence mais aussi d'inégalités profondes. Cours p. 126-127 et dossier p. 128-129

- • Où se situe le Brésil dans le classement de l'IDH* ? Planisphère p. 122-123
- • Recherchez dans le manuel des photographies de villes marquées par de fortes inégalités dans d'autres pays.

DONNÉES PAYS

JAPON

Quels sont les défis du vieillissement au Japon ?

Avec une espérance de vie de 84 ans et un indice de fécondité de 1,4 enfant par femme, le Japon doit faire face au vieillissement mais aussi au dépeuplement : il pourrait perdre 20 millions d'habitants d'ici 2050.

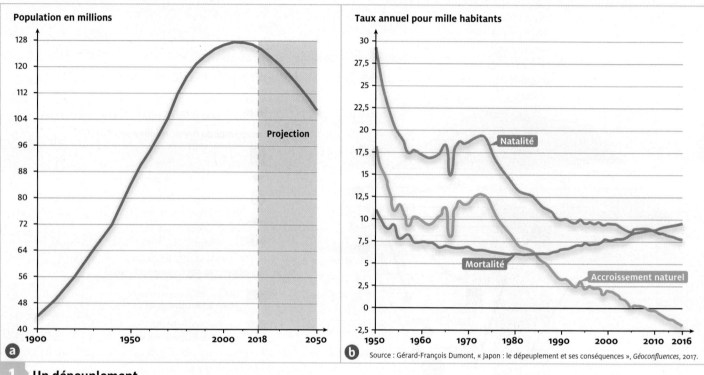

1 Un dépeuplement

a — Population en millions

b — Taux annuel pour mille habitants (Natalité, Mortalité, Accroissement naturel)
Source : Gérard-François Dumont, « Japon : le dépeuplement et ses conséquences », *Géoconfluences*, 2017.

2 Un recul de la natalité aux causes multiples

« Seuls 3,16 % des pères d'enfants en bas âge ont profité en 2016 de leur droit au congé paternité, pourtant généreux puisqu'il autorise jusqu'à un an d'absence, mais mal vu professionnellement. Dans le même temps, l'organisation du travail au Japon empêche les salariés de s'investir pleinement dans l'éducation des enfants. Les femmes sont donc souvent obligées de renoncer à leur carrière pour s'occuper de leur famille. [...]

La question démographique semble négligée depuis son origine, dans les années 1970. Elle découlait alors de la baisse des solidarités familiales et entre voisins, puis de la présence grandissante, dès la décennie 1980, des femmes sur le marché du travail. [...] Puis la crise des années 1990 [...] va pousser nombre de couples à ne pas avoir d'enfant, craignant de ne pouvoir assurer une éducation toujours onéreuse.

Le gouvernement a fini par réagir en 1994, en mettant en place un plan qui prévoyait déjà l'augmentation des places en crèche et des avantages fiscaux pour les couples avec enfants. Cependant, ce sont souvent les administrations locales qui se montrent les plus entreprenantes et compensent les lacunes du système national. Il n'est notamment pas prévu de rembourser les frais de grossesse. »

Philippe Mesmer, «La population du Japon poursuit son inquiétant déclin», *Le Monde*, 9 janvier 2018.

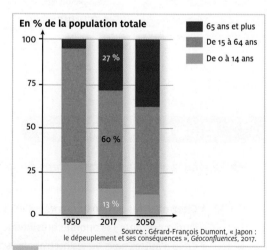
En % de la population totale
65 ans et plus
De 15 à 64 ans
De 0 à 14 ans
Source : Gérard-François Dumont, « Japon : le dépeuplement et ses conséquences », *Géoconfluences*, 2017.

3 Un vieillissement

De plus en plus de personnes âgées travaillent, du fait de leur faible retraite, de la pauvreté de 20 % d'entre elles et du besoin de main-d'œuvre. En 2018, le gouvernement a reculé l'âge de la retraite des fonctionnaires de 70 à 80 ans (pour l'instant sur la base du volontariat).

4 Pour le premier ministre japonais, « le vieillissement est un atout »

« "Le Japon vieillit et sa population diminue mais ce sont des encouragements pour nous", a dit Shinzo Abe. "Pourquoi ? Parce que nous continuerons à être motivés pour faire augmenter notre productivité", a-t-il ajouté avant de citer notamment les robots, les capteurs et l'intelligence artificielle. "Ainsi, paradoxalement, la démographie du Japon est un atout et pas un handicap", a-t-il ajouté.

Les municipalités s'activent pour garder les gens en bonne santé chez eux le plus longtemps possible. Suivant le degré de dépendance des plus âgés, des systèmes de surveillance et d'accompagnement ont été mis au point. Cela va de l'alarme qui sonne si la porte des toilettes reste fermée pendant plus de 5h, ou si la canne reste trop longtemps dans une position horizontale, au passage régulier de volontaires. »

« Japon : pour Shinzo Abe, le vieillissement de la population est un atout », *Geopolis*, 28 octobre 2016.

5 Le « jour du respect pour les personnes âgées » à Tokyo

 VIDÉOS

6 La précarité oblige les seniors à retourner travailler

7 L'immigration, une solution ?

« Le Japon n'a pas de tradition d'accueil et d'intégration des immigrants. Mais peut-il se refuser à l'immigration ? [...] Les besoins de main-d'œuvre se font particulièrement sentir en raison de l'appétence limitée des nationaux pour certains métiers que l'on caractérise par les "trois K" : *Kiken* (dangereux), *Kitanaï* (sale) et *Kitsaï* (exigeant) [...]. Ces besoins s'expriment tout particulièrement dans le secteur de la construction et des petites et moyennes entreprises. [...] [Par ailleurs] la famille japonaise évolue et [...] les services aux personnes – enfants ou personnes âgées – ne peuvent plus être totalement assurés dans le cadre familial, cela suppose une main-d'œuvre pour les satisfaire. Il en est de même dans le secteur médical. [...]

Dans la situation démographique où se trouve le Japon, il faudrait choisir : ou changer profondément les mœurs et la conception de la vie professionnelle et familiale ou accepter des immigrants. [...] L'immigration, pour des raisons culturelles [...], semble le dernier recours. Mais, à l'avenir, les contraintes démographiques pourraient peser davantage sur les choix de géopolitique interne comme externe. »

Gérard-François Dumont, « Japon : le dépeuplement et ses conséquences », *Géoconfluences*, 18 octobre 2017.

 ARTICLES

Bilan

➔ À l'aide des documents, rédigez une réponse à la problématique selon le plan suivant.

A Un fort vieillissement lié à diverses raisons
Doc 1, 2 et 3

B Des conséquences multiples Doc 3, 4, 5 et 6

C Des solutions ? Doc 2, 4, 6 et 7

Mise en perspective

➔ Répondez aux questions pour replacer le cas du Japon à l'échelle mondiale.

A Citez d'autres pays connaissant un vieillissement. Ont-ils le même niveau de développement que le Japon ?
Doc 2 p. 116, p. 108-109, planisphère p. 122-123

B Y retrouve-t-on les mêmes conséquences ? Doc 5 p. 117, doc 3 p. 108 et doc 1 p. 142

C Quelles politiques démographiques mettent-ils en place ?
Doc 7 p. 117

DONNÉES PAYS

RUSSIE

La Russie : une « puissance pauvre » ?

La Russie a connu une forte croissance économique après la crise ayant suivi la fin de l'URSS. Elle apparaît donc comme une puissance en « ré-émergence », fondée sur une économie de rente*. Mais sa croissance est fragile et son développement inégal, d'où l'expression de l'historien Georges Sokoloff : la Russie est une « puissance pauvre ».

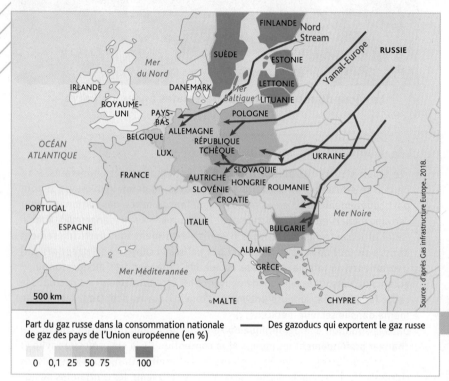

Part du gaz russe dans la consommation nationale de gaz des pays de l'Union européenne (en %) — Des gazoducs qui exportent le gaz russe

0   0,1   25   50   75   100

2 **Une « puissance pauvre »**

11e PIB mondial

60e PIB mondial par habitant

1e exportateur mondial de gaz, **2e** exportateur de pétrole

5 firmes transnationales russes dans les **500** premières au monde (États-Unis : **132** / Chine : **109** / France : **29**)

55e IDH* mondial

1 % de la population concentre **74,5 %** des richesses nationales

Espérance de vie : **71,3 ans** (hommes : **65,9** / femmes : **76,7**)

Indice synthétique de fécondité : **1,75** (2015)

Sources diverses, 2018.

ARTICLE

1 **Les exportations de gaz russe vers l'Europe**

Environ 35 % de la consommation de gaz en Europe est couverte par la société Gazprom, contrôlée à plus de 50 % par l'État russe.

Source : d'après Gas infrastructure Europe, 2018.

3 **Moskwa City, symbole de l'émergence**

Les gratte-ciels de Moskwa City, principal quartier des affaires de Moscou. À gauche, le ministère des Affaires étrangères de la Russie, héritier de la période stalinienne (1953).

4 Un retour de la pauvreté?

«En 2016, près de 20 millions de Russes vivaient sous le seuil de pauvreté[1], [soit] plus de 13 % de la population [...]. En 2000, date de l'arrivée au pouvoir de Poutine, ce chiffre était bien plus conséquent: 40 millions de Russes étaient alors concernés. Les efforts entrepris dans le domaine, alliés à la manne pétrolière des années qui avaient suivi, avaient permis de faire descendre ce chiffre à 16,1 millions de Russes en 2014. Mais c'est alors la récession qui a frappé. Avec l'effondrement des cours du pétrole et les sanctions occidentales dues à la crise ukrainienne telles que des embargos sur des produits alimentaires, les prix se sont envolés. [...] Malgré la reprise de l'activité économique observée depuis quelques mois en Russie, la pauvreté y reste bien présente.»

Lucas Simonnet, «Près de 20 millions de Russes vivent sous le seuil de pauvreté», *Le Figaro*, 5 avril 2017.

[1] Avec moins de 160 euros par mois.

5 La pauvreté touche particulièrement la Sibérie (village de Tchemal)

Si la Sibérie est exploitée pour ses immenses ressources en minerais et énergie, la pauvreté y est plus forte qu'ailleurs, ce qui entraîne des migrations vers les villes de l'ouest du pays.

6 Une croissance fragile

En réaction à l'invasion de la Crimée par la Russie en 2014, l'Union européenne, ainsi que d'autres États, ont décidé de sanctions économiques, sans toutefois renoncer aux importations de gaz et de pétrole russes.

Sur le camion: «Économie russe», dans la bulle: «Il n'y a pas de récession...», sur les trois pierres: «dévaluation du rouble», «inflation haute», «croissance nulle».

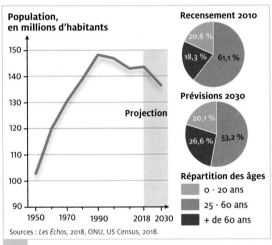

Sources: *Les Échos*, 2018, ONU, US Census, 2018.

7 Une population vieillissante et en déclin

Bilan

➜ À l'aide des documents, rédigez une réponse à la problématique selon le plan suivant.

 Une économie de rente, base de la croissance (modalités, fragilités) Doc 1, 2, 3, 4 et 6

 Un développement inégal (inégalités, vieillissement accéléré) Doc 2, 3, 4, 5 et 7

Mise en perspective

➜ Répondez aux questions pour replacer le cas de la Russie à l'échelle mondiale.

 Citez d'autres pays ayant développé une économie de rente. Cours p. 130-131
Dans quelle catégorie de pays en termes de développement classe-t-on habituellement la Russie? Carte 1 p. 124 Citez d'autres pays comparables.

B Quels autres pays sont marqués par le vieillissement de la population? Doc 3 p. 102, doc 2 p. 116 et p. 108-109 Ont-ils le même niveau de développement que la Russie? Planisphère p. 122-123 et carte 1 p. 124

ALLEMAGNE

Personnes âgées faisant de l'aquagym en Allemagne
(Indice de fécondité : 1,5 enfants par femme)

question Monde

1. Des trajectoires démographiques différenciées : les défis du nombre et du vieillissement

La population mondiale devrait passer de 7,5 milliards de personnes en 2019 à 9,8 milliards d'ici 2050. Mais si la plupart des pays du Sud sont en transition démographique, les pays développés, ainsi que la Chine, sont marqués par un recul de la natalité et un vieillissement.

BURUNDI

Enfants jouant au football au Burundi
(Indice de fécondité : 5,7 enfants par femme)

Montrez que ces photographies illustrent des trajectoires démographiques très différentes. Quels sont les enjeux liés à chacune d'elles ?

Quels sont les enjeux de ces trajectoires démographiques différenciées ?

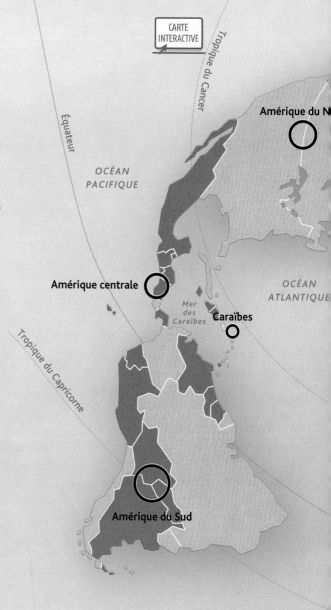

CARTE INTERACTIVE

Tropique du Cancer

Équateur

OCÉAN PACIFIQUE

Amérique du N

OCÉAN ATLANTIQUE

Amérique centrale

Mer des Caraïbes

Caraïbes

Tropique du Capricorne

Amérique du Sud

Une fécondité inégale

Notion-clé **Transition démographique**

Passage d'un régime démographique traditionnel (forts taux de natalité et de mortalité, faible accroissement naturel) à un régime moderne (faibles taux de natalité et de mortalité, faible accroissement naturel). Pendant la phase de transition, où le taux de mortalité diminue plus vite que le taux de natalité, l'accroissement naturel est très fort.

1 **Accroissement naturel***

Scène de rue au Caire en Égypte La plupart des pays du Sud ont une croissance démographique rapide : la population de l'Égypte a doublé en trente ans. Cependant, presque tous sont entrés dans la seconde phase de la transition démographique et leur taux de natalité baisse rapidement.

FAMILLE PLANIFIÉE

FAMILLE HARMONIEUSE

Ministère de la Santé et de l'Action Sociale / SEPS
FDRH1 Banque Mondiale / USC SANTÉ
Maquette : Aôoune DIOUF

2 **Politique de régulation des naissances**

Affiche du planning familial au Sénégal De nombreux pays à forte fécondité mènent des politiques de régulation des naissances (dites parfois « antinatalistes »). Une forte natalité est souvent considérée comme un frein au développement (besoins* accrus en éducation, emplois, logements...).

Vieillissement **3**

Personnes âgées à Manarola en Italie L'âge moyen dans les pays développés, mais aussi en Chine, s'accroît fortement. Ceci est dû à la forte baisse de la fécondité* et à l'allongement de l'espérance de vie*. En Italie, la fécondité est de 1,37, l'espérance de vie de 83,5 ans, sa population a diminué de 100 000 habitants entre 2014 et 2017.

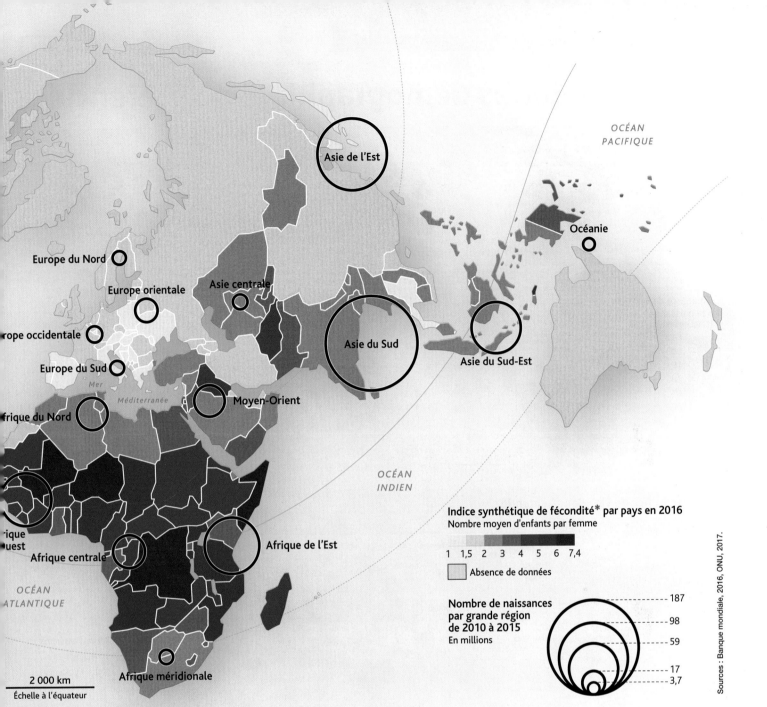

OCÉAN
PACIFIQUE

Asie de l'Est

Océanie

Europe du Nord

Europe orientale

Asie centrale

rope occidentale

Asie du Sud

Europe du Sud

Asie du Sud-Est

Mer
Méditerranée

frique du Nord

Moyen-Orient

OCÉAN
INDIEN

rique
uest

Afrique de l'Est

Afrique centrale

OCÉAN
ATLANTIQUE

Indice synthétique de fécondité* par pays en 2016
Nombre moyen d'enfants par femme

1 1,5 2 3 4 5 6 7,4

Absence de données

**Nombre de naissances
par grande région
de 2010 à 2015**
En millions

----- 187
----- 98
----- 59
----- 17
----- 3,7

2 000 km
Échelle à l'équateur

Afrique méridionale

Sources : Banque mondiale, 2016, ONU, 2017.

4   Besoins, ressources

**Une maternité à Manille
aux Philippines** L'âge moyen de la
population entraîne des besoins
différents : une population jeune
nécessite plus de maternités, d'écoles,
etc., tandis qu'une population
vieillissante a besoin d'autres types de
soins et d'une prise en charge (financière,
sociale...) des personnes âgées.

▮Confronter la carte
et les documents

1. Localisez les pays évoqués dans les documents sur le planisphère. Quel est l'indice de fécondité de ces pays ?

2. Quelles régions du monde ont une très forte natalité ? Quels besoins en découlent ? Quelle politique démographique est mise en place dans certains pays ? Planisphère et doc 1, 2 et 4

3. Dans quelles régions du monde la fécondité et la natalité sont-elles très faibles ? Quelles en sont les conséquences ? Planisphère et doc 3

4. Quel facteur explicatif principal pouvez-vous donner de l'inégale fécondité dans le monde ?

CARTES
INTERACTIVES

Des trajectoires démographiques différenciées

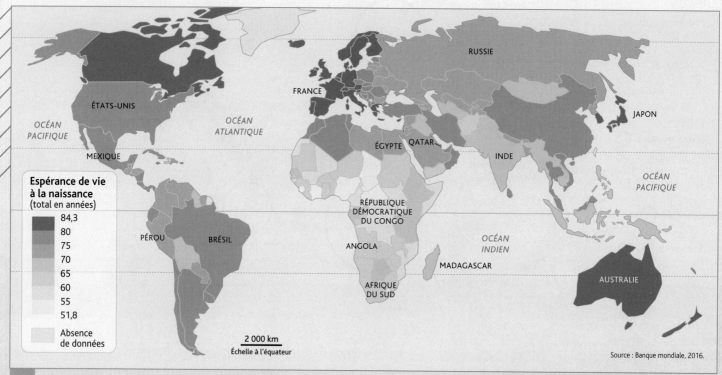

Espérance de vie à la naissance (total en années)

84,3
80
75
70
65
60
55
51,8
Absence de données

RUSSIE
FRANCE
JAPON
ÉTATS-UNIS
OCÉAN PACIFIQUE
OCÉAN ATLANTIQUE
ÉGYPTE
QATAR
INDE
OCÉAN PACIFIQUE
MEXIQUE
RÉPUBLIQUE DÉMOCRATIQUE DU CONGO
PÉROU
BRÉSIL
ANGOLA
OCÉAN INDIEN
MADAGASCAR
AFRIQUE DU SUD
AUSTRALIE

2 000 km
Échelle à l'équateur

Source : Banque mondiale, 2016.

1 L'espérance de vie* dans le monde

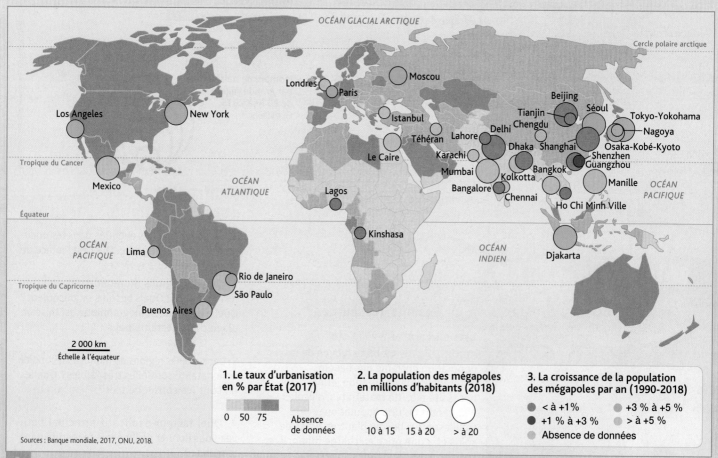

OCÉAN GLACIAL ARCTIQUE
Cercle polaire arctique

Moscou
Londres
Paris
Beijing
Séoul
Los Angeles
New York
Istanbul
Tianjin
Chengdu
Tokyo-Yokohama
Nagoya
Tropique du Cancer
Téhéran
Lahore
Delhi
Osaka-Kobé-Kyoto
Le Caire
Dhaka
Shanghai
Shenzhen
Karachi
Guangzhou
Mexico
Mumbai
Bangkok
Manille
OCÉAN PACIFIQUE
Kolkotta
Bangalore
Équateur
Lagos
Chennai
Ho Chi Minh Ville
OCÉAN ATLANTIQUE
Lima
Kinshasa
OCÉAN INDIEN
Djakarta
OCÉAN PACIFIQUE
Rio de Janeiro
São Paulo
Tropique du Capricorne
Buenos Aires

2 000 km
Échelle à l'équateur

Sources : Banque mondiale, 2017, ONU, 2018.

1. Le taux d'urbanisation en % par État (2017)
0 50 75   Absence de données

2. La population des mégapoles en millions d'habitants (2018)
10 à 15   15 à 20   > à 20

3. La croissance de la population des mégapoles par an (1990-2018)
● < à +1%   ● +3 % à +5 %
● +1 % à +3 %   ● > à +5 %
● Absence de données

2 Un monde en transition urbaine*

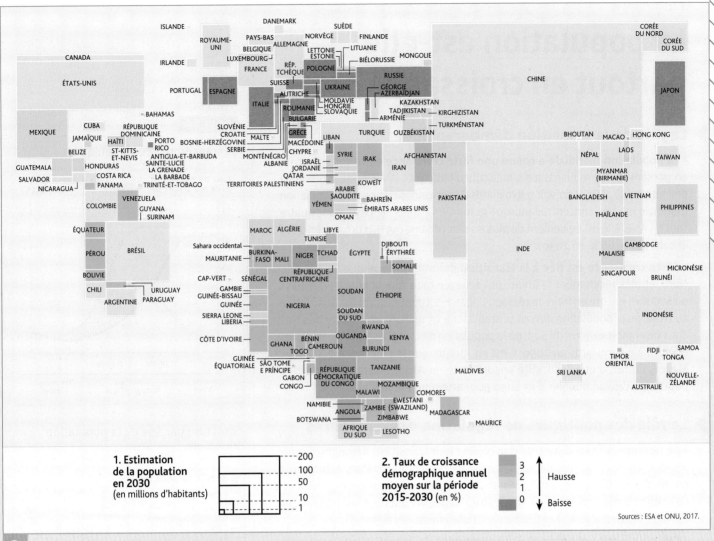

1. **Estimation de la population en 2030** (en millions d'habitants)
- 200
- 100
- 50
- 10
- 1

2. **Taux de croissance démographique annuel moyen sur la période 2015-2030 (en %)**
- 3
- 2
- 1
- 0

Hausse ↑

Baisse ↓

Sources : ESA et ONU, 2017.

3 **La population mondiale en 2030**

DEUX PARCOURS AU CHOIX POUR ANALYSER LES CARTES

PARCOURS RÉDIGÉ

1. Dans quels pays l'espérance de vie est-elle très élevée ? S'agit-il toujours de pays très développés ? Doc 1 et planisphère p. 122-123

2. En 2030, quels continents seront les plus peuplés ? Connaitront-ils encore une augmentation de leur population ? Doc 3

3. Dans quels types d'États trouve-t-on les taux d'urbanisation les plus élevés et les plus faibles ? Quel continent comporte le plus de mégapoles* ? Où sont situées les mégapoles en très forte croissance ? Doc 2

BILAN Rédigez quelques lignes montrant que la croissance démographique diffère selon les régions du monde, mais que les phénomènes de transition démographique* et transition urbaine* se généralisent.

PARCOURS CARTOGRAPHIQUE

Synthétisez les cartes 2 et 3 en réalisant un schéma cartographique représentant :
– les taux de croissance démographique (2 ou 3 catégories d'aplats de couleurs)
– les taux d'urbanisation (3 catégories de hachures)
– les mégapoles de plus de 20 millions d'habitants
(Aidez-vous de la méthode p. 138)

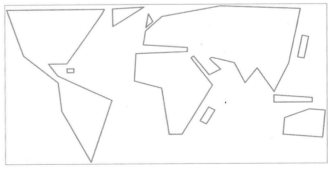

La population est-elle partout en croissance ?

A Le rôle de la transition démographique

• **La population mondiale a connu une forte croissance** entre 1950 et 2019, en passant de 2,5 milliards à 7,5 milliards d'habitants. Mais cette croissance devrait ralentir : l'ONU prévoit 9,8 milliards de personnes en 2050. La population mondiale est très concentrée puisque la moitié vit dans six pays, dont quatre sont en Asie. Elle est également de plus en plus urbaine (55 % d'urbains en 2019 et sans doute 66 % en 2050).

• **Cette croissance est liée à la transition démographique** que les pays du Nord, et plus récemment la Chine, ont achevée mais que la plupart des pays du Sud sont encore en train de réaliser. L'accroissement naturel est donc faible au Nord, où la population devrait se stabiliser à 1,3 milliard, mais reste très fort dans de nombreux pays du Sud, où la population devrait passer de 6,2 milliards en 2019 à 8,5 milliards en 2050. C'est en Afrique que la croissance est la plus élevée, du fait d'une fécondité encore forte en Afrique subsaharienne : la population devrait doubler d'ici 2050 pour atteindre 2,4 milliards.

B Le rôle des politiques de régulation des naissances

• **De nombreux États ont tenté d'accélérer leur transition démographique** par des politiques de régulation des naissances. Si certains États autoritaires ont parfois opté pour des politiques strictes de sanctions financières (Politique de l'enfant unique en Chine de 1979 à 2015), la plupart ont misé sur le planning familial, la contraception et l'éducation, notamment des filles.

• **Ces politiques ont souvent été couronnées de succès.** L'Inde achève sa transition démographique. La Chine l'a terminée et a abandonné la régulation des naissances. Ces politiques ont toutefois été marquées par de nombreuses dérives : stérilisations contraintes (Pérou des années 1990, Inde…), non-déclaration des naissances de filles, avortements sélectifs en fonction du sexe du fœtus (Bangladesh, Sri Lanka…). Il y aurait ainsi plus de 100 millions de « femmes manquantes » en Asie du Sud et de l'Est.

C Le vieillissement progressif de la population mondiale

• **La part des personnes âgées dans la population** augmente dans tous les pays du fait de l'achèvement de la transition démographique. Elle est encore faible au Sud, mais est désormais élevée dans les pays du Nord et en Chine. Ce vieillissement* est lié à l'augmentation de l'espérance de vie (progrès médicaux, alimentaires…) et à la baisse de la natalité.

• **Certains États, comme le Japon, sont même marqués par une diminution de leur population**. À terme de nombreux pays européens comme l'Ukraine, l'Allemagne ou la Russie devraient connaître la même évolution.

> **La situation démographique des États est contrastée : croissance de la population pour certains, vieillissement voire baisse de la population pour d'autres. Ces évolutions sont liées au même processus de passage du régime traditionnel au nouveau régime démographique.**

REPÈRE

La transition démographique

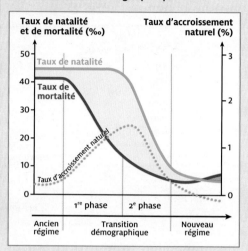

Structure par âge de la population mondiale

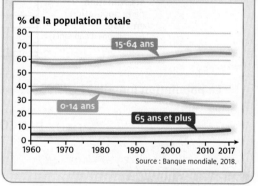

Source : Banque mondiale, 2018.

VOCABULAIRE

Accroissement naturel Différence entre les naissances et les décès ; le taux d'accroissement naturel est évalué en %.

Indice de fécondité Nombre moyen d'enfants par femme en âge de procréer (15 à 50 ans).

Transition démographique Passage d'un régime démographique traditionnel (forts taux de natalité et de mortalité, faible accroissement naturel) à un régime moderne (faibles taux de natalité et de mortalité, faible accroissement naturel). Pendant la phase de transition, où le taux de mortalité diminue plus vite que le taux de natalité, l'accroissement naturel est très fort.

Planning familial Ensemble des moyens mis en place pour contrôler la natalité.

1 **Planning familial ambulant à Madagascar, proposé par l'ONG Marie Stope International**

Cette ONG a lancé des campagnes de planning familial en allant à la rencontre des populations villageoises. Elle est en partie financée par l'ONU (UNFPA : Fonds des Nations unies pour la population).

Quel serait le nombre d'enfants que vous aimeriez ou auriez aimé avoir ?
Base : population de plus de 15 ans

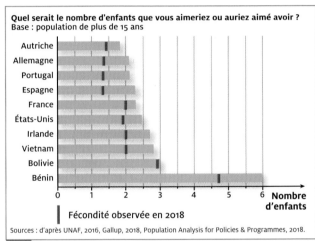

Sources : d'après UNAF, 2016, Gallup, 2018, Population Analysis for Policies & Programmes, 2018.

2 ▶ **Le nombre d'enfants, une donnée culturelle ?**

En milliards d'habitants

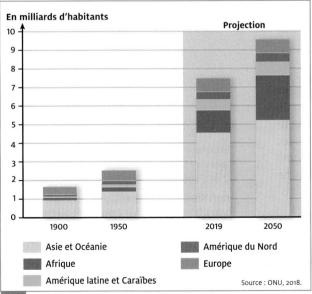

- Asie et Océanie
- Afrique
- Amérique latine et Caraïbes
- Amérique du Nord
- Europe

Source : ONU, 2018.

4 ▶ **La croissance démographique mondiale**

3 ▶ **La transition de la fécondité en Afrique subsaharienne**

« C'est en Afrique subsaharienne que [...] les jeunes femmes ont le taux de fécondité le plus élevé au monde. La pauvreté est sans conteste le premier facteur explicatif, car elle est responsable de la faim qui est une des premières causes de la mortalité infantile. [...] Or, partout dans le monde, la fécondité a reculé après le déclin de la mortalité infantile. [...]

Il existe une corrélation significative entre l'éducation des jeunes femmes et la fécondité [...]. L'indice de fécondité recule au fur et à mesure que l'alphabétisation des femmes de 15 à 24 ans progresse. [En Afrique subsaharienne] 33 % des enfants de 5 à 9 ans ne sont pas scolarisés [...] et ce sont souvent les petites filles qui sont privées d'école. [...] Quand elles ne sont pas scolarisées dans l'enseignement secondaire, les adolescentes sont encore souvent mariées précocement par leur famille. C'est ce qui explique le nombre des naissances survenant chez de très jeunes mères. Sur la période 2010-2015, 11 % des femmes âgées de 15 à 19 ans ont eu au moins un enfant en Afrique subsaharienne, contre une moyenne mondiale de 4,6 % [et moins de 3 % en Asie]. [...] La transition de la fécondité ne se fera que graduellement [...] et la résorption de la pauvreté est la clé de son avancement. »

Jean-Marc Zaninetti, *Le monde habité : une géographie des peuplements*, La Documentation française, 2017.

Analyser et confronter les documents

1. Quels continents vont connaître la plus forte croissance démographique ? Doc 4

2. La population mondiale va-t-elle indéfiniment augmenter ? Repère

3. Montrez que la transition démographique* est liée au niveau de développement mais aussi au contexte socio-culturel. Doc 1 à 3

Quels sont les défis posés par l'évolution de la population mondiale?

A Les défis du nombre

● **Actuellement, environ 3 milliards d'êtres humains ne peuvent combler leurs besoins*** élémentaires. Ainsi, les accès à l'eau, à l'alimentation, à la santé, à l'éducation... sont hors de portée des plus défavorisés, au Sud mais aussi parfois au Nord.

● **La pauvreté a certes beaucoup reculé dans le monde** depuis 30 ans mais les besoins, notamment en eau, en nourriture et en énergie, augmentent avec l'émergence de pays comme la Chine et l'Inde. Parallèlement, la jeunesse de la population du Sud accroît les besoins en éducation et en infrastructures diverses.

● **Cette croissance de la population se traduit par l'essor de l'urbanisation** et par une transition urbaine. La transition démographique se passant majoritairement dans des pays encore très ruraux et peu développés, elle provoque un exode rural dans les pays du Sud et donc la croissance des villes : 55 % de la population mondiale est désormais urbaine. On assiste donc à un véritable changement de société à l'échelle mondiale : la transition entre des sociétés rurales autrefois majoritaires à des sociétés de plus en plus urbaines qui ont de nouveaux besoins (logements, alimentation...).

● **L'accès au développement entraîne un essor et une transformation de la consommation,** souvent sur un modèle américain. Or, il faudrait utiliser chaque année quatre fois les ressources* de la Terre si l'humanité avait les mêmes besoins que les Nord-Américains, qui ont l'empreinte écologique* la plus élevée du monde. Cet essor a aussi pour conséquence l'augmentation de la pollution.

B Les défis du vieillissement

● **Les conséquences du vieillissement sont pour certaines d'entre elles préoccupantes.** L'augmentation du nombre de retraités va de pair avec la baisse de la population active et risque de freiner le dynamisme de l'économie. Il pose aussi la question du financement des retraites dans de nombreux pays, y compris en Chine, pays qui comptera 450 millions de retraités en 2050. La précarité touche de plus en plus de personnes âgées, même dans un pays très développé comme le Japon. Enfin, le vieillissement d'un pays nécessite davantage d'infrastructures d'accompagnement : hôpitaux, maisons de retraite...

● **Toutefois, le vieillissement de la population a également des conséquences positives** du fait de l'émergence de besoins spécifiques. L'augmentation de l'âge moyen de la population active peut s'accompagner de gains de productivité. Les retraités aisés consomment des produits spécifiques à des périodes différentes du reste de la population, ce qui dynamise certains secteurs comme le tourisme. Ainsi les hôtels grecs, marocains... qui connaissaient autrefois une morte-saison, sont fréquentés en automne et en hiver par des retraités européens de plus en plus nombreux.

> La croissance démographique, mais aussi l'accès au développement, amènent à accroître la pression sur les ressources. À l'inverse, le vieillissement se traduit par des besoins sensiblement différents.

Les phases de la transition urbaine

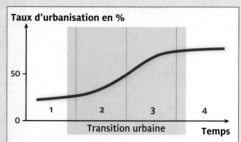

1. Une population majoritairement rurale.
2. La transition démographique en milieu rural provoque l'exode rural.
3. L'exode rural se ralentit mais les villes grossissent tout autant du fait de leur accroissement naturel (forte natalité dans des villes devenues très peuplées).
4. La transition démographique s'achève. Les villes progressent lentement et rassemblent l'essentiel de la population.

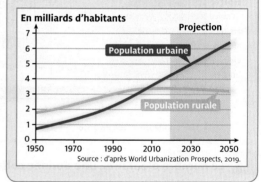

Source : d'après World Urbanization Prospects, 2019.

Population active Population en âge de travailler (population comprise entre 15 ou 20 ans et 60 ou 65 ans selon les définitions).

Transition urbaine Passage d'un stade à très forte population rurale à un stade où la population est majoritairement urbaine.

Vieillissement Augmentation de la part de personnes âgées dans une population, du fait de l'élévation de l'espérance de vie et/ou de la baisse de la natalité.

1 ▶ **Un quartier de Delhi, en Inde**

2 ▶ **Une vision (prémonitoire?) de 1994**

Caricature de Kal parue en 1994 dans *The Economist*.

1. « En 1974, la population mondiale comptait 4 milliards de personnes. » ; 2. « En 1987, elle avait atteint 5 milliards... » ; 3. « En 1997, elle sera de 6 milliards ! » ; 4. « D'ici à 2025, elle atteindra 8,5 milliards ! Libre à vous de dessiner la fin ».

3 ▶ **Le jour du dépassement**  SITE

Année	Date du dépassement
1986	31 décembre
2000	1er novembre
2018	1er août

Jour de l'année où l'humanité est censée avoir épuisé toutes les ressources que la Terre peut renouveler en un an.

Les seniors ont réalisé plus de

22 **milliards d'euros** de dépenses touristiques.

3/4
Les des personnes de **62 à 71 ans** sont partis en voyage au moins une fois dans l'année.

Les personnes de 62 ans et plus représentent près

d' **1/3** des nuitées de touristes français.

356 € 435 €

25-61 62-89

Les 62-89 ans dépensent en moyenne 435 euros par voyage, contre seulement 356 euros pour les 25-61 ans.

Leurs départs sont moins concentrés sur la pleine saison d'été que les 25-61 ans, et plus sur les mois de septembre et octobre.

Source : D'après la direction générale des entreprises (DGE), 10 février 2017.

4 ▶ **Les chiffres clés du tourisme des plus de 60 ans en France (2014)**

Analyser et confronter les documents

1. En quoi la photographie illustre-t-elle la notion de transition urbaine* en Inde ? Repère et doc 1

2. Montrez que le vieillissement* de la population a des conséquences économiques importantes. Sont-elles toutes négatives pour l'économie ? Cours et doc 4

3. Quel est le message véhiculé par le doc 2 ? Confrontez-le au Repère et au doc 3

Quels défis démographiques pour la Chine et pour le Nigeria ?

Peuplés respectivement de 1,3 milliard et de 186 millions d'habitants, la Chine et le Nigeria connaissent des évolutions démographiques très différentes : vieillissement en Chine, forte croissance de la population au Nigeria... Les défis à relever sont de taille.

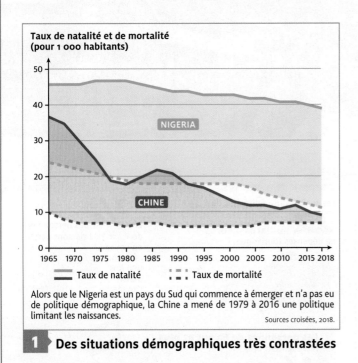

Taux de natalité et de mortalité (pour 1 000 habitants)

Alors que le Nigeria est un pays du Sud qui commence à émerger et n'a pas eu de politique démographique, la Chine a mené de 1979 à 2016 une politique limitant les naissances.

Sources croisées, 2018.

1 Des situations démographiques très contrastées

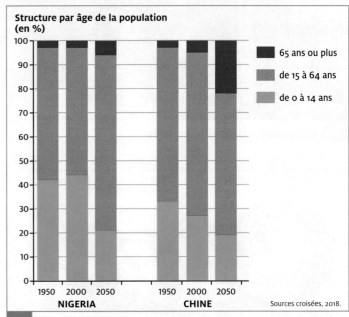

Structure par âge de la population (en %)

- 65 ans ou plus
- de 15 à 64 ans
- de 0 à 14 ans

Sources croisées, 2018.

2 La structure par âge au Nigeria et en Chine

3 Lycée pour filles à Ijebu Ode, au Nigeria

4 Plus de 60 % des Nigérians ont moins de 24 ans

« Les Nations unies estiment qu'en 2050, le Nigeria comptera 400 millions d'habitants. Ce sera alors le troisième pays le plus peuplé du monde, après l'Inde et la Chine.

[..] Près d'un Africain sur quatre est Nigérian. Ces chiffres sont un motif de fierté pour le Nigeria. [...] Un titan démographique qui se veut aussi géant économique. [...]

Au Nigeria, près de 70 % de la population vit avec moins de 2 dollars par jour. Malgré la richesse de leur pays, la grande majorité des Nigérians connaissent des conditions de vie difficiles : ils sont régulièrement privés d'eau et d'électricité. Le système de santé est en difficulté, tout comme le système éducatif. [...]

En soi, la progression rapide du nombre d'habitants au Nigeria est une bonne nouvelle. Mais si la grande majorité de ces jeunes arrivent sur le marché du travail sans un bon niveau d'éducation, ils auront du mal à trouver un emploi. Cette jeunesse peut devenir une bombe à retardement, notamment dans le nord où le système éducatif est particulièrement dégradé, souligne l'universitaire John Okocha. [...]. Parmi les moins de 25 ans, le taux de chômage est supérieur à 60 %. »

Mandana Parsi, « Nigeria : une jeunesse en mal de reconnaissance », rfi.fr, 13 octobre 2017.

ARTICLE

5 Personnes âgées jouant au mahjong à Hebei, dans la périphérie de Pékin

Alors que la croissance économique reposait sur une population active très nombreuse et peu payée, la Chine qui compte actuellement 3 actifs pour un retraité n'en comptera qu'1,3 pour 1 en 2050. La prise en charge des personnes âgées tant du point de vue financier que social nécessitera également d'importantes adaptations.

6 En 2016, la fin de la politique de l'enfant unique

La politique de l'enfant unique visait à limiter le nombre des naissances à un seul enfant par couple. Désormais tous les Chinois ont le droit d'avoir un second enfant.

7 Les conséquences de l'abolition de la politique de l'enfant unique en Chine

«La fin de la politique de l'enfant unique permettra la naissance de 50 millions d'enfants supplémentaires d'ici à 2029. Un chiffre insuffisant pour enrayer le vieillissement accéléré de la population chinoise. [...] La Chine ferait mieux de se préparer à vieillir. [...]

Les plus de 65 ans, qui représentent aujourd'hui à peine plus de 10% de la population, seront 18% en 2030. Une progression fulgurante. Par comparaison, en France, le taux est aujourd'hui de 19%, mais il avait dépassé 10% dans les années 1950! [...]

La hausse du taux de fécondité ne devrait pas reprendre, malgré l'assouplissement des règles. En cause, un système entier adapté à un seul enfant par couple. Dans les villes où l'éducation d'un enfant est coûteuse, la plupart des couples ne sont pas prêts à avoir un deuxième enfant. [...] Conséquence, la population en âge de travailler, qui a arrêté de progresser en 2010, devrait baisser [...] à partir du milieu des années 2020.»

ARTICLE

Simon Leplâtre, «Pourquoi la démographie chinoise ne se relèvera pas», *Le Monde*, 14 octobre 2016.

DEUX PARCOURS AU CHOIX

PARCOURS GUIDÉ

1. Dans quelle phase de la transition démographique se situent la Chine et le Nigeria? (Aidez-vous du repère p. 112) Donnez des raisons expliquant ces situations différentes. Doc 1

2. Comparez et expliquez l'évolution de la structure par âge des deux pays. Doc 1 et 2

3. Caractérisez l'évolution démographique du Nigeria et montrez-en les conséquences économiques et sociales. Doc 1, 2, 3 et 4

4. Quelles sont les conséquences de l'évolution démographique de la Chine? Doc 1, 2, 5 et 7 Comment le gouvernement tente-t-il d'y faire face? Doc 6 et 7

PARCOURS AUTONOME

Répondez à la problématique du dossier sous forme d'un tableau de ce type

Des défis	démographiques	éco.	...
Pour la Chine			
Pour le Nigeria			

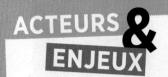

ACTEURS & ENJEUX

Seven Sisters: que peut-on apprendre du cinéma de science-fiction?

VOTRE MISSION

Vous devez écrire une critique géographique du film à grand succès *Seven Sisters*. Pour cela, vous vous aiderez de vos connaissances, de vos expériences cinématographiques et des documents. Vous pourrez à l'issue de ce travail confronter votre critique à celles d'autres élèves, comme lors d'une émission de critique de cinéma.

Seven Sisters est un film de science-fiction réalisé par Tommy Wirkol en 2017. Il a connu un grand succès. L'histoire se déroule en 2043 dans un monde touché par la surpopulation et organisé par un État autoritaire. Analyser cette fiction nous permet de réfléchir à la manière dont l'humanité se représente ses défis.

1 L'affiche du film

2 Script de la séquence introductive du film

> **VOIX OFF**
> Notre population a doublé, notre consommation d'eau et de nourriture a triplé et nous avons quadruplé notre utilisation d'énergie fossile. Tous les quatre jours, il y a un million de personnes qui naissent. [...]
>
> **LA VOIX D'UN SPÉCIALISTE**
> Je crois sincèrement que le changement climatique est une réalité et qu'il est impacté par l'activité humaine. [...]
>
> **VOIX OFF**
> Partout dans le monde nous assistons à une effrayante multiplication des naissances [...]. C'est la plus grande crise de l'histoire de l'humanité. L'activiste et célèbre biologiste Dr. Nicolette Cayman a été chargée par la fédération d'instituer une «politique de l'enfant unique» appelée «Loi de la répartition infantile».
>
> **LA VOIX DU DR NICOLETTE CAYMAN LORS D'UN DISCOURS**
> Nous sommes une seule et même famille se partageant la planète. Aujourd'hui ensemble nous écrivons l'histoire. La Loi de répartition infantile est le premier pas indispensable pour la préservation de la planète et pour préparer un meilleur avenir à nos enfants. [...]
>
> **VOIX OFF**
> Des points de contrôle ont été érigés à travers la nation, tous les citoyens doivent porter un bracelet d'identification délivré par le bureau et depuis ce jour les frères et sœurs illégaux sont préventivement mis en «cryosommeil».

3 Pourquoi les 15-18 ans ont-ils adoré le film?
D'après Sandrine Bajos, *Le Parisien*, 19 septembre 2017.

ARTICLE

> «C'est génial, ça va à cent à l'heure et on est complètement pris par l'histoire! Mais c'est aussi un film qui fait réfléchir. La politique, je m'en fiche. Mais maintenant, il faut s'impliquer.»
>
> Leïla, 15 ans

> «Ce qui est incroyable dans *Seven Sisters*, c'est que ça pourrait nous arriver. Et ça fout la trouille.»
>
> Clarisse, 15 ans

> «Ce film n'est pas si noir... Car comme dans *Hunger Games*, les héros sont... des héroïnes, et donnent de l'espoir.»
>
> Camille, 15 ans

VIDÉO

4 La bande-annonce du film

5

SEVEN SISTERS, UNE DYSTOPIE[1] CARICATURALE :
l'avis d'un critique de cinéma

« *Seven Sisters* […] est déplaisamment malthusien[2]. Il suffit, pour s'en convaincre, de voir le peu d'importance que le metteur en scène attache à la vie des personnages (sœurs comprises), qui périssent en une suite d'exécutions plus ou moins sommaires. Pire encore : la cryogénisation des enfants en trop est bien entendu un mensonge d'État et la machine à congeler s'avère, au cours d'une séquence abjecte, être un four crématoire. Ce n'est pas la première fois qu'un film futuriste recycle sans scrupule l'horreur concentrationnaire pour servir un suspense douteux (cf. *Divergente 3*). On espère que ce sera la dernière. »

Nicolas Didier, « *Seven Sisters*, une dystopie caricaturale »,
Télérama, 31 août 2017.

[1] Récit de fiction qui décrit un monde utopique sombre.
[2] Le malthusianisme est une doctrine préconisant une stricte limitation des naissances.

6 Un succès dès la première semaine (septembre 2017)

Rang	Titre	Semaines	Entrées / semaine
1	*Seven Sisters*	1	573 072
2	*Cars 3* (3D)	5	217 939
3	*120 battements par minute*	2	181 467
4	*Valérian et la cité des mille planètes* (3D)	6	173 766
5	*La planète des singes : Suprématie*	5	170 173

D'après le magazine *Première* www.premiere.fr

SITE

7

LE NOUVEAU PARTAGE D'UN IMAGINAIRE DE LA CATASTROPHE PAR LES FICTIONS

« La préservation de l'environnement est assurément l'une des préoccupations les plus importantes du monde contemporain. [...] La terreur atomique a été supplantée par l'angoisse écologique. [...] La crainte de la catastrophe écologique façonne l'imaginaire collectif, au point où elle fait de nous les acteurs d'une aventure humaine [...] dont l'enjeu n'est rien moins que le salut de la planète. [...] En investissant [...] les productions hollywoodiennes et la littérature science-fictionnelle, l'imaginaire de la catastrophe environnementale s'est doté d'une puissante caisse de résonance [...].
La logique expansionniste de la pollution la conduit ultimement à se retourner contre celui-là même qui l'a engendrée : ce n'est plus seulement la nature qui est souillée, les paysages qui sont gâchés : l'homme lui-même est infecté. [...] Envisagée en ces termes, l'existence humaine est logiquement considérée comme nuisible à la survie de Gaïa. Il n'y a qu'un pas à franchir pour verser dans l'écologie radicale, intégriste et génocidaire... »

Sylvain Brehm, « L'imaginaire de la catastrophe dans les fictions écologiques », *Acta Fabula*, volume 13, n° 7, septembre 2012.

ARTICLE

Des pistes de réflexion

• Le film peut-il être considéré comme un miroir grossissant et déformant des défis actuels de l'humanité ? Doc 1, 2 et 4

• Le succès du film est peut-être aussi intéressant à analyser que son contenu. Tentez d'expliquer le succès du film et de son scénario. Doc 3, 5, 6 et 7

• Un film peut-il mener à changer le monde ? Interrogez-vous sur la portée du film : peut-il aider à penser les modèles de transition ? ou ne fait-il que ressasser de vieilles idéologies dans le seul but de nous divertir et de nous empêcher de réfléchir sur d'autres aspects des défis contemporains ?

• Comparez, ensuite, les différentes analyses et points de vue dans le cadre d'un débat contradictoire.

Pour trouver des arguments complémentaires :

→ « Les figures de l'apocalypse au cinéma », une conférence en ligne de Sam Azulis, décembre 2012.

→ Un livre : *L'imaginaire de l'Apocalypse au cinéma*, sous la direction d'Arnaud Join-Lambert, Serge Goriely et Sébastien Fevry, L'Harmattan, 198 pages.

→ La définition de « surpeuplement » sur le site Géoconfluences.

SITOGRAPHIE

Saint-Malo

Lycée Florence Arthaud,
Saint-Malo

question Monde

2. Développement et inégalités

Les inégalités de développement sont fortes à l'échelle mondiale mais aussi aux échelles nationales et locales. Un des défis majeurs est de les réduire de façon durable tout en assurant la satisfaction des besoins d'une population mondiale en forte croissance.

BANGLADESH
Sunamganj

École à Sunamganj,
au Bangladesh

Comparez les deux photographies : comment témoignent-elles d'inégalités de développement mais aussi de priorités différentes ?

∴ **Les politiques de développement mises en œuvre à travers le monde permettent-elles de réduire les inégalités ?**

CARTE INTERACTIVE

Vers un développement durable

Notion-clé   Développement

Processus fondé sur une croissance économique qui permet une amélioration sensible des conditions de vie d'une société et la satisfaction de ses besoins, le développement durable est, selon l'ONU, « le développement qui répond aux besoins du présent sans compromettre la capacité des générations futures à répondre aux leurs ».

1   Inégalités Nord/Sud

Bidonville à Paris On oppose traditionnellement le Nord* « développé » au Sud* « en développement ». Mais les inégalités existent à toutes les échelles, comme en témoigne ce bidonville établi le long d'une voie ferrée abandonnée à Paris, puis évacué en novembre 2017.

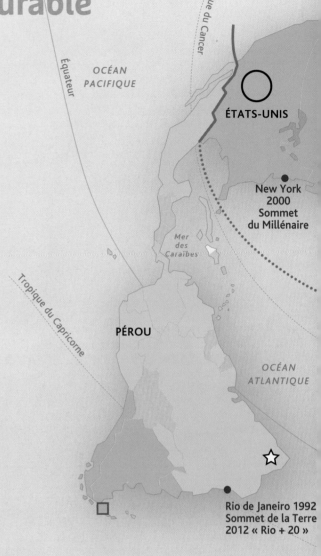

Équateur

OCÉAN PACIFIQUE

Tropique du Cancer

ÉTATS-UNIS

New York 2000 Sommet du Millénaire

Mer des Caraïbes

Tropique du Capricorne

PÉROU

OCÉAN ATLANTIQUE

Rio de Janeiro 1992 Sommet de la Terre 2012 « Rio + 20 »

2   PMA (Pays moins avancé)

Distribution d'aliments au Malawi La liste des « Pays les moins avancés » est dressée par l'ONU, en fonction de « handicaps » comme un très faible niveau de vie, une forte mortalité infantile, une faible scolarisation... Sur les 47 PMA, 33 sont situés en Afrique, comme le Malawi, un pays en forte insécurité alimentaire.

Pays émergent   3

Istanbul en Turquie Un pays émergent est un pays du Sud qui connaît une forte croissance économique, une hausse du niveau de vie et un rôle croissant sur la scène internationale. On en dénombre entre 15 et 25 en fonction des critères retenus, dont une majorité sont en Asie.

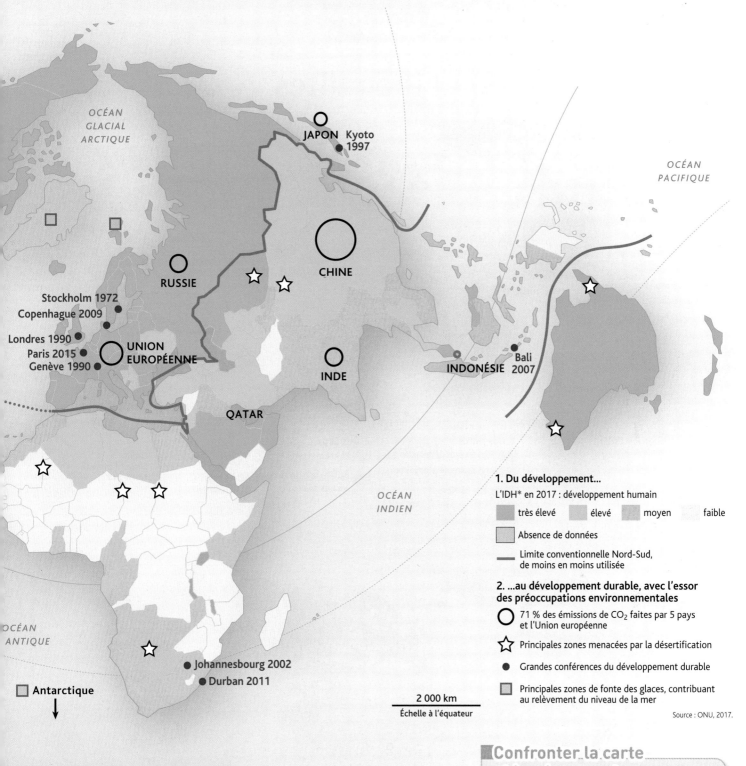

OCÉAN GLACIAL ARCTIQUE

OCÉAN PACIFIQUE

JAPON Kyoto 1997

CHINE

RUSSIE

Stockholm 1972
Copenhague 2009

Londres 1990
Paris 2015
Genève 1990

UNION EUROPÉENNE

QATAR

INDE

INDONÉSIE Bali 2007

OCÉAN INDIEN

OCÉAN ANTIQUE

Johannesbourg 2002
Durban 2011

Antarctique

2 000 km
Échelle à l'équateur

1. Du développement...

L'IDH* en 2017 : développement humain

très élevé   élevé   moyen   faible

Absence de données

— Limite conventionnelle Nord-Sud, de moins en moins utilisée

2. ...au développement durable, avec l'essor des préoccupations environnementales

◯ 71 % des émissions de CO_2 faites par 5 pays et l'Union européenne

☆ Principales zones menacées par la désertification

● Grandes conférences du développement durable

▢ Principales zones de fonte des glaces, contribuant au relèvement du niveau de la mer

Source : ONU, 2017.

4   Développement durable

Gardens by the Bay à Singapour

Le développement durable combine des préoccupations environnementales, sociales et économiques. Fort de sa croissance économique, Singapour, un État autoritaire, affiche des préoccupations environnementales en aménageant de vastes parcs. Mais les dépenses en climatisation sont supérieures à celles de la Norvège en chauffage... et les inégalités sociales restent fortes.

Confronter la carte et les documents

1. Quelles sont les régions du monde où le développement humain est le plus élevé ? le plus faible ? La limite Nord-Sud correspond-elle totalement aux différences d'IDH* ?

2. Quelle photographie montre des inégalités à l'échelle locale ? Retrouve-t-on cette échelle sur le planisphère ?

3. À quelles informations du planisphère peut-on relier le doc 4 ?

4. Comment le cas de Singapour illustre-t-il les piliers du développement durable ?
Doc 4 et repère p. 130

Développement et inégalités

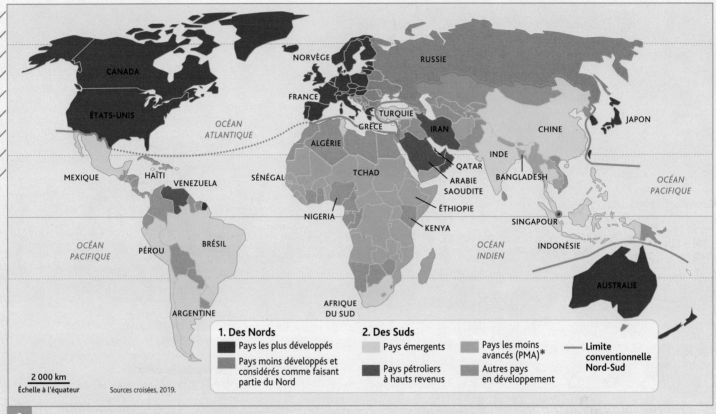

1 Des Nords* et des Suds*

Légende :

1. Des Nords
- Pays les plus développés
- Pays moins développés et considérés comme faisant partie du Nord

2. Des Suds
- Pays émergents
- Pays pétroliers à hauts revenus
- Pays les moins avancés (PMA)*
- Autres pays en développement
- Limite conventionnelle Nord-Sud

2 000 km
Échelle à l'équateur   Sources croisées, 2019.

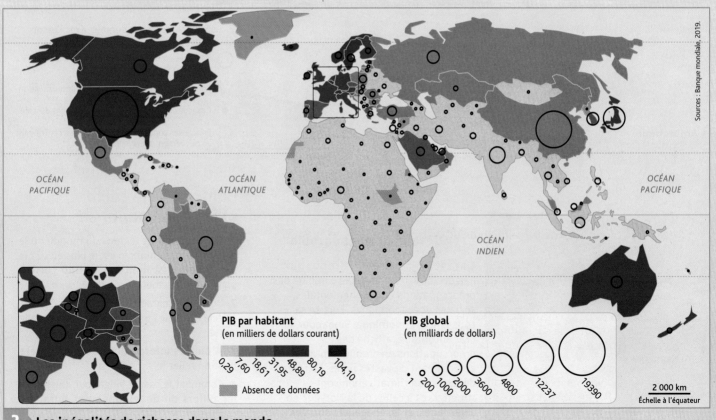

Sources : Banque mondiale, 2019.

PIB par habitant
(en milliers de dollars courant)

0,29 7,60 18,61 31,95 48,89 80,19 104,10

Absence de données

PIB global
(en milliards de dollars)

1 200 1000 2000 3600 4800 12237 19390

2 000 km
Échelle à l'équateur

2 Les inégalités de richesse dans le monde

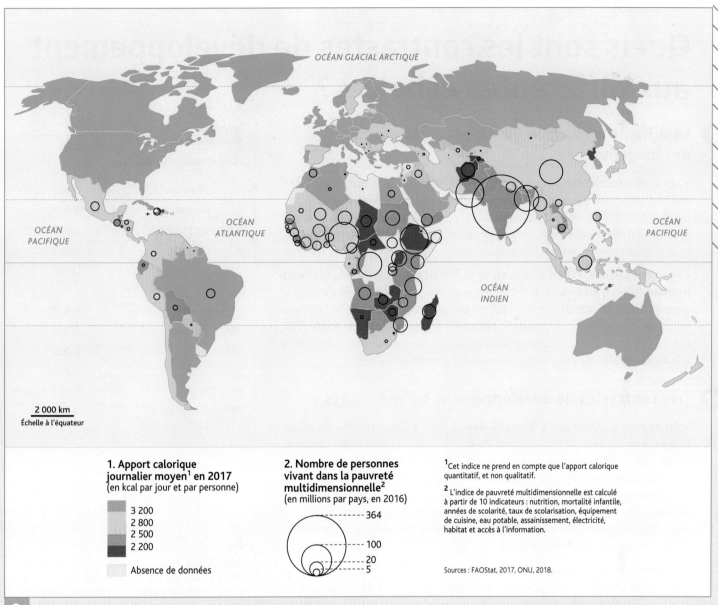

1. Apport calorique journalier moyen[1] en 2017
(en kcal par jour et par personne)

- 3 200
- 2 800
- 2 500
- 2 200
- Absence de données

2. Nombre de personnes vivant dans la pauvreté multidimensionnelle[2]
(en millions par pays, en 2016)

- 364
- 100
- 20
- 5

[1] Cet indice ne prend en compte que l'apport calorique quantitatif, et non qualitatif.

[2] L'indice de pauvreté multidimensionnelle est calculé à partir de 10 indicateurs : nutrition, mortalité infantile, années de scolarité, taux de scolarisation, équipement de cuisine, eau potable, assainissement, électricité, habitat et accès à l'information.

Sources : FAOStat, 2017, ONU, 2018.

OCÉAN GLACIAL ARCTIQUE
OCÉAN PACIFIQUE
OCÉAN ATLANTIQUE
OCÉAN PACIFIQUE
OCÉAN INDIEN

2 000 km
Échelle à l'équateur

3   **Insécurité alimentaire et pauvreté dans le monde**

DEUX PARCOURS AU CHOIX POUR ANALYSER LES CARTES

PARCOURS RÉDIGÉ

1. Pourquoi peut-on dire que la limite Nord-Sud est une limite très schématique ? Doc 1

2. Comparez les cartes 1 et 2 : quels pays très riches se situent au Sud ? S'agit-il d'une richesse globale ou par habitant ?

3. Comparez les cartes 1 et 3 et classez les pays du Sud en deux catégories : ceux qui souffrent fortement de la pauvreté et de la faim, ceux dont la situation est meilleure.

BILAN   Rédigez quelques lignes montrant que si la plupart des pays riches sont développés, ce n'est pas systématiquement le cas.

PARCOURS CARTOGRAPHIQUE

Réalisez un schéma en simplifiant la carte 1 (avec 4 catégories de pays) et en indiquant par un figuré ponctuel les pays comptant un grand nombre de pauvres (carte 3).

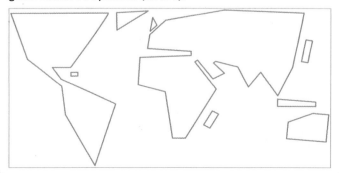

Quels sont les contrastes de développement aux différentes échelles ?

A La difficile mesure du développement et des inégalités

• **Les indicateurs économiques** (PIB, PIB/habitant…) **ont longtemps été utilisés** pour mesurer le développement. Mais ceux-ci, même rapportés au nombre d'habitants, ne sont pas suffisants : la croissance économique n'est pas synonyme de développement, celui-ci devant aussi intégrer des aspects sociaux et la satisfaction des besoins des populations.

• **Pour ces raisons, l'ONU a créé en 1990 l'indicateur de développement humain** (IDH) qui combine des critères économiques, sociaux et démographiques. L'IDH ne prend cependant pas en compte d'autres paramètres comme les inégalités sociales. L'ONU a donc proposé d'autres indicateurs, dont l'IPM, qui mesure la part de la population pauvre dans un pays, en fonction de critères tels que la qualité du logement ou la sécurité alimentaire.

B Des contrastes de développement entre les pays

• **On oppose souvent des «Nords*» développés à des «Suds*» en développement.** Au sein du Sud, les pays les moins avancés (PMA) sont principalement situés en Afrique (Mali…) et en Asie (Cambodge…). Leur faible développement les distingue des pays intermédiaires (Pérou…) et surtout des pays émergents (Chine, Brésil…), pourtant également classés au Sud en raison de leur IDH souvent moyen. Enfin, les pays pétroliers à hauts revenus constituent une catégorie à part du fait de leur richesse, mais aussi de la persistance fréquente de fortes inégalités sociales.

• **Au Nord, les situations sont également diversifiées.** Les pays les plus développés sont situés en Europe, en Amérique du Nord, en Asie orientale, en Océanie. D'autres pays, pourtant classés au Nord comme la Russie, possèdent des IDH comparables à certains pays du Sud.

C Des inégalités à l'intérieur des États

• **Les inégalités sont également importantes à l'intérieur des différents États**, au Sud et parfois au Nord, par exemple entre milieu urbain et zones rurales isolées. De même, très souvent, les régions proches des capitales économiques et les régions littorales sont plus développées que les autres. Partout, ces contrastes alimentent des mobilités : migrations régionales, exode rural…

• **Les mêmes contrastes se retrouvent à l'échelle des agglomérations.** Si la ville est, dans presque tous les pays, le lieu où se concentrent les populations les plus favorisées, c'est aussi le lieu de la fragmentation socio-spatiale* (nombreux quartiers défavorisés). Près d'un milliard de personnes vivent ainsi dans des bidonvilles ou dans d'autres formes d'habitat informel.

> **Les contrastes de développement sont tout autant des contrastes sociaux que des contrastes de richesse ou de croissance économique. Ils jouent à toutes les échelles, de l'échelle mondiale à l'échelle locale.**

REPÈRE

Les extrêmes de l'IDH

1	Norvège	0,949
2	Australie	0,939
3	Suisse	0,939
4	Allemagne	0,926
5	Danemark	0,925
…	…	
23	France	0,897
184	Burundi	0,404
185	Burkina-Faso	0,402
186	Tchad	0,396
187	Niger	0,353
188	République centrafricaine	0,352

Source : ONU, 2018.

VOCABULAIRE

Bidonville Quartier défavorisé, construit souvent de manière illégale et dont les habitations sont constituées pour partie de matériaux de récupération.

IDH Indicateur de développement humain. Allant de 0 (peu développé) à 1 (très développé), il tient compte du revenu par habitant, de l'espérance de vie à la naissance et des années de scolarisation des adultes âgés de plus de 25 ans ou, pour les enfants, des années attendues de scolarisation.

IPM Indice de pauvreté multidimensionnelle. Mesure le pourcentage de personnes pauvres dans une population, en fonction de dix indicateurs d'éducation, de santé et de niveau de vie.

Pays émergent Pays du Sud dont la croissance économique et, souvent, l'importance politique et le rayonnement culturel en font une nouvelle puissance.

PIB Produit Intérieur brut. Richesse produite dans un État pendant une année.

PMA Pays les moins avancés. Classification officielle de l'ONU désignant les pays connaissant le plus de retard de développement (47 en 2018).

1 ▶ Les contrastes urbains d'un pays émergent

Le bidonville de Villa 31 à Buenos Aires

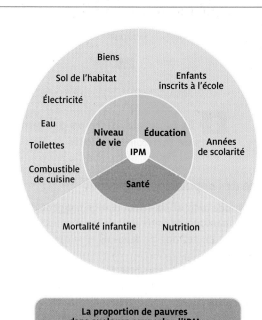

La proportion de pauvres
dans quelques pays selon l'IPM

Niger :	89,8 %	Namibie : 18,7 %
Nigeria :	50,9 %	Kenya : 16,6 %
Bangladesh :	40,7 %	Chine : 5,2 %
Cambodge :	33,8 %	Égypte : 4,2 %

Source : « D'après le PNUD ».

3 ▶ L'IPM* : trois composantes et dix indicateurs

2 ▶ La rénovation du bidonville Villa 31

« Nombreux sont les bidonvilles qui longent la périphérie de Buenos Aires, pourtant, l'un d'eux se trouve en plein centre-ville. Dénommé la Villa 31, [il] est collé au très chic quartier de la Recoleta. [...]

La mairie de Buenos Aires a pour objectif de métamorphoser le bidonville en un vrai quartier. Près de 40 000 personnes sont entassées quotidiennement dans ces bâtiments en briques de quatre à cinq étages qui dépassent parfois la chaussée de l'autoroute. [...] Les constructions sauvages, les rues en terre, les déchets et les jungles de fils électrique s'emmêlent et forment le symbole de l'extrême pauvreté qui sévit dans certaines zones du pays. [...] Les différents objectifs sont clairs : aménager les habitations, mettre en place le câble électrique, le système d'égouts, le ramassage des ordures, et aussi des espaces de loisirs. [...] Des immeubles ont été construits sous la voie rapide et devraient être déplacés ou démolis dans le cadre de la transformation du bidonville [...].

Autre symbole de la métamorphose du bidonville, [...] le géant du fast-food McDonald's a confirmé l'ouverture d'un restaurant sur place, afin d'accompagner la redynamisation et la considération du quartier. »

Vincent Villemer, « Buenos Aires lance la transformation d'un célèbre bidonville »,
Le Petit journal, 31 juillet 2017.

Analyser et confronter les documents

1. À quelles échelles se manifestent les inégalités de développement ? Repère, doc 1 et 2

2. En quoi les doc 1 et 2 montrent-ils la persistance des inégalités de développement dans un pays émergent* ?

3. Quels sont les critères de l'IPM ? Qu'apporte-t-il de plus par rapport à l'IDH* ? Doc 3

DONNÉES
PAYS

PÉROU

Au Pérou, l'émergence économique a-t-elle atténué les contrastes de développement ?

Classé au 87e rang mondial pour l'IDH*, le Pérou est un pays émergent*. Malgré sa forte croissance économique, il compte encore près de 7 millions de personnes vivant sous le seuil de pauvreté. Les inégalités de développement se retrouvent à toutes les échelles.

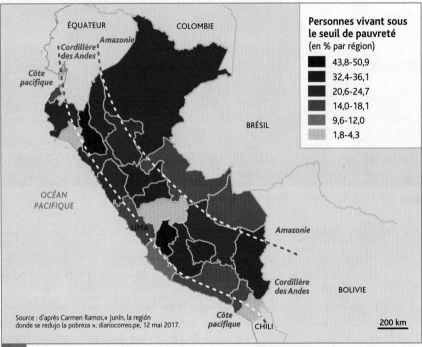

Source : d'après Carmen Ramos,« Junín, la región donde se redujo la pobreza », diariocorreo.pe, 12 mai 2017.

1 **Le nombre de personnes vivant en dessous du seuil de pauvreté, par région**

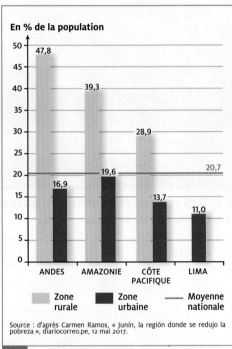

Source : d'après Carmen Ramos, « Junín, la región donde se redujo la pobreza », diariocorreo.pe, 12 mai 2017.

2 **La pauvreté au Pérou par grands types de territoires en 2016**

3 Le Pérou, pays émergent

« Le Pérou représente la 49e économie mondiale [...]. Après la décade dorée (2004-2013), son économie a certes ralenti mais a mieux résisté que celles de ses voisins. La richesse est fortement concentrée sur quelques secteurs comme la mine (plus de 50 % des exportations), l'agro-industrie et la pêche. Elle l'est également sur le plan géographique puisque la région de Lima capte le tiers du PIB.

Le pays possède un indice de développement humain assez élevé, mais reste marqué par la pauvreté, certes en fort recul (de 59 % en 2004 à 20 % en 2017), par le poids de l'économie informelle[1] (70 % de la population active) et par les disparités sociales, ethniques et géographiques. »

« Situation économique et financière du Pérou »,
tresor.economie.gouv.fr, 4 janvier 2018

[1] Activités économiques variées (petit commerce, artisanat...) qui échappent à la réglementation et à l'impôt.

4 La pauvreté des populations indigènes

« Le Pérou a la plus grande proportion de population indigène d'Amérique latine [...]. Cette pluralité de cultures et de langues est associée à de fortes différences en termes de revenus et d'opportunités économiques.

En dépit d'une baisse globale de la pauvreté, l'écart entre les populations indigènes et non indigènes demeure aussi important qu'il y a dix ans. L'accès à l'éducation est plus faible dans la population indigène, avec seulement 10,2 % d'entre eux poursuivant des études supérieures contre 25,6 % des non indigènes.

Les opportunités sur le marché du travail sont encore plus limitées, avec une surreprésentation dans le secteur agricole [...] et dans les emplois non qualifiés. À eux deux, ces secteurs représentent deux tiers des emplois pour la population indigène contre seulement un tiers pour les non-indigènes. »

Laure Pasquier-Doumer, « Au Pérou, pauvreté et exclusion interdisent aux populations indigènes d'aspirer à mieux », The Conversation, 15 janvier 2017.

ARTICLES

5 Le quartier de Miraflores, centre économique et touristique de Lima, en bordure du Pacifique.

6 Pauvreté et besoins en eau

«Depuis une trentaine d'années, le Pérou fait face à une urbanisation galopante. Les villes doivent répondre rapidement aux besoins en infrastructures des nouveaux habitants [dont l'accès à l'eau potable et le logement]. [...]

Pour le gouvernement péruvien, la priorité est l'accès à l'eau. D'autant plus que les inégalités territoriales sont fortes : si la côte désertique, et notamment la capitale Lima, est confrontée à la pénurie, les zones pluvieuses des Andes et de l'Amazonie n'ont quant à elles pas les infrastructures nécessaires pour utiliser les eaux de pluie. [...] Actuellement, il manque 1,8 million d'habitations sur l'ensemble du territoire national, dont 900 000 dans la capitale. Les villes voient de nouveaux quartiers se créer à leurs périphéries, construits de manière informelle et souvent dépourvus d'accès aux services de base. Des quartiers dans lesquels vivent près de 8 millions de personnes.»

Agence française du développement, 2017.

SITE

7 Sur le chemin de l'école, dans un bidonville de Lima

DEUX PARCOURS AU CHOIX

PARCOURS GUIDÉ

1. À quel type de pays du Sud appartient le Pérou ? En quoi cela explique-t-il une réduction de la pauvreté ? Doc 3

2. Montrez que la pauvreté persiste et touche plus particulièrement certaines populations. Introduction et doc 4 et 7

3. Dans quelles régions et dans quels types de territoires la pauvreté est-elle très présente ? Doc 1 et 2

4. Montrez que les contrastes de développement sont particulièrement forts à l'échelle urbaine. Doc 5, 6 et 7

PARCOURS AUTONOME ORAL

Répondez à la problématique du dossier sous forme d'exposé en organisant votre plan autour de ces trois thèmes :

1. Une amélioration économique et sociale

2. Des contrastes sociaux persistants

3. Des contrastes spatiaux à toutes les échelles

Des voies de développement diverses visant un développement durable ?

A Des modèles de développement différents

• **Pendant la Guerre froide, les pays du Sud ont choisi des voies de développement divergentes**, allant du socialisme (en Chine et au Vietnam par exemple) à l'ultralibéralisme (comme au Chili et en Argentine). Certains ont donné la priorité à l'agriculture (révolution verte en Inde), d'autres à l'industrie (Brésil). Ces choix ont eu des conséquences territoriales : le développement de métropoles et de grands ports a entraîné dès les années 1960 un fort exode rural dans des pays ayant misé sur les exportations comme la Côte d'Ivoire avec Abidjan, sur une politique de front pionnier au Brésil et en Indonésie...

• **Depuis les années 1990, l'intégration dans la mondialisation** est devenue le moteur du développement. Si certains pays ont privilégié l'économie de rente (Russie, pays pétroliers du Golfe persique), d'autres se sont tournés vers l'industrie à bas coût (Chine, Asie du Sud-Est...). Plusieurs pays dont les BRICS* ont connu une véritable émergence* marquée par une croissance exceptionnelle et une réduction de la pauvreté. La Chine, restée communiste tout en s'ouvrant aux investissements étrangers, est devenue la deuxième puissance économique mondiale.

B Le développement durable : un objectif généralisé ?

• **Le développement durable* a été défini en 1987** comme un « développement qui répond aux besoins du présent sans compromettre la capacité des générations futures à répondre aux leurs ». Il vise à favoriser la croissance économique pour assurer les besoins d'une population en essor, tout en réduisant les inégalités sociales et en préservant l'environnement par des techniques de production et des modes de consommation différents. Il promeut une transition environnementale. Depuis le Sommet de la Terre à Rio de Janeiro en 1992, d'autres conférences ont impulsé le développement durable à l'échelle mondiale. En 2015, l'ONU a défini les Objectifs de développement durable pour réduire les inégalités sanitaires et sociales.

• **Le développement durable suppose une action concertée** de nombreux acteurs : ONU, États, ONG, collectivités territoriales, citoyens, entreprises... Or ces acteurs ont parfois des objectifs divergents, les uns privilégiant la rentabilité économique, les autres l'équité sociale ou encore l'environnement.

• **Les trois « piliers » (économique, social et environnemental)** sont difficiles à concilier. Des politiques de développement durable ont d'abord été menées dans les pays du Nord (surtout européens) par des lois et des Agendas 21 locaux (« *penser globalement, agir localement* »). Ces préoccupations semblent moins fortes dans des pays comme les États-Unis, sortis de l'Accord de Paris*, et les pays émergents qui privilégient la croissance économique.

> **Si des modes de développement plus durables semblent peu à peu s'imposer, ils recoupent néanmoins des réalités fort diverses.**

REPÈRE

Les « trois piliers » du développement durable

Économie

Viable — Équitable

Développement durable

Environnement

Social

Vivable

VOCABULAIRE

Agenda 21 Agenda pour le XXIe siècle. Programme d'action pour un développement durable, adopté à Rio en 1992, qui énonce les objectifs essentiels. Il se décline à toutes les échelles.

Économie de rente Pour un pays, fait de tirer l'essentiel de ses revenus de la vente de ses ressources, par exemple de son énergie.

Front pionnier Espace en cours de peuplement et de mise en valeur.

ONG Organisation non gouvernementale, constituée par un regroupement de citoyens défendant une cause.

Révolution verte Essor de la production agricole dans certains pays du Sud par la modernisation des techniques et des aides aux petits agriculteurs.

Transition environnementale Évolution vers un nouveau modèle économique et social de développement durable qui renouvelle les façons de consommer, de produire... pour répondre aux enjeux environnementaux (changement climatique, raréfaction des ressources, perte de la biodiversité et multiplication des risques sanitaires).

OBJECTIFS  DE DÉVELOPPEMENT DURABLE

1 PAS DE PAUVRETÉ

2 FAIM «ZÉRO»

3 BONNE SANTÉ ET BIEN-ÊTRE

4 ÉDUCATION DE QUALITÉ

5 ÉGALITÉ ENTRE LES SEXES

6 EAU PROPRE ET ASSAINISSEMENT

7 ÉNERGIE PROPRE ET D'UN COÛT ABORDABLE

8 TRAVAIL DÉCENT ET CROISSANCE ÉCONOMIQUE

9 INDUSTRIE, INNOVATION ET INFRASTRUCTURE

10 INÉGALITÉS RÉDUITES

11 VILLES ET COMMUNAUTÉS DURABLES

12 CONSOMMATION ET PRODUCTION RESPONSABLES

13 MESURES RELATIVES À LA LUTTE CONTRE LES CHANGEMENTS CLIMATIQUES

14 VIE AQUATIQUE

15 VIE TERRESTRE

16 PAIX, JUSTICE ET INSTITUTIONS EFFICACES

17 PARTENARIATS POUR LA RÉALISATION DES OBJECTIFS

OBJECTIFS DE DÉVELOPPEMENT DURABLE

1 ▸ Les Objectifs de développement durable

17 priorités adoptées par l'ONU en 2015, à atteindre d'ici 2030.

SITE

2 ▸ Développement et agriculture : la Révolution verte en Inde

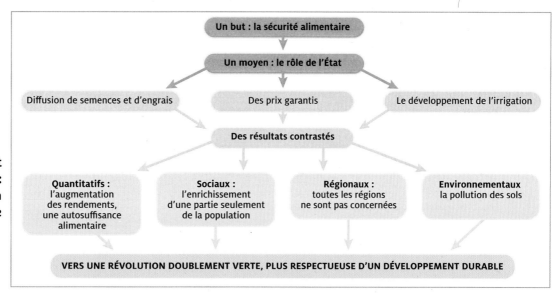

- Un but : la sécurité alimentaire
- Un moyen : le rôle de l'État
  - Diffusion de semences et d'engrais
  - Des prix garantis
  - Le développement de l'irrigation
- Des résultats contrastés
  - **Quantitatifs :** l'augmentation des rendements, une autosuffisance alimentaire
  - **Sociaux :** l'enrichissement d'une partie seulement de la population
  - **Régionaux :** toutes les régions ne sont pas concernées
  - **Environnementaux** la pollution des sols
- **VERS UNE RÉVOLUTION DOUBLEMENT VERTE, PLUS RESPECTUEUSE D'UN DÉVELOPPEMENT DURABLE**

3 ▸ L'Algérie, une économie de rente fondée sur les hydrocarbures

Analyser et confronter les documents

1. Reproduisez le schéma du repère et placez-y par des numéros les différents Objectifs de développement durable de l'ONU (doc 1). Pensez à utiliser les intersections.

2. Par quels moyens l'Inde a-t-elle amélioré sa sécurité alimentaire ? Doc 2. Quels sont les points négatifs de la révolution verte* ?

3. Comment la caricature soulève-t-elle les problèmes de toute économie de rente* ? Doc 3

Le développement du Qatar : vers une transition économique et environnementale ?

Pays pauvre dans les années 1970, le Qatar possède en 2019 un des PIB par habitant les plus élevés au monde et se situe au 33e rang pour l'IDH. Pour que cet essor soit durable, l'État diversifie son économie fondée sur les hydrocarbures, en investissant dans divers secteurs, dont le sport.

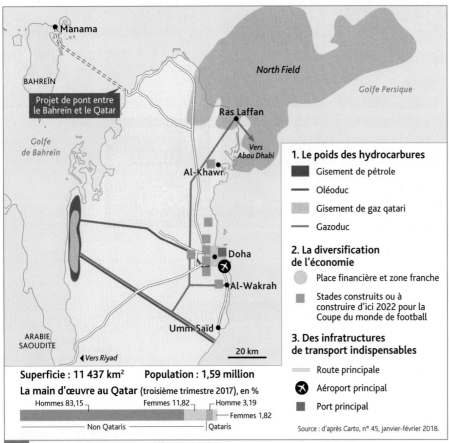

1. Le poids des hydrocarbures
- Gisement de pétrole
- Oléoduc
- Gisement de gaz qatari
- Gazoduc

2. La diversification de l'économie
- Place financière et zone franche
- Stades construits ou à construire d'ici 2022 pour la Coupe du monde de football

3. Des infrastructures de transport indispensables
- Route principale
- Aéroport principal
- Port principal

Source : d'après *Carto*, n° 45, janvier-février 2018.

Superficie : 11 437 km²   Population : 1,59 million

La main d'œuvre au Qatar (troisième trimestre 2017), en %
- Hommes 83,15
- Femmes 11,82
- Homme 3,19
- Femmes 1,82
- Non Qataris
- Qataris

1 Une croissance économique fondée sur les hydrocarbures

2 Vers une prise en compte de l'environnement ?

« Le Qatar a entrepris depuis quelques années une politique publique novatrice afin d'orienter la société vers une intégration accrue de la préoccupation écologique dans la vie quotidienne. [...] Cette attention a pris une dimension [...] plus grande après l'accueil à Doha de la 21e Rencontre des Nations unies sur le réchauffement du climat (COP 18) en décembre 2012. Soumis à d'intenses critiques dénonçant l'émirat comme le plus grand pollueur par habitant au monde, les autorités ont alors emprunté une voie mêlant réduction de l'empreinte écologique et conversion économique.

C'est dans ce cadre qu'il faut situer les différents projets menés récemment par la compagnie générale de l'électricité et des eaux du Qatar : Kahramaa. Celle-ci vient de lancer un concours pour le choix de la meilleure initiative d'énergie renouvelable. L'opération fait partie d'un programme national de mise en valeur des projets éco-compatibles. Baptisé Tarchid ("Orientation" en arabe), il vise à rassembler auprès d'acteurs économiques ou du public des initiatives, innovations ou projets qui ont pour point commun la préservation de l'environnement. Dans le même esprit, Kahramaa s'est liée avec Qatar Petroleum (QP) pour lancer le plus grand projet de production d'énergie solaire du pays. »

« COP 18 : le Qatar, capitale de l'industrie des conférences ? », observatoire-qatar.com, 27 janvier 2017.

3 Le CBD (quartier d'affaires) de Doha
Le gratte-ciel torsadé (au centre sur la photo) héberge la Fédération Qatarie de Football et le Supreme Committee for Delivery & Legacy, l'organe qui gère les installations en vue du Mondial 2022.

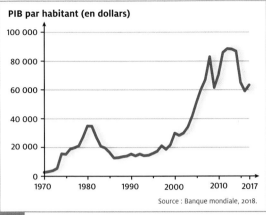

PIB par habitant (en dollars)

Source : Banque mondiale, 2018.

4 ▶ **L'évolution du PIB par habitant (en dollars US)**

5 ▶ **Le centre commercial climatisé Aspire Zone à Doha**

6 **Les paradoxes de la Coupe du monde de football 2022**

«"Nous sommes bien conscients que le Qatar n'a pas besoin de plusieurs stades aussi grands", insiste le Dr. Andreas Bleicher, consultant du Supreme Committee for Delivery & Legacy. "L'idée, après la Coupe du monde, c'est par exemple de reconvertir certains stades en salles de spectacle, en infrastructure pour les écoles. [...] L'objectif, c'est d'aller vers des partenariats public-privé pour assurer l'héritage de cette Coupe du monde. Certains stades sont partiellement démontables et nous comptons en profiter pour offrir une seconde vie à ces modules, par exemple dans les pays en voie de développement." C'est là tout le contraste qatari, pays qui dit vouloir aider les nations défavorisées mais qui, dans le même temps, use (et abuse) d'une main-d'œuvre bon marché venue d'Inde et alentours. Ce même Qatar qui, dans les modules interactifs de présentation de la CDM 2022 [...], promet de "limiter son empreinte écologique" avant de se targuer d'équiper ses stades d'air conditionné.»

David Liz, «Coupe du monde 2022: le Qatar continue de croire en ses arguments», lavenir.net, 14 janvier 2017.

7 ▶ **L'exploitation des travailleurs migrants au Qatar**

DEUX PARCOURS AU CHOIX

PARCOURS GUIDÉ

1. Sur quelles ressources repose la croissance économique du Qatar? Doc 1

2. Pourquoi et comment le Qatar a-t-il diversifié et renforcé son économie? Introduction, doc 1 et 3

3. Caractérisez le niveau de vie des Qataris. Doc 3 à 5

4. Décrivez la part des immigrés dans la population active et leurs conditions de vie et de travail. Doc 1, 6 et 7

5. Quelles sont les ambitions affichées par le Qatar en matière d'environnement? Quelles critiques lui sont adressées dans ce domaine, en particulier à propos de la Coupe du monde 2022? Doc 2, 6 et 7

PARCOURS AUTONOME

À l'aide des documents, complétez le schéma en écrivant de deux couleurs différentes les points favorables et les points défavorables au développement durable selon les deux exemples:

1. Risque d'épuisement des hydrocarbures

2. Forte croissance économique

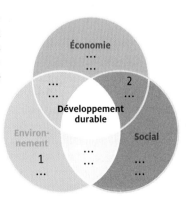

Les pays du Sud, «décharges» des déchets électroniques?

VOTRE MISSION

Membre d'une ONG luttant contre les méfaits des déchets électriques et électroniques, en particulier dans les pays du Sud, vous devez réaliser une campagne d'affichage pour sensibiliser les Européens au phénomène et proposer des actions. Vos affiches peuvent s'organiser autour de différents thèmes et être destinées à différents publics.

Le monde a produit près de 45 millions de tonnes de déchets électriques et électroniques en 2016, soit l'équivalent de 4 500 tours Eiffel. La plupart de ces déchets, produits essentiellement au Nord, finissent dans les pays du Sud.

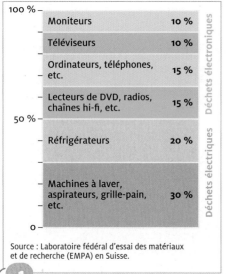

Moniteurs	10 %
Téléviseurs	10 %
Ordinateurs, téléphones, etc.	15 %
Lecteurs de DVD, radios, chaînes hi-fi, etc.	15 %
Réfrigérateurs	20 %
Machines à laver, aspirateurs, grille-pain, etc.	30 %

Source : Laboratoire fédéral d'essai des matériaux et de recherche (EMPA) en Suisse.

1 Qu'est-ce qu'un «déchet d'équipements électriques et électroniques» (D3E ou DEEE)?

2 **Comment traite-t-on les déchets électroniques en Europe?**

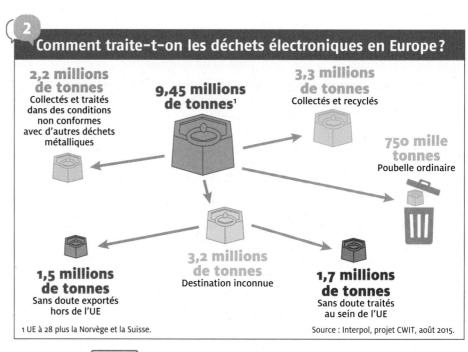

2,2 millions de tonnes Collectés et traités dans des conditions non conformes avec d'autres déchets métalliques

9,45 millions de tonnes[1]

3,3 millions de tonnes Collectés et recyclés

750 mille tonnes Poubelle ordinaire

1,5 millions de tonnes Sans doute exportés hors de l'UE

3,2 millions de tonnes Destination inconnue

1,7 millions de tonnes Sans doute traités au sein de l'UE

1 UE à 28 plus la Norvège et la Suisse.

Source : Interpol, projet CWIT, août 2015.

3 CARTE

AGIR PAR LA LOI

«Tablettes, écrans plats, smartphones, etc. Les cadeaux high-techs offerts à Noël vont pousser à la poubelle une ancienne génération d'équipements. [...] Les États-Unis en sont le plus grand générateur avec 29,8 kg par habitant. L'Union européenne est en moyenne à 19,2 kg[...]. En Europe, [...] il est strictement interdit d'exporter des déchets électroniques. Mais il est en revanche autorisé d'exporter des équipements de seconde main, qui fonctionnent. "C'est là que se trouve la faille", accuse Tom Dowdall, de Greenpeace. Selon le militant, des recycleurs mélangent du matériel en état de marche avec des machines cassées afin de s'en débarrasser. En 2009, il a mené une expérience pour son ONG : il a mis des GPS à l'intérieur de produits électroniques cassés et irrécupérables. "Certains se sont retrouvés au Ghana, d'autres au Pakistan, d'autres encore au Vietnam."

L'application de la loi s'est nettement renforcée. En février 2013, Interpol a lancé un grand coup de filet, saisissant 240 tonnes d'équipements électroniques après des raids coordonnés dans des ports en Belgique, en Allemagne, aux Pays-Bas et au Royaume-Uni, ainsi qu'au Ghana, en Guinée et au Nigeria.»

Éric Albert, «Les déchets électroniques intoxiquent le Ghana», *Le Monde*, 27 décembre 2013.

4 **Sensibiliser les populations : le rôle des ONG**

Les Amis de la Terre France

1 PERSONNE PRODUIT 16 À 23 KG DE DÉCHETS ÉLECTRIQUES ET ÉLECTRONIQUES PAR AN

5

L'Afrique, un réceptacle de déchets venus du Nord

«Des millions de téléphones usagés, des télévi-seurs, des ordinateurs et appareils électroména-gers... le monde entier continue de déverser en Afrique, en toute illégalité, de grandes quantités d'équipements désaffectés. Ces appareils, dont les composants peuvent se révéler très toxiques, finissent souvent dans des décharges clandestines des grands centres urbains.

[...] Selon un rapport du programme des Nations unies pour l'environnement, la France, l'Alle-magne et la Grande-Bretagne sont les principaux pays exportateurs de déchets électroniques en Afrique où ils atterrissent sur le marché de l'occasion.

[...] Les Africains ne sont pas dupes, précise-t-il. Mais ils ne savent pas grand-chose de ce qu'on déverse réellement chez eux: "Pour quelques billets, on y relègue le trop-plein d'une société mondiale de consommation aveugle, polluante." Selon un rapport de l'université des Nations unies, les déchets illicites sont généralement cachés dans des conteneurs transportant une autre cargaison légale, dans le but de tromper les douaniers. Ils finissent dans des décharges gigantesques d'Accra, Naïrobi, Kinshasa ou Lagos.»

Martin Mateso, «L'Afrique reste désarmée face aux déchets électroniques qui s'accumulent», *France Info*, 24 juillet 2017.

6 Agir au niveau local

Syndicat mixte pour la valorisation des déchets de Corse.

i À Guiyu en Chine, **1 habitant sur 3** vit du recyclage de résidus électroniques.

Des pistes de réflexion

- Montrez que les D3E proviennent de nos vies quotidiennes. Introduction et doc 1

- Pourquoi et comment de nombreux déchets provenant de pays du Nord sont-ils envoyés vers des pays du Sud? Doc 2, 3, 5 et 7

- Relevez les moyens pour lutter contre ce phénomène et les acteurs qui les initient. Doc 2, 3, 4 et 6

Pour trouver des arguments complémentaires:

→ Sur un moteur de recherche, taper «D3E» ou «DEEE», «déchets d'équipements électriques et électroniques».

→ Le site du gouvernement français sur les DEEE.

→ Un recensement d'informations sur cette question sur le site Géoconfluences.

→ Le guide écocitoyen de la réparation, par l'ONG Les amis de la Terre.

→ Les documents de la p. 87 sur les «terres rares».

SITOGRAPHIE

7 Lutter contre le recyclage incontrôlé et dangereux pour la santé (décharge au Ghana)

L'ESSENTIEL

Territoires, populations et développement

A Les défis du nombre et du vieillissement

• La population mondiale devrait atteindre les 9,8 milliards d'habitants en 2050. Du fait de la **transition démographique**, la croissance démographique concernera essentiellement les pays du **Sud**, notamment africains.

• Cette croissance démographique va se traduire par des **besoins** accrus, notamment en ville à cause de la transition urbaine*. Or une partie de la population ne peut pas actuellement satisfaire ses besoins de base (eau, alimentation...). Il faudra mobiliser plus de ressources et surtout trouver des modes de développement plus durables, plus équitables socialement et pesant moins sur l'environnement (transition environnementale*).

• Dans les pays du **Nord** mais aussi dans certains pays du Sud, la population est marquée par le vieillissement* du fait de la baisse de la natalité et de l'augmentation de l'espérance de vie. Ce phénomène entraîne des besoins spécifiques (retraites, santé...).

B Les défis du développement et des inégalités

• La mesure du développement nécessite de prendre en compte des paramètres économiques, sociaux et démographiques. L'**IDH** mais aussi l'IPM* sont les principaux indicateurs de **développement**.

• À l'échelle planétaire, la distinction entre un Nord développé et un Sud en voie de développement est de moins en moins pertinente, du fait de l'existence de nombreuses situations intermédiaires et de l'émergence* d'un certain nombre de pays.

• Les contrastes de développement existent aussi à d'autres échelles : au niveau régional, entre espace urbain et espace rural, mais aussi au niveau local, notamment en ville.

• Il n'existe pas de modèle unique de développement, mais une diversité de voies liées à des choix politiques. De nos jours l'intégration dans la mondialisation* est le choix majoritaire d'États qui tentent par ailleurs d'adopter des politiques de **développement** plus **durables***.

NOTIONS-CLÉS

• **Besoin** Ce qui est nécessaire aux hommes pour vivre, en fonction de nécessités élémentaires (eau...) mais aussi de facteurs économiques, sociaux et culturels.

• **IDH** Indicateur de développement humain. Allant de 0 (peu développé) à 1 (très développé), il tient compte du revenu par habitant, de l'espérance de vie à la naissance et des années de scolarisation des adultes âgés de plus de 25 ans ou, pour les enfants, des années attendues de scolarisation.

• **Nord / Sud** Opposition classique entre des pays en développement, dits du Sud, et des pays développés, dits du Nord. Cette division est en partie datée.

• **Transition démographique** Passage d'un régime démographique traditionnel (forts taux de natalité et de mortalité) à un régime moderne (faibles taux de natalité et de mortalité).

NE PAS CONFONDRE

• La **croissance** économique est marquée par l'augmentation de l'économie d'un pays. Le **développement** est un phénomène plus général qui permet une amélioration sensible des conditions de vie d'une société et la satisfaction de ses besoins. Le **développement durable** est, selon l'ONU, « le développement qui répond aux besoins du présent sans compromettre la capacité des générations futures à répondre aux leurs ».

RETENIR AUTREMENT

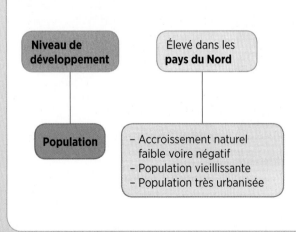

Niveau de développement
- Élevé dans les **pays du Nord**
- Forte croissance économique dans les **pays émergents**
- Fortes inégalités, mais essor d'une classe moyenne
- Développement encore faible dans de nombreux **pays du Sud**
- Fortes inégalités

Population
- Accroissement naturel faible voire négatif
- Population vieillissante
- Population très urbanisée
- Transition démographique achevée (Chine) ou en cours d'achèvement
- Vieillissement marqué dans certains pays
- Urbanisation rapide
- Population jeune et en forte croissance
- Urbanisation en cours mais encore faible dans les PMA

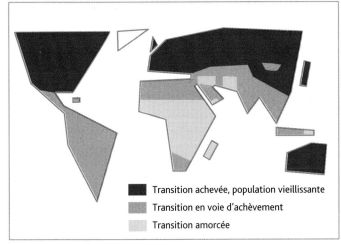

Transition achevée, population vieillissante
Transition en voie d'achèvement
Transition amorcée

1. La transition démographique

Pays connaissant la plus forte croissance
de leur population urbaine

2. La transition urbaine

Limite Nord-Sud conventionnelle

Pays les plus développés
Pays pétroliers à hauts revenus
Pays émergents
PMA

3. Un inégal développement : des Nords* et des Suds*

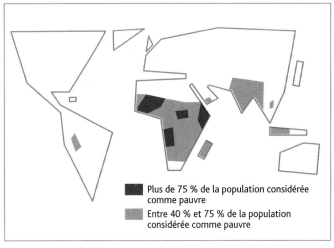

Plus de 75 % de la population considérée
comme pauvre
Entre 40 % et 75 % de la population
considérée comme pauvre

4. La pauvreté dans le monde

CHIFFRES-CLÉS

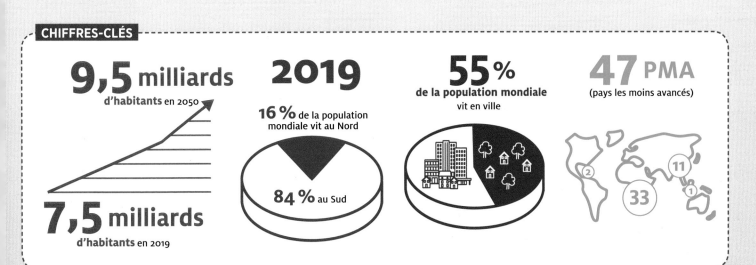

9,5 milliards d'habitants en 2050

7,5 milliards d'habitants en 2019

2019
16 % de la population mondiale vit au Nord
84 % au Sud

55 % de la population mondiale vit en ville

47 PMA (pays les moins avancés)

2 — 33 — 11 — 1

1 Je maîtrise les idées du cours

Les affirmations suivantes sont-elles vraies ou fausses ?

	Vrai	Faux
1. C'est en Amérique latine que la croissance démographique sera la plus forte d'ici 2050.		
2. La Chine et l'Inde ont achevé leur transition démographique.		
3. La transition urbaine est une des conséquences de la transition démographique.		
4. Les pays émergents sont classés au « Nord ».		
5. Les PMA sont essentiellement situés en Afrique.		
6. L'IDH est un indicateur qui repose sur trois piliers : environnemental, social, économique.		
7. L'économie de rente désigne la forte proportion de personnes âgées dans un pays.		
8. La majorité des États misent sur l'insertion dans la mondialisation pour se développer.		
9. Si l'empreinte écologique des États-Unis était généralisée à l'échelle mondiale, les ressources de la planète seraient très insuffisantes.		
10. La transition environnementale vise à atteindre les Objectifs de développement durable.		

2 Je schématise un planisphère en respectant les proportions

ÉTAPE 1 Pour commencer, dessinez la figure suivante, qui donne les grandes proportions d'un planisphère.

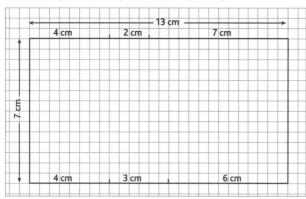

ÉTAPE 2 Vous pouvez alors positionner approximativement l'Amérique d'un côté, l'Afrique, l'Europe et l'Asie de l'autre.

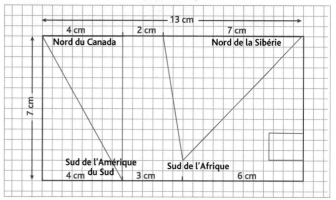

ÉTAPE 3 Terminez le schéma en traçant les contours des continents, sans oublier l'Océanie et les principales îles.

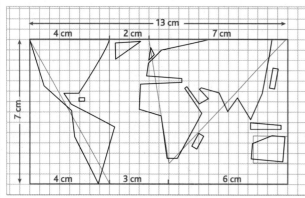

ÉTAPE 4 Vous pouvez ensuite le refaire plusieurs fois, d'abord avec le manuel sous les yeux, puis de mémoire, pour améliorer progressivement sa précision.

3   Je maîtrise la notion de transition démographique

À quels numéros correspondent les termes suivants ?

Ancien régime

Taux de natalité

Taux d'accroissement naturel

Taux de mortalité

Nouveau régime

Transition démographique

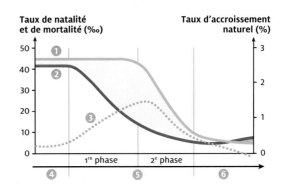

4   Je maîtrise l'analyse de données démographiques

À quel stade de l'évolution démographique se trouve chaque pays en 1970 puis en 2018 ? (S'aider du schéma de la transition démographique). Expliquer les différences observées entre les pays.

	Population en 1970* (en millions)	Taux de natalité moyen 1965-1970* (en ‰)	Taux de mortalité moyen 1965-1970* (en ‰)	Population en 2018 (en millions)	Taux de natalité en 2018 (en ‰)	Taux de mortalité en 2018 (en ‰)
Éthiopie	28	47	21	81,2	32	7
France	50	17	11	66,9	12	9
Inde	553	40	17	1324	19	7
Russie	130	14	9	144,3	13	13

* Les chiffres de la période 1965-1970 sont parfois des estimations, notamment pour la Russie. Ils sont donc arrondis à la décimale.

Source : Banque mondiale, 2018.

5   Je révise à l'aide d'un court documentaire

Pour mieux cerner ce que sont les évolutions démographiques :

1. Cherchez le film « Le dessous des cartes : De la démographie aux choix politiques »

VIDÉO

2. D'après le film, quelles sont les conséquences du vieillissement de la population en Europe et en Chine ? Et celles de l'évolution de la population du Pakistan ?

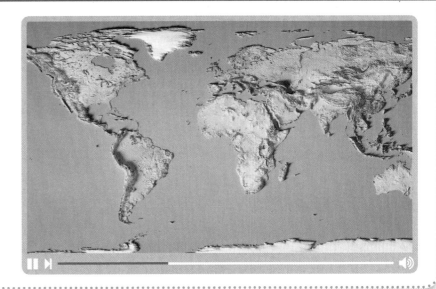

Les quais de Seine à Paris,
en Île-de-France

question France

3. La France : dynamiques démographiques, inégalités socio-économiques

Les territoires métropolitains et ultra-marins sont marqués par des dynamiques démographiques variées, entre vieillissement et renouveau. Les inégalités socio-économiques qui fragmentent la société ont aussi une traduction spatiale.

FRANCE
● Lauzerte

Sur un marché à Lauzerte
dans le Tarn-et-Garonne, Occitanie

Montrez que ces photographies
illustrent des dynamiques
démographiques et des inégalités
socio-économiques en France.

··⟐·· Comment différents acteurs cherchent-ils à relever
ces défis démographiques et socio-économiques ?

CARTE INTERACTIVE

Un vieillissement inégal de la population française

Notion-clé Vieillissement

Augmentation de la proportion des personnes âgées de 65 ans et plus dans une population, tandis que la part des jeunes diminue. Il est lié à l'accroissement de l'espérance de vie (79,5 ans pour les hommes et 85,3 ans pour les femmes en 2018) et à la baisse de la natalité.

1 Allongement de l'espérance de vie*

Cannes en région PACA Le fort niveau de développement socio-économique a permis un allongement de l'espérance de vie. La part des plus de 60 ans dépasse les 30 % dans plusieurs départements du sud de la France, notamment du fait de la venue de retraités d'autres régions.

Augmentation de la part de personnes âgées de 65 ans ou plus, entre 1982 et 2010 pour le territoire métropolitain, entre 1990 et 2015 pour les DROM, en %

1 2 3 4 5 6 7 8 9

Pas de données pour Mayotte

2 Besoins

Salon des seniors à Paris Le vieillissement de la population crée de nouveaux besoins : besoins de santé (hôpitaux, maisons de retraite...) pour les plus âgés, mais aussi de loisirs, d'achats spécifiques pour les 16 millions de retraités.

3 Population active

Entreprise d'aéronautique à Colomiers en Occitanie La population en âge de travailler (28,7 millions en France) est stable voire en légère augmentation. Toutefois son âge moyen augmente sensiblement.

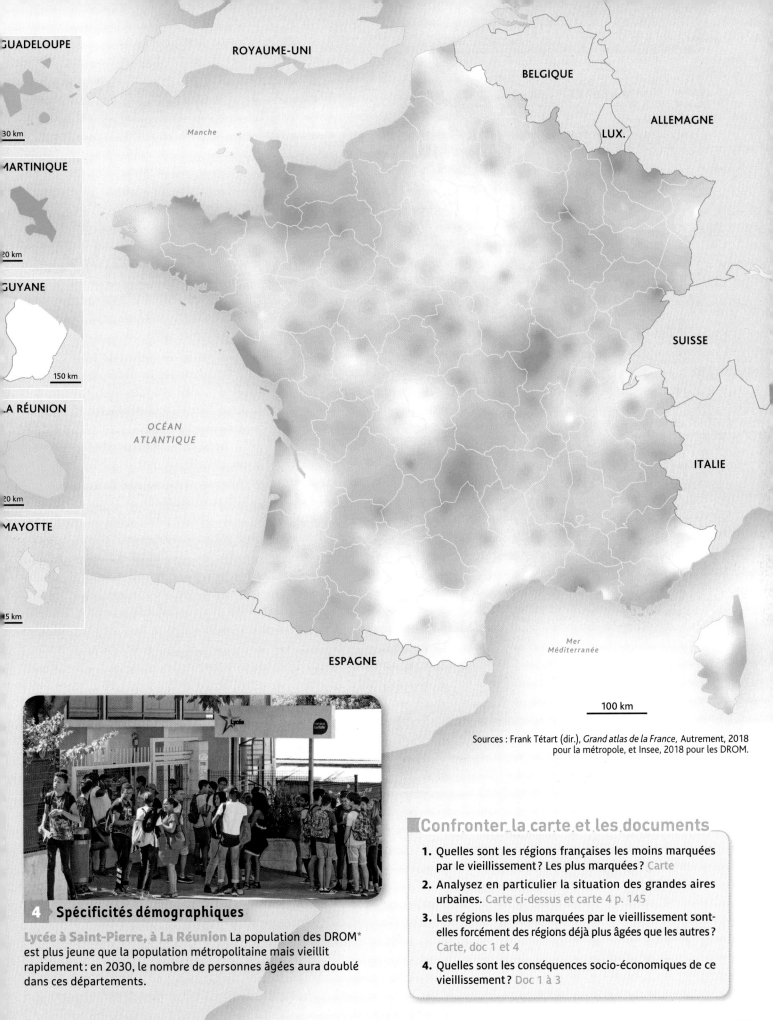

GUADELOUPE

30 km

MARTINIQUE

20 km

GUYANE

150 km

LA RÉUNION

20 km

MAYOTTE

15 km

ROYAUME-UNI

BELGIQUE

ALLEMAGNE

LUX.

Manche

OCÉAN
ATLANTIQUE

SUISSE

ITALIE

ESPAGNE

Mer
Méditerranée

100 km

Sources : Frank Tétart (dir.), *Grand atlas de la France,* Autrement, 2018
pour la métropole, et Insee, 2018 pour les DROM.

4 Spécificités démographiques

Lycée à Saint-Pierre, à La Réunion La population des DROM*
est plus jeune que la population métropolitaine mais vieillit
rapidement : en 2030, le nombre de personnes âgées aura doublé
dans ces départements.

◼Confronter la carte et les documents

1. Quelles sont les régions françaises les moins marquées
par le vieillissement ? Les plus marquées ? Carte

2. Analysez en particulier la situation des grandes aires
urbaines. Carte ci-dessus et carte 4 p. 145

3. Les régions les plus marquées par le vieillissement sont-
elles forcément des régions déjà plus âgées que les autres ?
Carte, doc 1 et 4

4. Quelles sont les conséquences socio-économiques de ce
vieillissement ? Doc 1 à 3

La France : dynamiques démographiques, inégalités socio-économiques

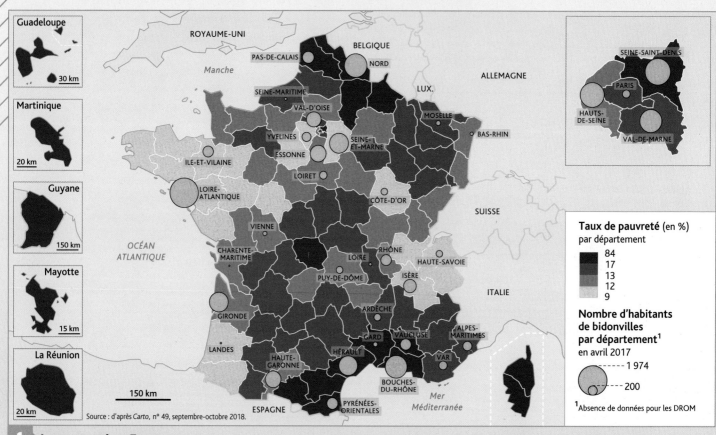

Taux de pauvreté (en %) par département
- 84
- 17
- 13
- 12
- 9

Nombre d'habitants de bidonvilles par département[1] en avril 2017
- 1 974
- 200

[1] Absence de données pour les DROM

Source : d'après *Carto*, n° 49, septembre-octobre 2018.

1 La pauvreté en France

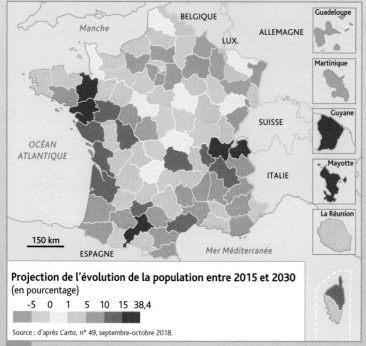

Projection de l'évolution de la population entre 2015 et 2030 (en pourcentage)

-5 0 1 5 10 15 38,4

Source : d'après *Carto*, n° 49, septembre-octobre 2018.

2 L'évolution de la population entre 2015 et 2030

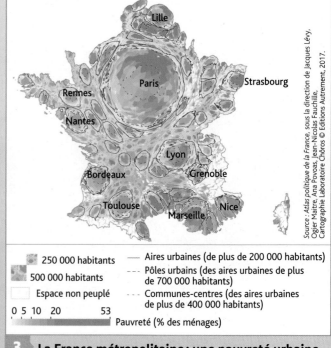

- 250 000 habitants
- 500 000 habitants
- Espace non peuplé

- —— Aires urbaines (de plus de 200 000 habitants)
- --- Pôles urbains (des aires urbaines de plus de 700 000 habitants)
- ··· Communes-centres (des aires urbaines de plus de 400 000 habitants)

0 5 10 20 53
Pauvreté (% des ménages)

Source : *Atlas politique de la France*, sous la direction de Jacques Lévy, Ogier Maître, Ana Povoas, Jean-Nicolas Fauchille, Cartographie Laboratoire Chôros © Editions Autrement, 2017.

3 La France métropolitaine : une pauvreté urbaine

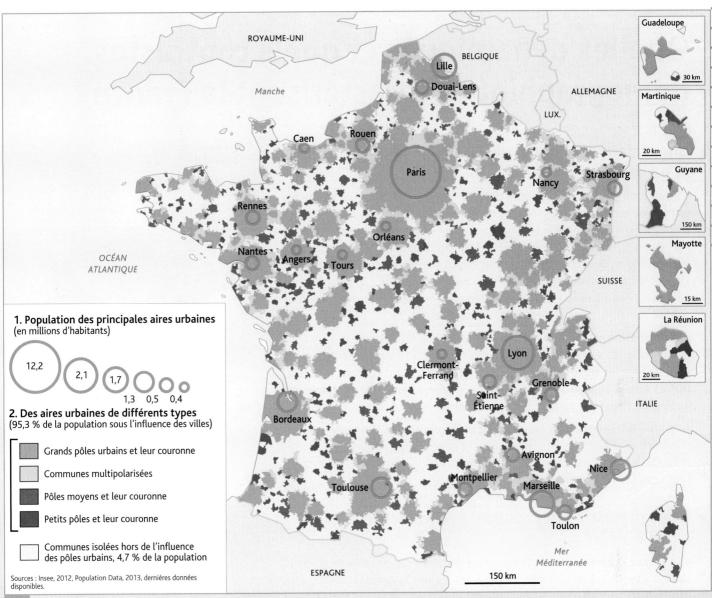

1. Population des principales aires urbaines
(en millions d'habitants)

12,2 — 2,1 — 1,7 — 1,3 — 0,5 — 0,4

2. Des aires urbaines de différents types
(95,3 % de la population sous l'influence des villes)

Grands pôles urbains et leur couronne

Communes multipolarisées

Pôles moyens et leur couronne

Petits pôles et leur couronne

Communes isolées hors de l'influence des pôles urbains, 4,7 % de la population

Sources : Insee, 2012, Population Data, 2013, dernières données disponibles.

4 **Les aires urbaines en France**

DEUX PARCOURS AU CHOIX POUR ANALYSER LES CARTES

PARCOURS RÉDIGÉ

1. Quelles sont les régions qui vont se peupler davantage d'ici 2030 ? Celles où la population va diminuer ? Carte 2 et carte du rabat : la France administrative

2. Comparez les cartes 1 et 3 qui cartographient le même phénomène. En quoi sont-elles complémentaires ?

3. Pourquoi peut-on parler d'une population presque totalement urbaine ? Où sont situées les communes isolées ? Carte 4

BILAN À l'aide des cartes 1 à 4 et de la carte p. 143, rédigez quelques lignes montrant que la population française connaît d'importantes évolutions démographiques et que les inégalités socio-économiques sont aussi des inégalités territoriales.

PARCOURS CARTOGRAPHIQUE

Schématisez la carte 4 en montrant qu'il existe une France « urbaine » et une France « rurale » et à l'aide de la carte 1, hachurez les espaces les plus marqués par la pauvreté.

Aidez-vous de l'exercice 2 p. 78.

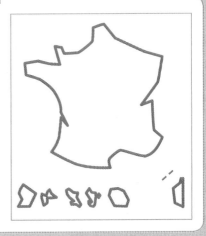

Quelles dynamiques et quels contrastes démographiques caractérisent la France ?

A Une croissance démographique ralentie et un pays vieillissant

• **Deuxième pays le plus peuplé d'Europe après l'Allemagne, la France** compte en 2018 environ 65 millions d'habitants en métropole et 2,8 millions outre-mer (865 000 habitants par exemple à La Réunion). Bien que parmi les plus élevés d'Europe, l'accroissement naturel* est désormais très faible (0,3 %), avec un indice de fécondité* en baisse (1,9). Le solde migratoire est positif (70 000 personnes) mais l'apport d'étrangers est plus limité que dans d'autres pays européens. Environ 40 % des entrées viennent de l'Union européenne, plus de la moitié relève du regroupement familial.

• **La population est marquée par un vieillissement** lié à la baisse de la natalité et à une hausse de l'espérance de vie (79,5 ans pour les hommes et 85,3 ans pour les femmes en 2018). Les plus de 65 ans représentent 20 % de la population et seront plus de 30 % en 2050. Ce vieillissement n'est toutefois pas homogène : il est fort dans le rural isolé, mais moins prononcé outre-mer.

• **Le vieillissement a des conséquences économiques** : financement des retraites plus difficile, investissement dans la santé nécessaire (aides à domicile, maisons de retraites…), moindre dynamisme, mais les 16 millions de retraités sont aussi un marché de consommation.

B Une atténuation des contrastes entre les « vides » et les « pleins »

• **La France présente de forts contrastes** entre des régions très peuplées et des espaces de faibles densités. Le Nord, les régions littorales et les grandes vallées fluviales sont beaucoup plus peuplés que la moyenne nationale, tandis que les espaces de faible densité se localisent dans les zones de montagne, dans les massifs forestiers (Landes, et – à une autre échelle – en Guyane) et dans quelques régions rurales (Champagne…). Cette « France du vide » représente un tiers environ du territoire : les densités y sont de l'ordre de 15 hab/km² et 7 400 communes sont « hors de l'influence des pôles urbains ».

• **Ces contrastes, très anciens, ont été renforcés par la transition urbaine*** et un exode rural important dès la fin du XIXe siècle : la population urbaine est majoritaire depuis 1931. De nos jours, les aires urbaines regroupent plus de 95 % de la population française et occupent les 2/3 du territoire national.

• **Cette concentration de la population s'atténue** peu à peu, voire s'inverse. D'une part, l'étalement urbain crée un espace périurbain sur près du tiers du territoire national. D'autre part, depuis 2000, des communes rurales isolées connaissent un renouveau démographique : télétravail grâce à Internet, retraités quittant les villes, amélioration des réseaux de transport… La France du vide se réduit donc progressivement.

> **La population française est de plus en plus âgée, mais aussi de plus en plus périurbaine. Les oppositions entre une « France du vide » et une « France du plein » s'atténuent peu à peu.**

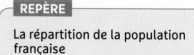
REPÈRE

La répartition de la population française

GUYANE GUADELOUPE MARTINIQUE MAYOTTE LA RÉUNION

■ Fortes densités
■ Densités moyennes
□ Faibles densités

Source : Insee, 2018.

VOCABULAIRE

Aire urbaine Zone dépendant d'un pôle urbain et d'une couronne dont 40 % de la population au moins travaille dans le pôle ou dans les autres communes de la couronne.

Étalement urbain Extension des périphéries urbaines du fait de l'essor des banlieues et de la périurbanisation.

Outre-mer Désigne ici les territoires ultra-marins français qui comprennent notamment cinq DROM (département et région d'outre-mer) – Guadeloupe, Martinique, Guyane, Réunion et Mayotte – et des COM/POM (collectivité et pays d'outre-mer) – Saint-Pierre-et-Miquelon… ; Polynésie française…

Périurbain Espace situé autour des villes, au-delà de la couronne des banlieues, et dépendant de cette ville.

Solde migratoire Différence entre le nombre de personnes venant s'installer dans un territoire et le nombre de personnes le quittant.

1 **Sévérac-d'Aveyron (Aveyron, Occitanie)**

Située dans « la France du vide » cette commune d'environ 4000 habitants a perdu un tiers de sa population depuis le début du XXᵉ siècle. Le déclin semble enrayé comme en témoignent les constructions récentes.

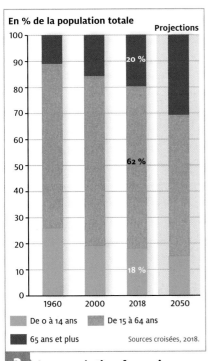

2 **La population française par groupe d'âges**

En % de la population totale

Projections

100, 90, 80, 70, 60, 50, 40, 30, 20, 10, 0

20 %
62 %
18 %

1960 • 2000 • 2018 • 2050

De 0 à 14 ans
De 15 à 64 ans
65 ans et plus

Sources croisées, 2018.

3 **L'évolution de la population métropolitaine entre 1999 et 2010**

Évolution de la population par région au cours de la période, en %
+0,8 +0,3 0 -0,2 -0,5

Source : d'après Frank Tétart (dir.), *Grand Atlas de la France*, Autrement, 2018.

Analyser et confronter les documents

1. Localisez le doc 1 sur le doc 3 : quelle est l'évolution démographique de la région de Sévérac-d'Aveyron ?

2. Analysez la situation démographique de la France : quelle évolution est prévue d'ici 2050 ? Doc 2

3. Réalisez un schéma simplifié du doc 3 sur le modèle du Repère en individualisant deux grands types de régions.

DOSSIER

La Réunion : quelles caractéristiques démographiques et sociales ?

Métropole

La Réunion ●

Comme la plupart des territoires ultramarins français, La Réunion présente des caractéristiques démographiques et socio-économiques spécifiques par rapport à la métropole.
Mais des différences existent aussi au sein même de l'île.

1 ▶ **Une rue de Saint-Denis de La Réunion**
Avec 865 000 habitants, La Réunion est le plus peuplé des DROM*. Elle possède une densité de 340 habitants par km² (trois fois plus qu'en métropole). Cette densité dépasse les 1 000 habitants par km² dans de nombreuses zones littorales.

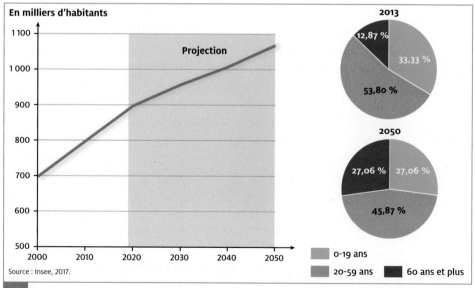

Source : Insee, 2017.

0-19 ans
20-59 ans
60 ans et plus

2 ▶ **Les prévisions démographiques à l'horizon 2050 (en milliers d'habitants)**
« Ces calculs ont été établis sur des hypothèses selon lesquelles le taux de fécondité serait de 2,4 enfants par femme, l'espérance de vie continuerait de croître, le solde migratoire avec la métropole serait déficitaire de - 1 200 personnes par an, comme aujourd'hui, et le solde migratoire vers l'étranger serait nul. » clicanoo.re, 28 novembre 2017.

ARTICLE

3 ▶ **Des spécificités par rapport à la métropole**

PIB par habitant inférieur de **43 %**

Coût de la vie supérieur de **7 %**

Taux de mortalité infantile : **6,8** pour mille (métropole : **3,5** pour mille)

Espérance de vie des femmes : **82,9 ans**, des hommes : **76,5 ans** (en métropole, femmes : **85,3**, hommes : **79,5**)

Chômage **23 %** (métropole : **9 %**)

Pourcentage de **15-24 ans** quittant le système scolaire sans aucun diplôme : **45 %** (métropole : **9,2 %**)

Sources diverses, 2018.

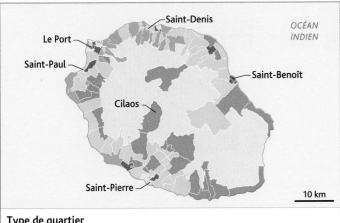

Type de quartier

- Groupe 1 : urbains qui cumulent les difficultés socio-économiques
- Groupe 2 : à dominante rurale, peu de propriétaires
- Groupe 3 : vulnérables, proches des centres-villes
- Groupe 4 : moins pauvres, éloignés des centres-villes
- Groupe 5 : les plus aisés
- Zones peu ou pas habitées

Sources : Insee, 2015, Filosofi, 2014, CAF, SDES-Deal et RPLS, 2016.

4 ▶ **Des inégalités internes (2015)**

L'INSEE découpe La Réunion en 114 « grands quartiers », regroupés ici en cinq grands types selon des critères socio-économiques.

5 ▶ **Un quartier prioritaire*:**
Sainte-Clotilde-Le Chaudron (Saint-Denis)

Ce quartier a connu de violentes émeutes urbaines dans les années 1990 et 2010. Classé quartier prioritaire, il bénéficie d'avantages fiscaux et de mesures de la part de l'État « favorisant la cohésion sociale » (éducation, insertion et sécurité), le cadre de vie et la rénovation urbaine, le développement économique et l'emploi.

Page d'accueil du site de l'Union européenne pour La Réunion

6 ▶

 SITE

DEUX PARCOURS AU CHOIX

PARCOURS GUIDÉ

1. Présentez les caractéristiques démographiques de La Réunion en les comparant à celles de la métropole. Quelles sont les évolutions prévues ? Doc 1 à 3 et doc 2 p. 147

2. Comparez les caractéristiques socio-économiques de La Réunion à celles de la métropole. Doc 3

3. Montrez la diversité socio-économique de La Réunion : quels sont les régions et les types d'espaces les plus favorisés ? les plus défavorisés ? Doc 4 et 5

4. Quelles mesures sont prises pour lutter contre les inégalités ? Par qui ? Doc 5 et 6

PARCOURS AUTONOME

Complétez le schéma fléché, puis rédigez une réponse à la problématique du dossier.

La métropole → Quelles différences ? Quelles spécificités ? ← La Réunion

- Au niveau démographique : ....
- Au niveau social : ....
- Au niveau économique : ....

Des spécificités qui touchent l'ensemble de l'île ou tel territoire ?
....

Des moyens et des acteurs pour diminuer les inégalités :
....

Quelle est la géographie des inégalités en France ?

A La France : un pays développé et très riche

• **Au 7ᵉ rang mondial pour le PIB, au coude à coude avec l'Inde et le Royaume-Uni,** la France est aussi très développée (23ᵉ place pour l'IDH*, 9ᵉ pour l'espérance de vie). C'est un des pays bénéficiant des meilleures conditions d'accès au soin au monde. Toutefois ce bilan est à relativiser : l'espérance de vie s'accroît moins vite que par le passé et que dans d'autres pays comparables ; la puissance économique est concurrencée par l'essor des pays émergents*.

• **La population active* s'élève à 28,7 millions de personnes.** Les jeunes entrent sur le marché du travail relativement tôt, à 20 ans en moyenne. Environ 77 % des actifs travaillent dans le secteur tertiaire, les secteurs primaire et secondaire n'occupant plus qu'une place réduite.

B Des inégalités sociales fortes

• **Le chômage touche de 9 à 11 % des actifs** pour la période 2008-2018 (plus de 5,5 millions de sans-emplois). Il affecte surtout les femmes, les jeunes et les 55-62 ans. Plus globalement, les inégalités sociales se creusent : 14,3 % des Français sont pauvres alors que 1 % des plus fortunés possèdent 17 % du patrimoine national.

• **Les inégalités jouent à tous les niveaux.** Elles sont générationnelles (le chômage des 20-29 ans est important), sociales (l'espérance de vie d'un cadre est supérieure de 6 ans à celle d'un ouvrier), de genre (les hommes gagnent en moyenne 22,8 % de plus que les femmes) ou de nationalité : le taux de chômage des non-européens est le double de celui des étrangers européens.

C Des inégalités à toutes les échelles

• **Les inégalités sont aussi géographiques.** Les Pyrénées orientales par exemple comptent deux fois plus de chômeurs que l'Isère. Les territoires marqués par la pauvreté sont de différentes natures : zones rurales isolées de montagne, outre-mer globalement marginalisé du fait de l'éloignement, certains quartiers urbains... Cette marginalisation se traduit notamment par la disparition de services de base : commerces, services publics, médecins...

• **L'espace urbain présente un concentré de ces inégalités.** La fragmentation socio-spatiale y est forte. Si les centres-villes ont longtemps été occupés par des populations modestes, le renchérissement de l'immobilier a accentué les déséquilibres sociaux (gentrification) avec un redéploiement des populations vers la banlieue et le périurbain*. Ces espaces périphériques ne sont pas pour autant homogènes et sont fragmentés entre banlieues aisées, lotissements de classe moyenne et grands ensembles paupérisés. La mixité sociale n'est pas atteinte.

> Malgré une richesse et un développement certains, la population française connaît des inégalités. Celles-ci se retrouvent à toutes les échelles, de territoires très vastes (outre-mer) à des quartiers urbains marginalisés.

REPÈRE

La fragmentation socio-spatiale dans une aire urbaine

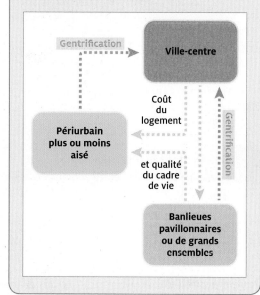

VOCABULAIRE

Banlieue Ensemble des communes entourant une ville-centre. La banlieue est marquée par une urbanisation en continu, sans rupture avec la ville-centre, au contraire de l'espace périurbain, plus éloigné.

Fragmentation socio-spatiale Organisation d'un territoire marquée par une séparation accrue des espaces selon leurs fonctions, le niveau de vie des populations, leur origine.

Gentrification Installation de populations aisées dans des lieux rénovés urbains (souvent centraux) mais aussi ruraux, à la place de populations modestes.

Mixité sociale Coexistence de personnes issues de milieux divers et de niveaux de vie différents.

Secteur (économique) La population active se divise en trois types d'activité : secteur primaire (agriculture, pêche, mines), secondaire (industrie, construction), tertiaire (services).

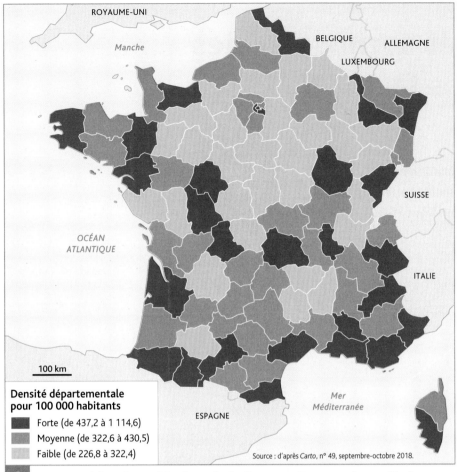

Source : d'après *Carto*, n° 49, septembre-octobre 2018.

1 **La répartition des médecins généralistes en France métropolitaine en 2018**

Densité départementale pour 100 000 habitants
- Forte (de 437,2 à 1 114,6)
- Moyenne (de 322,6 à 430,5)
- Faible (de 226,8 à 322,4)

---

2 **L'outre-mer, une marge ?**

« La France ultramarine constitue, à n'en pas douter, un espace emblématique des processus de marginalisation par la distance. Ces terres souffrent d'un éloignement certain qui est redoublé par une rupture avec l'éloignement régional. Dépendance à la métropole et mauvaise insertion régionale pénalisent ces espaces.

La marginalité spatiale se double d'une marginalisation économique, difficile à compenser. La colonisation avait mené à une nette spécialisation de l'agriculture tropicale pour fournir le marché métropolitain. Mais aujourd'hui la filière canne-sucre-rhum de la Martinique connaît de graves difficultés, la concurrence malgache menace la vanille de La Réunion...

Outre-mer, autre France : l'écart par rapport au centre métropolitain se double d'un écart par rapport aux normes territoriales françaises. La Nouvelle-Calédonie compte autant de langues que l'Europe entière, Dieu est mentionné dans l'hymne polynésien et le taux de fécondité est de 4 enfants par femme à Mayotte. »

D'après Olivier Milhaud, *La France des marges*, La documentation française, mars-avril 2017.

VIDÉO

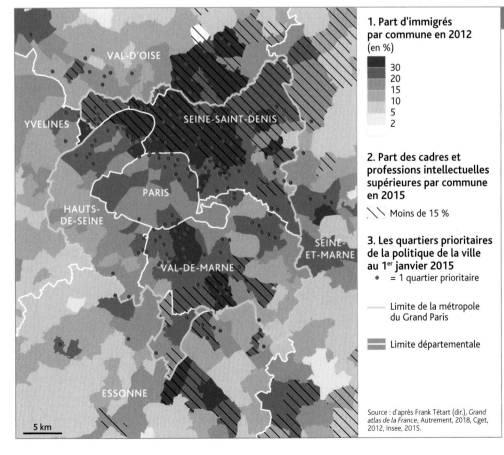

1. Part d'immigrés par commune en 2012 (en %)
- 30
- 20
- 15
- 10
- 5
- 2

2. Part des cadres et professions intellectuelles supérieures par commune en 2015
- Moins de 15 %

3. Les quartiers prioritaires de la politique de la ville au 1er janvier 2015
- • = 1 quartier prioritaire
- — Limite de la métropole du Grand Paris
- Limite départementale

Source : d'après Frank Tétart (dir.), *Grand atlas de la France*, Autrement, 2018, Cget, 2012, Insee, 2015.

3 **La répartition des populations immigrées dans l'agglomération parisienne**

■ Analyser et confronter les documents

1. Montrez que les doc 1 et 3 témoignent d'une fragmentation socio-spatiale*. Comment peut-on l'expliquer ? Repère

2. Comment expliquer la marginalisation relative des DROM ? Doc 2

3. Montrez que les inégalités existent en France à toutes les échelles. Repère et doc 1 à 3

Quelles inégalités socio-spatiales pour les 15-24 ans face aux études et à l'emploi ?

En 2018, la France métropolitaine compte 7,9 millions de jeunes de 15 à 24 ans, soit 11,7% de la population. Loin de constituer une catégorie homogène, ils présentent de fortes différences dans leur répartition géographique mais aussi en termes de diplômes et d'accès au marché du travail.

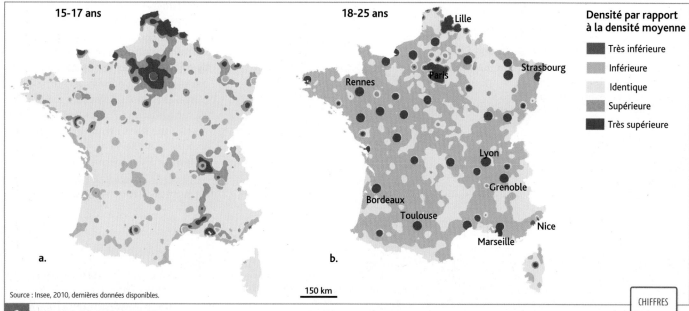

15-17 ans

18-25 ans

Lille
Strasbourg
Rennes
Paris
Lyon
Grenoble
Bordeaux
Toulouse
Nice
Marseille

Densité par rapport à la densité moyenne
- Très inférieure
- Inférieure
- Identique
- Supérieure
- Très supérieure

a.

b.

150 km

Source : Insee, 2010, dernières données disponibles.

CHIFFRES

1 Où habitent les 15-24 ans par rapport au reste de la population ?

2 Des jeunes plus urbains

« La répartition [...] des jeunes âgés de 18 à 24 ans est différente de celle de la population totale et elle varie d'une classe d'âge à l'autre. Les territoires urbains, dotés de pôles universitaires et bien équipés en infrastructures, demeurent des territoires attractifs pour l'ensemble des jeunes, étudiants ou actifs. [...] Rapportés à la population des régions françaises, les 18-24 ans sont plus présents [...] en Île-de-France (9,4 %) et dans le Nord - Pas-de-Calais (9,2%). L'échelle régionale masque une tendance plus générale de la localisation des jeunes, majoritairement présents dans les territoires densément urbanisés, à proximité des capitales régionales et dans les grandes aires urbaines [...]. La répartition géographique des moins de 17 ans est identique à celle de l'ensemble de la population, les jeunes vivant alors le plus souvent chez leurs parents. [...] C'est principalement entre 18 et 24 ans que [...] la période des études et d'entrée dans la vie active ainsi que l'installation en couple et la constitution d'une famille rendent les jeunes mobiles. [...] Les jeunes adultes sont attirés par les régions urbaines bien équipées en infrastructures universitaires et disposant d'un marché du travail étendu et varié. »

Observatoire-des-territoires.gouv.fr, 1er juin 2015.

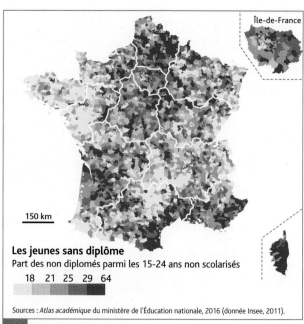

Île-de-France

150 km

Les jeunes sans diplôme
Part des non diplômés parmi les 15-24 ans non scolarisés
18 21 25 29 64

Sources : *Atlas académique* du ministère de l'Éducation nationale, 2016 (donnée Insee, 2011).

3 La part des non diplômés chez les jeunes de 15 à 24 ans non scolarisés

CARTES

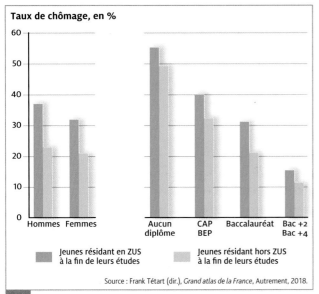

Taux de chômage, en %

Source : Frank Tétart (dir.), *Grand atlas de la France*, Autrement, 2018.

4 **Le taux de chômage des jeunes (2013)**

Une ZUS, zone urbaine sensible, est un quartier à aider dans le cadre d'une politique de la ville. En 2015, les ZUS ont été remplacées par les quartiers prioritaires*.

Jeunes résidant en ZUS à la fin de leurs études
Jeunes résidant hors ZUS à la fin de leurs études

5 **Le campus universitaire de Grenoble**

Le nombre d'étudiants en France est passé d'un million en 1985 à 2 680 000 en 2018. Ceci a nécessité la création de nombreuses facultés, de logements étudiants. Pour autant la démocratisation de l'enseignement supérieur n'est pas totale, les enfants d'ouvriers étant par exemple sous-représentés.

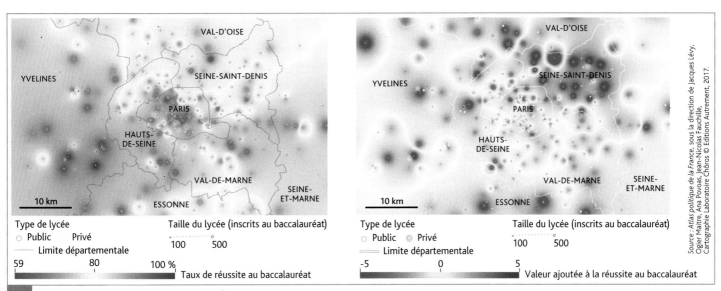

Type de lycée
○ Public ○ Privé
Limite départementale
Taille du lycée (inscrits au baccalauréat) 100 500
59 80 100 % Taux de réussite au baccalauréat

Type de lycée
○ Public ◉ Privé
Limite départementale
Taille du lycée (inscrits au baccalauréat) 100 500
-5 0 5 Valeur ajoutée à la réussite au baccalauréat

Source : *Atlas politique de la France*, sous la direction de Jacques Lévy, Ogier Maître, Ana Povoas, Jean-Nicolas Fauchille, Cartographie Laboratoire Chôros © Éditions Autrement, 2017.

6 **La réussite au baccalauréat en Île-de-France**

La « valeur ajoutée » est la différence entre le taux de réussite au Bac et les résultats attendus par rapport aux caractéristiques socio-démographiques des élèves.

DEUX PARCOURS AU CHOIX

PARCOURS GUIDÉ

1. Dans quelles régions et types d'espaces, les 15-17 ans sont-ils surreprésentés ? et sous-représentés ? D'après vos connaissances, expliquez pourquoi. Doc 1a

2. Comparez les deux cartes des doc 1a et b. Comment s'expliquent les différences observées ? Doc 2 et 5

3. Analysez les inégalités sociales mais aussi spatiales face à l'emploi. Doc 3 et 4

4. Comparez les deux cartes du doc 6 et dressez un bilan nuancé des résultats obtenus selon les secteurs géographiques de l'Île-de-France.

5. Montrez que l'accès à l'université – et plus largement aux études supérieures – s'est démocratisé mais que cela reste insuffisant. Doc 3, 5 et 6

PARCOURS AUTONOME

Répondez à la problématique du dossier sous forme rédigée en suivant le plan ci-dessous :

1. La localisation des 18-24 ans est en partie guidée par les études

2. Mais tous les jeunes n'ont pas le même accès aux diplômes ni à l'emploi

3. ...malgré des progrès

Quels acteurs luttent contre les inégalités sociales et territoriales ?

A Le rôle de l'État et des acteurs locaux

• **Le rôle de l'État en matière socio-économique mais aussi territorial est déterminant** en France, pays centralisé. Cependant, les compétences des collectivités territoriales ont été accrues par les lois de décentralisation de 1981-1982, de 2003 et par la réforme territoriale de 2014. État, régions, intercommunalités... concourent ainsi aux côtés d'acteurs privés à différentes actions, notamment en matière d'aménagement des territoires.

• **Favoriser l'équité territoriale et lutter contre la désertification** de certaines régions passent par diverses modalités : des subventions pour développer des activités, des mesures de continuité territoriale* pour l'outre-mer et la Corse, mais aussi de désenclavement*. Celui-ci s'effectue par la création ou l'amélioration d'infrastructures de transports (réseaux routier et autoroutier...) mais aussi par le désenclavement numérique. Il n'existe plus que 540 communes en « zone blanche » (sans aucun réseau) en 2018, la Guyane constituant un cas à part (réseau 4G sur 3 % de son territoire seulement). Les régions, départements et communes recourent également de plus en plus souvent au marketing territorial pour promouvoir leur territoire.

• **Une politique de la ville a été mise en place par l'État dans les années 1960** puis à partir de 1992 par la création d'un ministère de la ville. Cette politique s'est traduite par des mesures de discrimination positive pour les quartiers prioritaires et par la création d'une Agence nationale de rénovation urbaine (ANRU) tentant de favoriser la mixité sociale* dans certains quartiers et de mieux les relier au reste de la ville. À leur échelle, les communes et les intercommunalités sont également actives : rénovation de friches urbaines ou de quartiers difficiles, aide sociale, mais aussi municipalités rurales luttant pour conserver leurs services publics ou leurs commerces...

B Le rôle de l'Union européenne

• **L'Union européenne mène des politiques visant à réduire les écarts de richesse** et de développement entre les régions dans le cadre d'une « politique de cohésion » mais aussi « de développement rural ». Le Fonds européen de développement régional (FEDER) soutient financièrement les États en subventionnant les « régions les moins développées », notamment les DROM*. En revanche, les territoires d'outre-mer*, non membres de l'Union européenne, ne sont pas concernés par ces aides.

• **D'autres fonds européens visent également à réduire les inégalités.** Il s'agit par exemple du Fonds de solidarité européen (FSE) qui a pour but de favoriser l'emploi (formation, apprentissage), du FEADER qui subventionne le développement rural, ou encore du projet Erasmus qui finance et organise les séjours à l'étranger des étudiants.

> De nombreux acteurs tentent de réduire les inégalités sociales et territoriales, en agissant en complémentarité dans le cadre de l'aménagement des territoires.

REPÈRE

Les acteurs publics de l'aménagement

Communes 34 971	Intercommunalités 1 263

Aides sociales, transports urbains, urbanisme, rénovation de quartiers, construction et entretien des écoles...

101 Départements

Action sociale, désenclavement et entretien des routes départementales, construction et entretien des collèges...

18 Régions

Réseau de TER, construction et entretien des lycées, formation professionnelle...

État

Politique de la ville, Agence nationale de rénovation urbaine, grands projets d'investissements...

Union européenne

Réduction des inégalités entre les territoires (FEDER), aides à l'emploi (FSE), aux zones rurales, aux étudiants...

Au 1er janvier 2019.

VOCABULAIRE

Équité territoriale Principe de base de l'aménagement des territoires qui vise à corriger les situations d'« injustice spatiale ». Il s'applique à toutes les échelles.

FEDER (Fonds européen de développement régional) Principal fonds structurel de l'Union européenne, visant à réduire les écarts de développement entre les régions (réalisation d'infrastructures, soutien aux entreprises).

Intercommunalité Regroupement de communes (communauté de communes, communauté d'agglomération, etc.).

Marketing territorial Mise en œuvre d'une communication pour valoriser un territoire.

Politique de la ville Politique mise en place par les pouvoirs publics pour tenter de réduire la fragmentation socio-spatiale en ville.

Quartier prioritaire Quartier reconnu comme devant bénéficier d'avantages fiscaux et de mesures « favorisant la cohésion sociale » (éducation, insertion et sécurité), le cadre de vie et la rénovation urbaine, le développement économique et l'emploi.

1 La rénovation du quartier Saint-Mauront à Marseille (2009-2020?)

Le financement du projet
ANRU : 14,7 M€
Ville de Marseille : 8,7 M€
Métropole : 3 M€
Conseil départemental : 4,6 M€
Conseil régional : 4,1 M€ (...)
Autres : 46,1 M€ dont
25,9 promoteurs privés

Les buts du projet
- L'insertion de Saint-Mauront dans la dynamique du Grand Centre-Ville.
- Des conditions d'habitat améliorées et l'accueil de nouvelles populations grâce aux opérations de constructions neuves d'habitat social, locatif libre et d'accession, notamment sociale.
- De nombreux équipements réhabilités ou construits pour améliorer les services aux habitants.
- Des voies nouvelles pour faciliter l'accessibilité du quartier (...).

SITE

Projet de Rénovation Urbaine de Saint-Mauront

Opérations avec l'ANRU
réhabilitation de logements
réalisation d'équipements
réalisation de logements
requalification espaces publics
voie créée ou rénovée
Opérations hors ANRU
- logements
- équipements
- activités
secteur à l'étude

opérations livrées

Opérations livrées

Source : D'après marseille-renovation-urbaine.fr

---

2 Affiche de promotion du Morbihan (Bretagne) réalisée suite à l'arrivée du TGV

GALERIE PHOTOS

MORBIHAN
BAIE DE QUIBERON

TGV PARIS MORBIHAN
2H30
DÈS JUILLET

morbihan.com
#miamorbihan

MORBIHAN
L'ESPRIT SUD DE LA BRETAGNE

Analyser et confronter les documents

1. Quels sont les buts et qui sont les acteurs de la rénovation du quartier Saint-Mauront ? Doc 1

2. Classez les principales réalisations en fonction de leur objectif (économique, social ou culturel). Doc 1

3. Quels sont les objectifs du doc 2 ? Quels sont ses arguments ?

Réduire les inégalités hommes/femmes dans les espaces publics

Les espaces publics urbains sont ouverts à tous, mais ils ne sont pas fréquentés de la même manière par les hommes et les femmes. Ces différences, qui jouent souvent en défaveur des femmes, concernent particulièrement certains types de lieux et les mobilités.

VOTRE MISSION

Un débat sur le thème « La ville faite par et pour les hommes ? » est organisé par la mairie de votre commune qui cherche à rendre plus accessibles les espaces publics aux femmes. Vous êtes chargé(e) de lancer le débat en faisant prendre conscience des inégalités existantes puis en donnant des exemples de solutions mises en œuvre en France et ailleurs dans le monde.

1 La ville durable profiterait surtout aux hommes jeunes et en bonne santé

« Les inégalités de genre pourraient être encore aggravées par l'émergence de la ville dite « durable et intelligente », redoute le géographe Yves Raibaud. « Le sentiment d'insécurité [dans la rue] est totalement asymétrique : la nuit, on constate une baisse de fréquentation des rues piétonnières de 25 à 50 % pour les femmes, qui adoptent des stratégies d'évitement. [...] Dans les 6 000 foyers que nous avons interrogés [à Bordeaux], les femmes font 75 % des accompagnements d'enfants et de personnes âgées ou malades. Cela induit une utilisation de la ville différente et, paradoxalement, une emprise spatiale plus réduite. Les femmes ont des modalités de transport multiples, elles sont moins souvent seules, elles utilisent les transports en commun plutôt que la marche ou le vélo, ou elles privilégient la voiture. [...] Par ailleurs, la voiture représente pour les femmes une protection la nuit. »

Propos d'Yves Raibaud recueillis par Claire Legros, « L'aménagement des villes construit l'inégalité », *Le Monde*, 18 février 2018.

2 Une question étudiée par les géographes

Couverture du livre du géographe Yves Raibaud : *La ville faite par et pour les hommes : dans l'espace urbain, une mixité en trompe-l'œil,* paru chez Belin en 2015. Présentation du livre en vidéo.

 VIDÉO

3 DES INÉGALITÉS QUI COMMENCENT DÈS LA COUR DE L'ÉCOLE

« Dans beaucoup d'établissements, les garçons s'approprient jusqu'à 80 % de l'espace pour jouer au foot à chaque récréation, observe Édith Maruéjouls, géographe à Bordeaux. Cette pratique est légitimée par les adultes. Elle inscrit ainsi dans la tête de ceux qui ne jouent pas et sont relégués en périphérie, surtout dans celles des filles, qu'il existe des lieux interdits qu'il faut apprendre à éviter. »

Isabelle Verbaere, « Quand l'espace public est conçu par des hommes et pour les hommes », *La gazette des communes*, 9 janvier 2019.

ARTICLE

VIDÉO

4 Des inégalités liées aux équipements sportifs et de loisirs : un skatepark à Bordeaux

En France, la plupart des équipements sportifs d'accès libre mis en place par les municipalités sont presque exclusivement « destinés » à des garçons (skateparks, city stades...), même s'ils sont en principe ouverts à tous. Il en est de même pour le financement des grands équipements sportifs comme les stades.

5 Des « solutions » extrêmes

Une voiture de métro réservée aux femmes à Kyoto (Japon)

Des voitures de métro réservées aux femmes (en continu ou aux heures de pointe) existent dans une vingtaine de métropoles : au Japon (Tokyo, Nagoya, Kyoto...) et dans d'autres villes d'Asie (Delhi, Mumbai, Kolkata en Inde ; Taïpeï, Séoul, Dubaï, Téhéran...), mais aussi au Caire, à Mexico, Brasilia et Rio. Ces dispositions qui visent à sécuriser les déplacements des femmes sont controversées : elles peuvent être considérées comme une ségrégation et elles ne règlent pas le problème du harcèlement.

6 Des mesures concrètes à l'étranger

« Certaines villes britanniques ont mis l'accent sur la sécurité des femmes en installant des boutons d'urgence dans les transports en commun. D'autres, comme Vienne ou Montréal, ont réduit les violences en privilégiant le sentiment de confort ou en améliorant l'éclairage, par exemple. En Suède, certaines municipalités ont réfléchi à un déneigement plus égalitaire : les services urbains s'occupent d'abord des trottoirs, qui sont plus souvent fréquentés par les femmes et les enfants, avant de déneiger la route, qui est majoritairement occupée par des hommes en voiture. »

Propos d'Yves Raibaud recueillis par Claire Legros, « L'aménagement des villes construit l'inégalité », *Le Monde*, 18 février 2018.

ARTICLE

7 Les marches exploratoires de femmes[1]

« Les marches exploratoires sont des diagnostics de terrain menés par un groupe de femmes dans leur quartier d'habitation. [...] Les objectifs des marches sont les suivants :
– Favoriser la réappropriation de l'espace public par les femmes.
– Permettre aux habitant·e·s d'identifier les éléments qui sont à la source de leur sentiment d'insécurité : inégalités entre les femmes et les hommes, pratiques sociales d'occupation ou d'usage des espaces, aménagement du territoire et du cadre de vie.
– Développer la participation directe des femmes à la vie citoyenne de la ville et aux processus décisionnels locaux.
– Sensibiliser les décideurs et la population aux questions qui concernent l'égalité entre les femmes et les hommes dans la ville. »

D'après le *Guide référentiel, genre & espace public*, Mairie de Paris, octobre 2016.

[1] Une pratique venue du Canada et qui se développe en France depuis 2014.

FEMMES, comment VIVEZ-vous la ville ?

MARCHE EXPLORATOIRE | 6 AVRIL | CINEY

BLOG

Des pistes de réflexion

• Quelles différences constate-t-on, entre les hommes et les femmes, dans la fréquentation des espaces publics urbains ? Comment les expliquer ? Doc 1, 2, 3 et 4

• Quels types de politiques et d'aménagements urbains peut-on envisager pour que la ville soit aussi « faite par et pour les femmes » ? Doc 4, 5, 6 et 7

Pour trouver des arguments complémentaires :

➜ Numéro de *Géocarrefour*, n° 91/1, 2017 : *Genre et politique urbaine. Regards sur les inégalités hommes-femmes en ville.*

➜ Sur Internet, en entrant par exemple le nom de géographes travaillant sur ce thème : Édith Maruéjouls, Yves Raibaud... ou avec les mots clés ville / femme / genre...

➜ Le *Guide référentiel, genre & espace public*, édité par la Mairie de Paris en octobre 2016 et qui soulève les questions à se poser et les indicateurs pertinents pour construire un environnement urbain égalitaire.

SITO GRAPHIE

La France : dynamiques démographiques, inégalités socio-économiques

A Une population vieillissante essentiellement urbaine et périurbaine

• Avec près de 68 millions d'habitants en métropole et outre-mer*, la France se situe au 2e rang européen. Mais son dynamisme démographique diminue : la baisse de la fécondité et la hausse de l'espérance de vie entraînent un **vieillissement**, aux conséquences socio-économiques diverses.

• Les zones de forte densité (littoraux, vallées…) contrastent avec des zones « vides » (montagnes, forêt de Guyane…). Mais cette distinction s'atténue du fait de la périurbanisation* autour des **aires urbaines** où vivent 95 % des habitants et du regain de certains espaces ruraux.

B Des inégalités socio-économiques à différentes échelles

• La France est un pays riche (7e PIB mondial) et très développé. La population active* est tertiarisée. Mais le chômage touche environ 10 % des actifs, avec une intensité plus ou moins forte selon l'âge, le sexe, le niveau de qualification mais aussi les régions.

• Les territoires les plus marqués par la pauvreté sont les régions de montagne, les zones rurales et l'outre-mer. Ces **inégalités spatiales** se retrouvent à toutes les échelles. Les espaces urbains connaissent une **fragmentation socio-spatiale** entre banlieues défavorisées ou non, le périurbain et les zones centrales. La mixité sociale* est faible.

C Différents acteurs concourent à réduire les inégalités

• L'État et les collectivités locales tentent de réduire ces inégalités par l'aménagement des territoires, afin d'atteindre plus d'**équité territoriale**. Les moyens d'action varient en fonction de l'espace concerné : rénovation urbaine, désenclavement, subventions…

• L'Union européenne participe aussi à la lutte contre les inégalités sociales par le FSE et contre les inégalités territoriales par le FEDER*, notamment outre-mer.

NOTIONS-CLÉS

• **Aire urbaine** Zone dépendant d'un pôle urbain et d'une couronne dont 40 % de la population au moins travaille dans le pôle ou dans les autres communes de la couronne.

• **Équité territoriale** Action ayant pour but de corriger les injustices spatiales.

• **Fragmentation socio-spatiale** Organisation d'un territoire marqué par une séparation accrue des espaces selon leurs fonctions, le niveau de vie des populations, leur origine…

• **Vieillissement** Accroissement de l'âge moyen de la population.

NE PAS CONFONDRE

• **Inégalités socio-économiques / inégalités spatiales** Les inégalités sociales découlent souvent d'inégalités économiques (niveau de vie, chômage…) et sont donc liées (**inégalités socio-économiques**). La notion d'**inégalités spatiales** met en avant la répartition des différentes catégories sociales sur un territoire.

RETENIR AUTREMENT

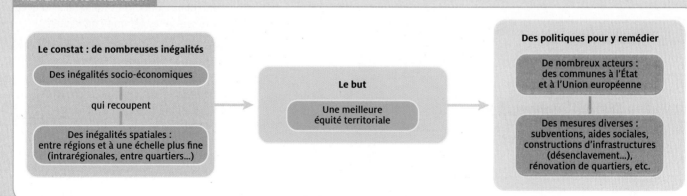

Le constat : de nombreuses inégalités

Des inégalités socio-économiques

qui recoupent

Des inégalités spatiales : entre régions et à une échelle plus fine (intrarégionales, entre quartiers…)

Le but

Une meilleure équité territoriale

Des politiques pour y remédier

De nombreux acteurs : des communes à l'État et à l'Union européenne

Des mesures diverses : subventions, aides sociales, constructions d'infrastructures (désenclavement…), rénovation de quartiers, etc.

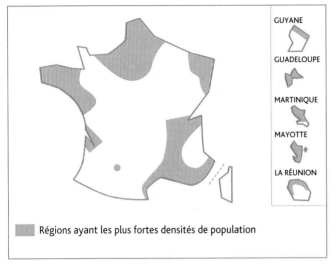

1. **La répartition de la population**

GUYANE
GUADELOUPE
MARTINIQUE
MAYOTTE
LA RÉUNION

Régions ayant les plus fortes densités de population

2. **Une France très urbanisée**

Lille
Paris
Rennes
Nantes
Strasbourg
Lyon
Bordeaux
Nice
Marseille
Toulouse

GUYANE
GUADELOUPE
MARTINIQUE
MAYOTTE
LA RÉUNION

La France des grandes aires urbaines

La France des « communes isolées hors de l'influence des pôles urbains »

Les grandes aires urbaines

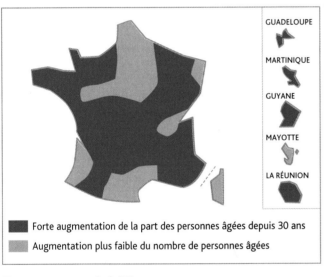

3. **Une France qui vieillit**

GUADELOUPE
MARTINIQUE
GUYANE
MAYOTTE
LA RÉUNION

Forte augmentation de la part des personnes âgées depuis 30 ans

Augmentation plus faible du nombre de personnes âgées

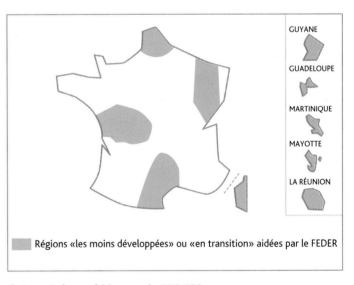

4. **Les régions aidées par le FEDER***

GUYANE
GUADELOUPE
MARTINIQUE
MAYOTTE
LA RÉUNION

Régions «les moins développées» ou «en transition» aidées par le FEDER

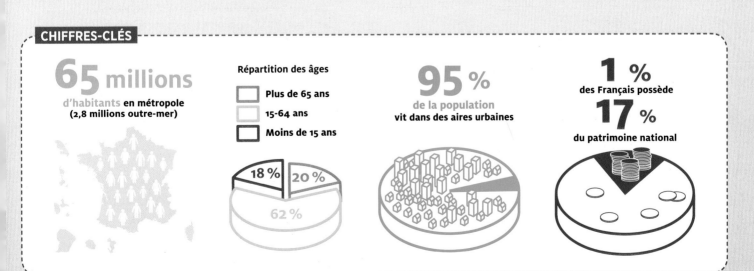

65 millions
d'habitants **en métropole**
(2,8 millions outre-mer)

Répartition des âges

☐ Plus de 65 ans
☐ 15-64 ans
☐ Moins de 15 ans

18 % 20 %
62 %

95 %
de la population
vit dans des aires urbaines

1 %
des Français possède
17 %
du patrimoine national

1 │ Je maîtrise les idées du cours

Les affirmations suivantes sont-elles vraies ou fausses ?

	Vrai	Faux
1. La population française est désormais en baisse.		
2. Les DROM ont une population plus jeune que la métropole.		
3. En France, la fécondité est de 2,1 enfants par femme en âge de procréer.		
4. Le vieillissement de la population s'explique en partie par la baisse de la natalité.		
5. Les aires urbaines regroupent désormais 70 % de la population française.		
6. Le secteur tertiaire concerne l'immense majorité de la population active.		
7. Un des objectifs de l'Union européenne est une meilleure équité territoriale.		
8. Les inégalités sociales sont souvent aussi des inégalités spatiales.		
9. La fragmentation socio-spatiale existe à l'intérieur même des aires urbaines.		
10. Il y a une mixité sociale quand il y a autant d'hommes que de femmes sur un territoire.		

2 │ Je maîtrise les notions

À quelle définition correspond chacune des notions suivantes ?

a. Équité territoriale

b. Fragmentation socio-spatiale

c. Mixité sociale

1. Coexistence de personnes issues de milieux divers et de niveaux de vie différents.

2. Organisation d'un territoire marquée par une séparation accrue des espaces selon leurs fonctions, le niveau de vie des populations, leur origine.

3. Principe de base de l'aménagement des territoires qui vise à corriger les situations d'« injustice spatiale ». Il s'applique à toutes les échelles.

3 │ Je maîtrise les chiffres-clés

Quels sont les chiffres exacts ?

a. 1 % des Français possèdent   1 %   17 %   50 %   du patrimoine national.

b. La population active représente   2,5 %   28 %   42 %   de la population française.

c. La France est au   3e 7e 10e rang mondial pour le PIB en 2018.

d. Environ   75 %   85 %   95 %   de la population française vit dans une aire urbaine.

4 Je reconnais les différents espaces d'une aire urbaine française

À quels numéros du bloc-diagramme correspondent les termes ci-dessous ?

Banlieue résidentielle / Banlieue de grands ensembles / Centre-ville / Espace rural / Zone industrielle installée en banlieue / Village périurbain

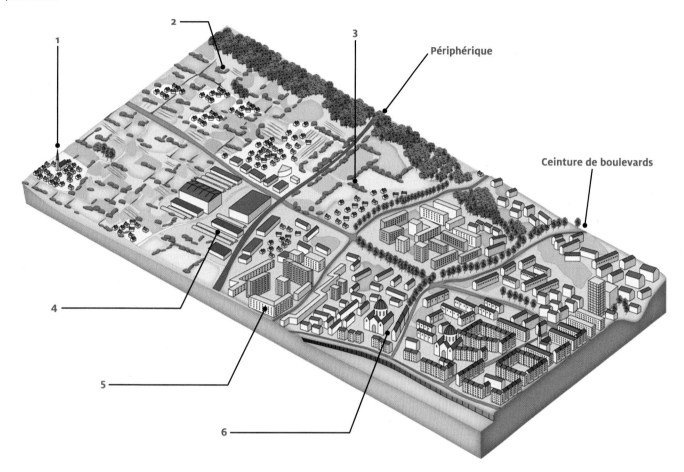

Source : d'après paysages.loire-atlantique.gouv.fr

5 J'utilise mes connaissances pour analyser un clip vidéo

Le clip vidéo « Marly-Gomont » de Kamini fut un succès en 2006. Il évoquait un village de l'Aisne, Marly-Gomont, en pleine « France du vide ».

1. Visionnez le film en écoutant bien les paroles et en analysant les images.

> VIDÉO

2. D'après vos connaissances, le clip témoigne-t-il bien des caractéristiques socio-économiques de la « France du vide » ?

3. La France : dynamiques démographiques, inégalités socio-économiques 161

OBJECTIFS MÉTHODE
– Reconnaître la nature des sites sur Internet
– Porter un regard critique sur des sources Internet

Effectuer une recherche sur Internet

SUJET **Analysez les résultats fournis par un moteur de recherche Internet pour une requête sur la politique de la ville* en France.**

Les mots-clés doivent être pertinents. Ils peuvent être affinés en cours de recherche, par exemple en ajoutant le mot «France»

.gouv.fr : cela signifie qu'il s'agit d'un site gouvernemental, donc officiel (ici, l'organisme chargé de l'aménagement des territoires)

Wikipédia : encyclopédie interactive alimentée par les internautes. Très utilisée, elle arrive souvent en premier. Il est nécessaire de recouper ses informations avec d'autres sources

Les onglets donnent accès à des images, vidéos, cartes... en lien avec la requête

Actualités : onglet qui renvoie à des sites évoquant des événements récents en lien avec le phénomène concerné

Google — politique de la ville

Tous | Actualités | Vidéos | Images | Shopping | Plus | Paramètres | Outils

Environ 519 000 000 résultats (0,43 secondes)

Politique de la ville - Ministère de la Cohésion des territoires et des ...
www.cohesion-territoires.gouv.fr/politique-de-la-ville ▾
La **politique de la ville** est une politique de cohésion urbaine et de solidarité envers les quartiers les plus défavorisés. Elle vise à restaurer (...)

Politique de la ville — Wikipédia
https://fr.wikipedia.org/wiki/Politique_de_la_ville ▾
La **politique de la ville** consiste en un ensemble d'actions de l'État français visant à revaloriser certains quartiers urbains dits « sensibles » et à réduire les ...
Présentation · Les contrats de ville · Chronologie des ... · Pour approfondir

Les 10 OBJECTIFS DE LA POLITIQUE DE LA VILLE | ONPV.fr ...
www.onpv.fr/donnees/les-10-objectifs-de-la-politique-de-la-ville ▾
7. Favoriser la pleine intégration des quartiers dans leur unité urbaine, en accentuant notamment leur accessibilité en transports en commun, leur mixité ...

Contrat de ville 2015-2020 / Politique de la ville / Politique de la ville ...
www.ddcs.paris.gouv.fr/.../Politique-de-la-ville.../Politique-de-la-ville/Contrat-de-ville... ▾
La loi du 21 févier 2014 de programmation pour la ville et la cohésion urbaine a profondément rénové le cadre d'action de la **politique de la ville**. A Paris, vingt ...

Vidéos

La politique de la ville en bref — Commissariat général à... YouTube - 10 mai 2017 — 2:39

Politique de la Ville - Catherine Moreau — Ville de Nice - Nice.fr tv — Ville de Nice - 10 janv. 2019 — 1:24

POUR TRAITER LE SUJET

1. Afin de trouver des informations sur la réduction des inégalités en ville en France, entrez « politique de la ville » dans votre moteur de recherche habituel (Google, Bing, Qwant...). Vous obtenez un écran du même type que ci-dessus.

2. Classez les sites donnés par votre moteur de recherche en fonction de leur nature et analysez l'ordre dans lequel ils apparaissent. Aidez-vous des indications fournies dans les bulles.

3. Expliquez les différences entre vos résultats et l'écran ci-dessus.

4. Quels sites privilégierez-vous pour avoir des informations générales pertinentes sur la politique de la ville ? Et pour avoir des exemples concrets ?

POINT MÉTHODE

Sélectionner des informations sur Internet

➤ Cela nécessite, comme pour toute source, de **prendre quelques précautions.**

➤ **Identifier la nature des sites** mentionnés, en regardant notamment leur adresse (site officiel, commercial, site de presse, etc.).

➤ **Ne pas se contenter du premier site indiqué** (souvent Wikipédia) mais faire des recoupements.

➤ **Penser à utiliser les onglets** pour avoir accès à l'actualité, mais aussi à des images, des vidéos... qu'il faudra également soumettre à la critique des sources.

Confronter une photographie et un texte de géographe

OBJECTIFS MÉTHODE
– Analyser l'intérêt des documents
– Chercher des informations complémentaires sur Internet

SUJET

« La place des SDF dans les espaces urbains en France »

Vous traiterez le sujet à partir de l'analyse des documents, que vous pourrez compléter avec une recherche sur Internet.

1 ▶ **Campement de SDF à Paris (2017)**

Il y aurait 141 000 SDF en France. L'immense majorité vit dans les espaces urbains et plus précisément dans les centres-villes.

2 ▶ **Les SDF et la ville : l'analyse d'une géographe.**

« La ville est d'abord un aggloméral de logements. Dans ce contexte, comment ceux qui n'en ont pas *l'habitent*-ils ? Marginaux, ils sont pourtant bien des citadins. [...] Il arrive parfois qu'un banc devienne lit, qu'un pont devienne abri et se couplent à un ensemble d'activités qui permettent de « vivre la rue » : pratiques de vente, mendicité, mais aussi moments de convivialités sont autant de <u>pratiques qui floutent les frontières entre espaces publics et espaces domestiques.</u>

La ville est alors dé-rangée et les réactions sont nombreuses, qu'il s'agisse d'actions publiques – visant à les aider à regagner la norme du logement fixe ou à les chasser d'espaces où ils sont considérés comme indésirables – ou individuelles – oscillant entre différents degrés de tolérance, du rejet à l'évitement, en passant par le développement de solidarités. »

Marine Duc, « Compte rendu : Djemila Zeneidi, *Les SDF et la ville* (2002) », *Altérités*, 12 décembre 2017.

POUR TRAITER LE SUJET

1. Analysez les contrastes visibles sur le doc 1 et expliquez la localisation précise du campement.

2. Quels passages du doc 2 correspondent bien à la photographie ? Expliquez notamment la phrase soulignée.

3. Quelles idées supplémentaires apporte le doc 2 par rapport à la photographie ?

4. Rédigez une réponse au sujet à partir des documents et, éventuellement, d'une recherche Internet sur la géographie des SDF en France. Aidez-vous de la page ci-contre (mots-clés possibles « SDF et la ville France » / « géographie des SDF » / « sans-abri »…).

POINT MÉTHODE

Confronter un texte et une photographie

➔ Ces documents apportent des informations de **nature différente**.

➔ La **photographie** couvre un **lieu précis** et permet d'analyser un paysage, alors que le **texte** peut avoir une **portée plus générale**.

Analyser un cartogramme 2/2

SUJET

Après avoir expliqué la nature du document, décrivez les inégalités de richesse dans le monde en distinguant les PIB par État et les PIB par habitant.

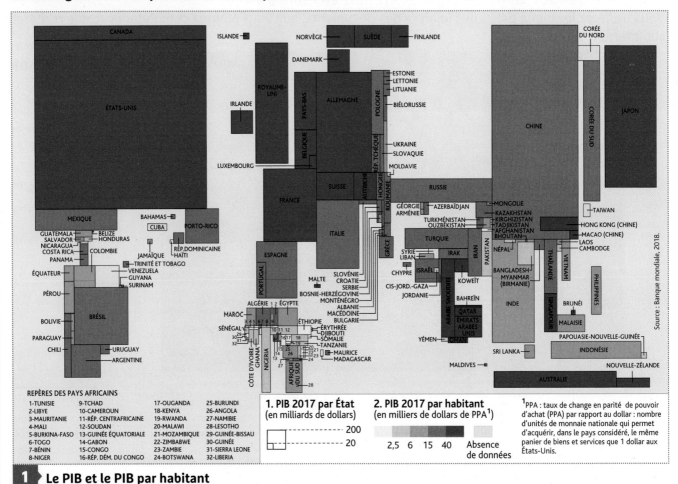

Source : Banque mondiale, 2018.

REPÈRES DES PAYS AFRICAINS

1-TUNISIE	9-TCHAD	17-OUGANDA	25-BURUNDI
2-LIBYE	10-CAMEROUN	18-KENYA	26-ANGOLA
3-MAURITANIE	11-RÉP. CENTRAFRICAINE	19-RWANDA	27-NAMIBIE
4-MALI	12-SOUDAN	20-MALAWI	28-LESOTHO
5-BURKINA-FASO	13-GUINÉE ÉQUATORIALE	21-MOZAMBIQUE	29-GUINÉE-BISSAU
6-TOGO	14-GABON	22-ZIMBABWE	30-GUINÉE
7-BÉNIN	15-CONGO	23-ZAMBIE	31-SIERRA LEONE
8-NIGER	16-RÉP. DÉM. DU CONGO	24-BOTSWANA	32-LIBERIA

1. PIB 2017 par État
(en milliards de dollars)

- - - - - - - - 200
- - - - - - - - 20

2. PIB 2017 par habitant
(en milliers de dollars de PPA[1])

2,5 6 15 40   Absence de données

[1]PPA : taux de change en parité de pouvoir d'achat (PPA) par rapport au dollar : nombre d'unités de monnaie nationale qui permet d'acquérir, dans le pays considéré, le même panier de biens et services que 1 dollar aux États-Unis.

1 ▶ **Le PIB et le PIB par habitant**

POUR TRAITER LE SUJET

1. Répondez par vrai ou par faux. Ce cartogramme…
   - respecte la superficie des pays ?
   - respecte globalement la situation des pays les uns par rapport aux autres ?
   - représente la surface des pays selon la richesse par habitant ?
   - permet de bien montrer la différence entre le Nord et le Sud ?
2. Quels intérêts et inconvénients présentent les cartogrammes ?
3. Comparez la richesse globale et le PIB par habitant des États-Unis à ceux de la Chine. Pourquoi leur PIB par habitant est-il différent ?
4. Analysez la situation de l'Afrique (richesse globale et par habitant) en la comparant à celle d'autres continents.
5. Rédigez une réponse au sujet en faisant apparaître quelques grands types de pays (pays très riches à haut niveau de vie, pays en développement à niveau de vie encore faible, situations intermédiaires).

POINT MÉTHODE

Analyser un cartogramme

C'est comparer celui-ci à une carte représentant la superficie des pays.

→ **Repérer en légende l'indicateur** selon lequel la taille des différentes figures géométriques a été définie.

→ **Observer les différences de taille des territoires représentés à leur superficie réelle,** en se référant à une carte (ici, le planisphère de la garde avant du manuel).

→ **Il existe deux types de cartogrammes:** certains sont faits par carroyage et donnent des figures simples (carrés, rectangles), comme ici ; d'autres déforment les contours des territoires pour qu'ils ressemblent à leur forme (par exemple page 81).

Analyser une affiche

SUJET

« Le planning familial au Bénin (Afrique de l'Ouest) »

Vous présenterez la source et la nature du document, puis vous dégagerez les acteurs et les buts de cette campagne de planning familial. Vous penserez à vous appuyer sur une analyse précise de la composition de l'affiche.

1 ▶ Affiche de l'ONG* béninoise ABMS (Association Béninoise pour le Marketing Social et la Communication pour la Santé)

Seulement 6% des femmes béninoises utilisent un moyen de contraception.

Laafia signifie « bonheur », « santé » et « épanouissement »
USAID : agence des États-Unis pour le développement international (Organisme d'État américain)
KFW : Banque allemande de développement
Konninkrijk der Nederlanden : Royaume des Pays-Bas
UNFPA : Fonds des Nations unies pour la population
PSI : Population Services International (ONG internationale)

POUR TRAITER LE SUJET

1. Quelles sont la source et la nature du document ?
2. Localisez le pays concerné et caractérisez son niveau de développement et sa fécondité à l'aide des cartes p. 109 et p. 122.
3. Analysez la composition de l'image : quels sont les éléments visuels (photographie, logo…) mis en avant pour promouvoir cette campagne de planning familial ? En quoi les éléments écrits renforcent-ils cette idée ?
4. Qui sont les acteurs de cette campagne ? Classez-les en fonction de leur nationalité, de leur nature : acteurs locaux, nationaux, internationaux, supranationaux.
5. À l'aide de ce qui précède et du cours p. 112, rédigez une réponse au sujet en utilisant des termes précis : acteurs, aide internationale, contraception, fécondité, PMA, transition démographique…

POINT MÉTHODE

Analyser une affiche

C'est **décrypter les arguments** mis en avant pour promouvoir une idée, une politique, un produit… :

→ **Se demander qui en est à l'origine** (un organisme d'État, une ONG, une entreprise…), quel est son sujet, à qui elle s'adresse.

→ **Dégager les arguments** mis en avant et montrer comment ils sont mis en valeur (choix des mots, des images, des couleurs…).

→ **Expliquer ces arguments** à l'aide de ses connaissances.

Organiser des informations d'un dossier documentaire en vue d'un exposé oral

SUJET « La transition alimentaire, reflet d'un inégal développement »

À l'aide d'informations extraites de documents, vous devez organiser une réponse au sujet, que vous exposerez à l'oral. Vous pouvez chercher d'autres informations sur Internet et réaliser ce travail à plusieurs.

POUR TRAITER LE SUJET

1. Lisez le sujet et le doc 1. Puis, pour vous assurer d'avoir compris la notion de « transition alimentaire », faites correspondre chacun des numéros à un des termes proposés en schéma.

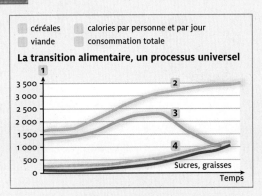

La transition alimentaire, un processus universel

2. Choisissez la problématique qui guidera votre exposé :

– Existe-t-il un rapport entre transition alimentaire et niveau de développement ?

– Pourquoi les habitants des pays développés sont-ils mieux nourris que ceux des pays en développement ?

– Quels rapports peut-on établir entre transition alimentaire et niveau de développement ?

3. Complétez le plan ci-dessous, en y insérant des idées et informations tirées des doc 1 à 4 et du point méthode. Ceci servira de support à votre exposé. Vous ne devez donc pas tout rédiger, mais il faut organiser vos notes de façon à pouvoir les utiliser facilement.

4. Si vous avez travaillé à plusieurs, répartissez ce que chacun va dire. Entraînez-vous avant de passer à l'oral (p. 172), afin d'arriver à vous détacher de vos notes, sans pour autant oublier des idées ! Vous pouvez aussi préparer un diaporama pour appuyer votre démonstration.

1 Qu'est-ce que la transition alimentaire ?

« Dans les pays développés, les régimes alimentaires traditionnels, principalement basés sur la consommation de céréales, de tubercules et de légumes [...] ont muté au fur et à mesure de l'augmentation des revenus vers un modèle d'alimentation [...] riche en graisses saturées, en sucre et en aliments raffinés mais pauvres en fibres [...]. Dans un premier temps, la transition alimentaire a des effets bénéfiques sur la santé car la nourriture est plus variée [...] mais rapidement elle entraîne la suralimentation, c'est-à-dire l'excès calorique avec trop de graisses et de sucres.

Les pays en voie de développement n'échappent pas à ces tendances et cumulent les situations de surconsommation et de sous-consommation. [...] En Chine, par exemple, il y a 121 millions de personnes sous-alimentées mais aussi [...] 90 millions d'obèses. [...] Cette évolution a tendance à s'uniformiser au niveau planétaire en lien avec les modes de vie (urbanisation, travail féminin, essor de la grande distribution...). »

« La transition alimentaire est-elle inéluctable ? », fondation-pileje.com, d'après l'intervention de Martine Padilla aux 15e Ateliers de Nutrition, Institut Louis Pasteur de Lille, 8 décembre 2016.

UN PLAN POSSIBLE

1. Les causes de la transition alimentaire

  1.1– Une richesse accrue des populations
  1.2– Une transformation des modes de vie (urbanisation...)
  1.3– Une uniformisation et une mondialisation des goûts

2. Des pays inégalement touchés en fonction de leur niveau de développement

  2.1– Des pays développés ayant déjà réalisé leur transition alimentaire
  2.2– Des pays émergents* en pleine transition alimentaire
  2.3– Des pays intermédiaires et des PMA* qui débutent leur transition alimentaire

3. Les conséquences de la transition alimentaire

  3.1– Le recul de la sous-nutrition dans la plupart des pays
  3.2– Le développement de l'obésité, y compris dans les PMA*

POINT MÉTHODE

Argumenter à l'écrit comme à l'oral

C'est **démontrer les idées-clés.**

→ Utiliser ses connaissances et les informations collectées pour étayer les arguments en construisant un raisonnement.

→ Développer un ou deux exemples pour illustrer chaque argument.

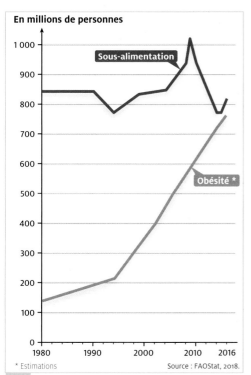

En millions de personnes

2 ▶ **Obésité et sous-nutrition dans le monde**

3 ▶ **Un fast-food KFC à Jakarta, témoin de la transition alimentaire**

Il existe désormais 14 000 restaurants KFC dans le monde. Présente sur tous les continents, cette firme contribue à une uniformisation des goûts et des pratiques alimentaires. Elle est souvent dénoncée comme un des responsables du développement de l'obésité.

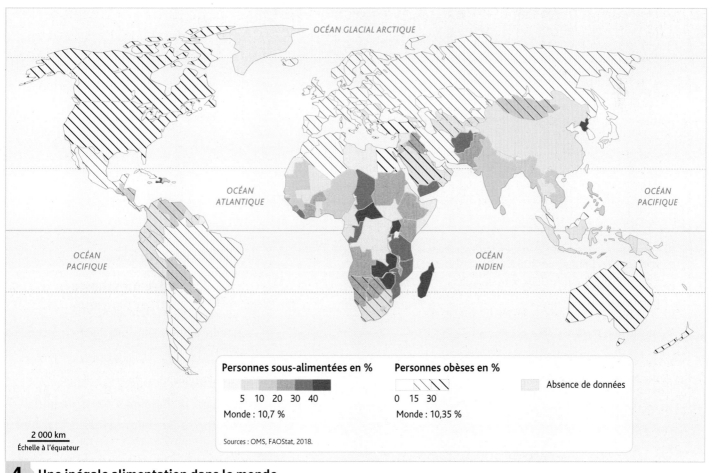

Personnes sous-alimentées en %

5   10   20   30   40

Monde : 10,7 %

Personnes obèses en %

0   15   30

Monde : 10,35 %

Absence de données

Sources : OMS, FAOStat, 2018.

2 000 km
Échelle à l'équateur

4 ▶ **Une inégale alimentation dans le monde**

Utiliser un SIG pour faire un schéma

– Manipuler un SIG (Système d'information géographique)
– Réaliser un schéma cartographique

SUJET Réalisez un schéma sur les dynamiques démographiques et les inégalités socio-économiques dans une grande ville française. Pour cela, vous utiliserez le système d'information géographique de la politique de la ville.

POUR TRAITER LE SUJET

1. Lisez le sujet : quels sont les deux types d'informations qu'il va falloir rechercher puis cartographier ?

2. Allez sur le «Système d'information géographique de la politique de la ville» disponible à l'adresse : https://sig.ville.gouv.fr/Cartographie/2501060

3. Quel élément de l'adresse du site montre qu'il s'agit d'un site officiel ?

4. Allez sur la grande ville française de votre choix (en zoomant ou en entrant son nom). Sélectionnez «cartographie dynamique», un menu déroulant apparaît alors sur la gauche («couches»).

5. Sélectionnez «carreaux» puis des informations de type démographique, comme sur le doc 1, pour Caen, la part des plus de 65 ans dans la population totale.

6. Faites de même avec les données socio-économiques, comme sur les doc 2 et 3.

7. Réalisez, comme sur l'exemple ci-dessous, un fond de schéma simplifié de la ville choisie. N'hésitez pas à zoomer et à dézoomer pour avoir une vue de détail ou d'ensemble. Pensez à utiliser les légendes (en bas de l'écran).

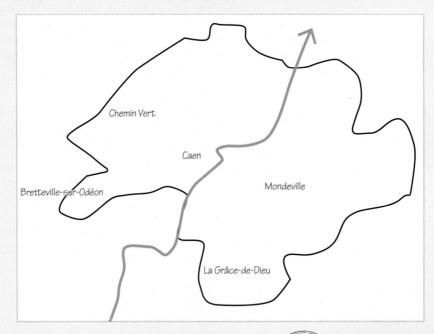

8. Complétez la légende ordonnée ci-dessous puis le schéma de la ville choisie. Donnez un titre à votre schéma.

POINT MÉTHODE

1. Des données démographiques
(mettre un titre plus signifiant en fonction des données)

Aplat de couleurs Populations âgées majoritaires

Autre aplat de couleur Population jeunes majoritaires

2. Des données socio-économiques
(mettre un titre plus signifiant en fonction des données)

Cercle au feutre Principaux quartiers prioritaires

Hachures Forte présence d'une population immigrée

Hachures d'une autre couleur Forte présence de personnes à haut niveau de diplômes

Faire un schéma cartographique

C'est représenter sous une **forme synthétique** la répartition d'un phénomène sur un fond de carte extrêmement simplifié. Il faut :

→ **Comprendre le sujet.**

→ Élaborer un **fond de schéma simplifié.**

→ **Synthétiser les informations** à représenter et faire une légende.

→ Réaliser le schéma en pensant à **mettre quelques noms et un titre.**

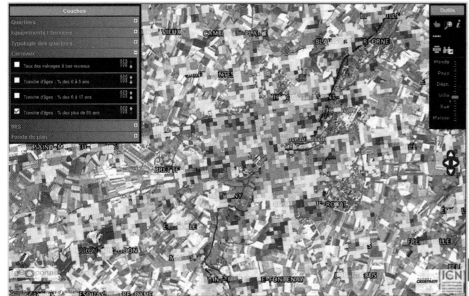

1 ▶ **La part des plus de 65 ans à Caen**

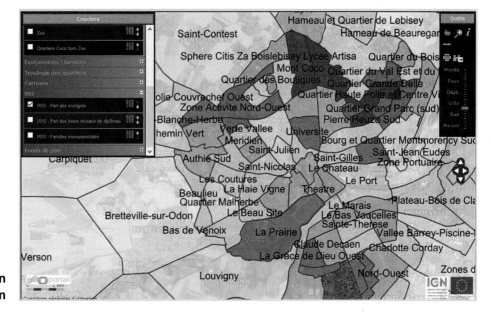

2 ▶ **La part de la population immigrée à Caen**

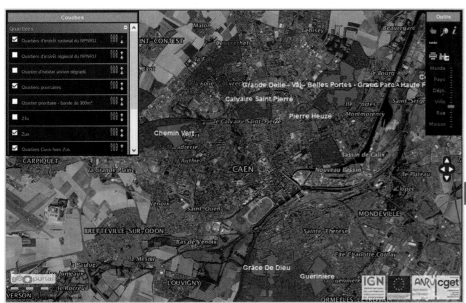

3 ▶ **Les quartiers prioritaires et les ZUS[1] à Caen**

[1] Les « ZUS », les « Quartiers Cucs hors ZUS » et les « quartiers prioritaires » sont des appellations officielles de quartiers marqués par une forte concentration de pauvreté, et bénéficiant de ce fait de mesures économiques et sociales prioritaires

OBJECTIFS MÉTHODE
– Extraire et classer les informations d'un texte
– Réaliser un croquis à partir d'un texte

Réaliser un croquis

SUJET

En vous appuyant sur le texte et vos connaissances, réalisez un croquis sur « Les dynamiques du peuplement en France métropolitaine ».
Ce croquis différenciera les espaces constamment attractifs, les espaces autrefois peu peuplés et désormais très attractifs et enfin les espaces en constant déclin démographique.

1 Les dynamiques du peuplement en France métropolitaine

«Depuis 1945, les villes jouissent d'une importance croissante. De même, les côtes de l'Atlantique et de la Méditerranée, mais aussi la région parisienne et tout l'est de la France exercent un grand attrait qui dure jusqu'à aujourd'hui.

Après 1968, la population est encore en déclin sur une petite moitié du territoire s'étendant des Ardennes aux Pyrénées, surnommée la "diagonale du vide" car la densité y est faible, tombant parfois au-dessous de 10 habitants par kilomètre carré. Jusqu'en 2000, la diagonale du vide se maintient tandis que les grandes agglomérations s'étendent. C'est l'heure de l'étalement urbain puis de la périurbanisation, cette zone éloignée du centre, mélange de ville et de campagne.

Après 2000, le peuplement change à nouveau de direction. Désormais, à l'étalement urbain s'ajoute une nette croissance des communes rurales éloignées de tout centre, alors que le cœur des grandes agglomérations se vide peu à peu. En conséquence, la diagonale du vide se réduit à quelques lambeaux dans le Cantal, la Bourgogne et la Champagne. Partout ailleurs, la population augmente : elle passe en France métropolitaine de 56,8 millions d'habitants en 1990 à 64,8 millions fin 2016.

Les causes de ce changement restent mal connues, mais semblent devoir se maintenir. Des jeunes, les néo-ruraux, retournent à la culture biologique et à l'artisanat, des retraités abandonnent la ville, des étrangers fortunés achètent des propriétés, des cadres investissent leur résidence secondaire grâce aux possibilités de travail à distance offertes par Internet. Quand les centres commerciaux quadrillent le pays, résider loin d'une ville n'empêche pas de jouir de ses aménités*. Les nouveaux ruraux vivent donc comme des urbains.»

D'après Frank Tétart, *Grand atlas de la France*, Autrement, 2018.

POUR TRAITER LE SUJET

1. Reformulez le sujet pour comprendre le but du croquis. S'agit-il :
– de comprendre quelles sont les différences de densité de population en France ?
– d'étudier les évolutions de la densité de population en France ?
– d'analyser pourquoi la diagonale du vide est peu peuplée ?

2. Lisez le texte et complétez le tableau ci-dessous sur le modèle de ce qui a déjà été fait en première ligne. Aidez-vous du point méthode 1.

Évolution du peuplement constatée dans le texte et période concernée	Nom des régions et / ou types d'espaces concernés (villes / espaces périurbains / espaces ruraux)
Attrait de certaines régions depuis 1945	Régions littorales / Est de la France / région parisienne
...	...

3. Le titre du croquis et le plan de la légende sont donnés par le sujet. Reportez-les ci-contre.

4. Détaillez la légende en classant les éléments suivants dans les différentes parties du plan.

Cœur des grandes agglomérations / Espace périurbain lié à l'étalement urbain / Régions littorales / Régions rurales autrefois en déclin mais désormais en forte croissance / Autres régions constamment attractives / Régions rurales qui continuent à se dépeupler / Agglomérations

5. Repérez sur le fond de carte comment sont représentés, pour Toulouse, le cœur de l'agglomération et ses périphéries. Expliquez le choix de ces figurés puis reportez-les au bon endroit de la légende.

6. Complétez la légende (figurés) puis réalisez le croquis. Pensez à mettre une nomenclature en respectant les règles (point méthode 2) et en vous aidant notamment de la carte p. 145 pour les noms de villes.

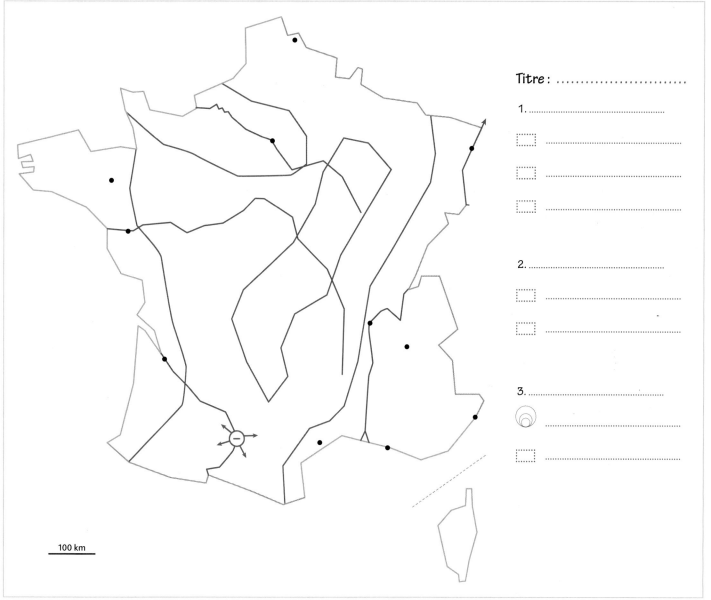

Titre : ....

1. ....

☐ ....

☐ ....

☐ ....

2. ....

☐ ....

☐ ....

3. ....

◎ ....

☐ ....

100 km

POINT
MÉTHODE
1

Réaliser un croquis à partir d'un texte

→ Lire attentivement le texte **en dégageant les idées et en sélectionnant les informations** que l'on pourra cartographier.

→ **Les organiser dans une légende** selon un plan adapté au sujet. Le plan (2 ou 3 parties) doit être apparent avec des titres, éventuellement des sous-titres.

→ **Choisir des figurés** (figurés linéaires pour des flux, figurés de surface pour des espaces) : voir le tableau des figurés sur le rabat.

→ **Réaliser le croquis lui-même** sans oublier la nomenclature, ni le titre.

POINT
MÉTHODE
2

Réaliser la nomenclature d'un croquis

→ Il faut **mettre des noms** sur le croquis pour localiser les éléments.

→ La nomenclature doit **respecter une logique**, en particulier pour **les caractères** (majuscules pour les noms de pays et des océans, minuscules pour les villes et les mers...).

→ Il est **inutile de multiplier les couleurs** : on peut tout écrire en noir, sauf éventuellement le nom des fleuves ou des mers en bleu.

→ **L'écriture à l'horizontale** est la norme, sauf dans certains cas (cours d'eau, etc.).

Présenter un exposé ORAL

1 AVANT l'exposé lui-même

→ **Anticipez la façon dont se déroulera l'exposé**

– Distribuerez-vous des documents ? *Si oui, prévoyez des photocopies.*

– Utiliserez-vous un diaporama ? *Si oui, assurez-vous de pouvoir le projeter.*

→ **Si vous présentez l'exposé à plusieurs**

– Partagez-vous les tâches à accomplir pendant l'exposé

Qui écrira au tableau ou déroulera le diaporama pendant qu'un autre élève sera en train de parler ?

– Répartissez-vous le temps de parole

Vous devez tous parler pour une durée à peu près équivalente, mais vous pouvez alterner la prise de parole plusieurs fois, ainsi l'exposé sera plus «vivant».

→ **Soignez le support écrit qui vous servira de base**

– Ne rédigez pas votre exposé, sauf quelques passages «difficiles», autrement vous risquez de lire votre texte.

– Dans vos notes, faites bien apparaître le plan, les idées principales, les mots-clés, les chiffres et les noms.

2 PENDANT l'exposé

→ **Soignez la forme de votre oral**

– Ayez une attitude adéquate : ni trop raide, ni trop «décontractée».

– Regardez votre auditoire.

– Articulez, parlez de manière posée, sans aller trop vite pour permettre la prise de notes.

– Même si c'est rassurant, ne lisez pas vos notes, au risque d'ennuyer l'auditoire.

– Utilisez un vocabulaire adéquat, bannissez les expressions familières.

– Respectez le temps imparti.

→ **Si vous présentez à plusieurs**

– Même lorsque vous ne parlez pas, ayez une attitude concentrée.

– Respectez la répartition de la parole.

Si votre camarade est en difficulté, vous pouvez intervenir pour l'aider. Mais n'accaparez pas la parole. Inversement, ne vous laissez pas couper la parole...

→ **Veillez à être compréhensible**

– Annoncez votre plan et suivez-le en évitant les digressions.

Si le plan de votre exposé est au tableau, montrez où vous en êtes précisément.

– Expliquez les termes difficiles, écrivez-les au tableau.

– Si vous vous en sentez capable, vous pouvez aussi dessiner un schéma simple.

– Si vous avez fait un diaporama, utilisez-le à bon escient (aidez-vous du point méthode).

– Insistez sur la conclusion qui répond à la problématique de votre exposé.

→ **Répondez aux questions de la classe et de votre professeur**

– L'exposé fini, vous pouvez solliciter des questions de la classe.

– Pour répondre, n'hésitez pas à regarder dans vos notes, à vous entraider, à revenir sur le diaporama...

– Si vous n'avez aucune idée de la réponse, dites-le sans vous lancer dans des explications confuses.

Exemples

Des thèmes d'exposés sur le thème 2 :

– Un exposé sur la situation démographique ou le niveau de développement d'un pays.

– Un thème à l'échelle mondiale comme celui de la transition alimentaire (p. 166).

– Un thème civique, comparable à la question des déchets électroniques (p. 134) ou des inégalités hommes/femmes dans les espaces publics urbains (p. 156).

– Une analyse de film ou de livre, sur le modèle de l'analyse du film *Seven Sisters* (p. 118).

– Un compte-rendu d'une recherche effectuée auprès d'acteurs locaux (associations, élus...) par exemple sur la question des inégalités (voir p. 90 réaliser une interview).

 POINT MÉTHODE

Faire une présentation à l'aide d'un logiciel

→ **La réalisation :**

– Commencer par une diapositive avec un **titre**, puis par le **fil directeur** et le **plan**.

– Mettre des titres qui ont du sens et les **notions**.

– **Ne pas mettre de texte long.**

– **Privilégier les visuels** : photos, cartes, graphiques.

– Faire la chasse aux **fautes d'orthographe**.

→ **Lors de l'exposé :**

– **Ne pas lire** ce qui est marqué sur la diapositive.

– **Faire défiler les diapositives** au fur à mesure de son discours.

– Prendre le temps de **les commenter**.

Les métiers liés au développement

PARCOURS INTERACTIF

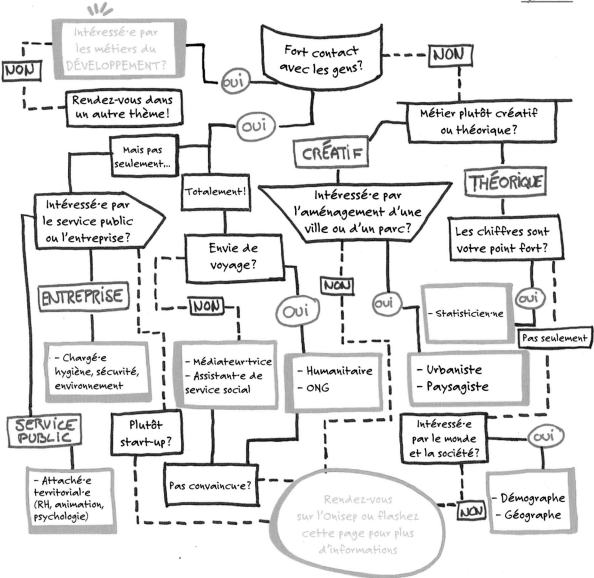

Zoom métier

VIDÉO

Travailler dans une ONG

→ Quels types d'études et de métiers permettent de travailler dans une ONG?

→ Quels sont les attraits et les difficultés de cette activité professionnelle?

Et à côté de chez moi?

→ Travailler dans le développement, ce n'est pas forcément aller «à l'autre bout du monde». Vous pouvez rencontrer des personnes travaillant à la mairie, dans des associations, des bureaux d'études… (MJC, banque alimentaire, urbaniste…).

→ Organisez l'interview d'une personne travaillant dans ce domaine… en vous posant la question de son statut et de sa formation (salariée, bénévole?). Aidez-vous de la méthode «Interview» p. 90.

→ Préparez un oral d'une dizaine de minutes pour présenter le parcours permettant d'accéder à cette activité, ainsi que les atouts et les compétences nécessaires à sa pratique. Aidez-vous de la méthode «Présenter un exposé» p. 172.

Des mobilités généralisées

www.omanair.com

3·55 M.

WINGS

Montrez que cette photographie témoigne de mobilités de types différents et d'accès inégal.

NÉPAL
Katmandou

Les mobilités internationales sont en plein essor, qu'il s'agisse de migrations* ou de mobilités* plus ponctuelles, comme celles des touristes ou des voyageurs d'affaires. Que ce soient des déplacements quotidiens ou de grande ampleur, tous témoignent d'inégalités de développement.

Études de cas

Mobilités intra-européennes p. 180
États-Unis p. 184
Bassin méditerranéen p. 176
Dubaï p. 188

Publicité pour une compagnie aérienne à Katmandou

Pourquoi la mer Méditerranée est-elle un bassin migratoire majeur?

La Méditerranée est un carrefour migratoire ancien, qui est resté majeur. Les disparités économiques et démographiques et les crises politiques font que cet espace est l'un des plus traversés du monde par des migrants* en quête d'une vie meilleure.

A Qui sont les migrants et pourquoi traversent-ils la Méditerranée?

1 **Le sauvetage de migrants par SOS Méditerranée au large de la Syrie**

L'Aquarius est un navire humanitaire, affrété par deux ONG* (SOS Méditerranée et Médecins sans frontières). De 2016 à 2018, il a porté assistance à environ 30 000 migrants naviguant sur des embarcations souvent précaires affrétées par des passeurs. Il a dû cesser ses activités pour des raisons administratives, judiciaires et politiques.

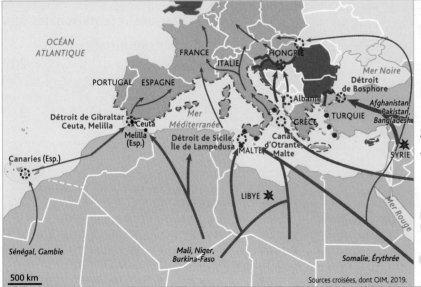

2 **L'Europe face aux migrations du Sud et de l'Est de la Méditerranée**

1. Des États inégalement concernés

- États du Sud en difficulté économique et/ou sociale
- ✳ Conflit récent
- Suisse et pays de l'UE, membres de l'espace Schengen
- Autres pays de l'UE
- ⊙ Point d'entrée principal des migrants

2. Une Europe qui se ferme

- - - - Frontières très surveillées par l'agence européenne Frontex
- • *Hotspot*[1] européen
- Mise en place de clôtures et de barrières

Principaux flux migratoires par an (entrées clandestines d'après Frontex)
- → Plus de 5 000   → Moins de 5 000
- Décès fréquents de clandestins lors des traversées

Sources croisées, dont OIM, 2019.

[1] *Hotspot* : voir page suivante

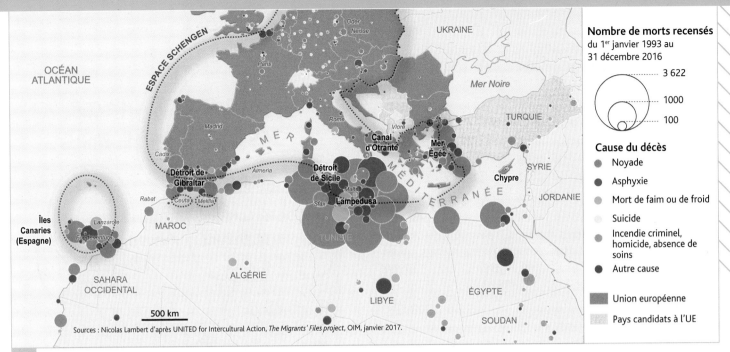

Sources : Nicolas Lambert d'après UNITED for Intercultural Action, *The Migrants' Files project*, OIM, janvier 2017.

Nombre de morts recensés du 1er janvier 1993 au 31 décembre 2016
- 3 622
- 1000
- 100

Cause du décès
- Noyade
- Asphyxie
- Mort de faim ou de froid
- Suicide
- Incendie criminel, homicide, absence de soins
- Autre cause

- Union européenne
- Pays candidats à l'UE

3 ▸ Des traversées dangereuses

4 ▸ Un système migratoire* complexe

«Facilement accessible par terre, mer et air, l'Europe attire, comme on l'a vu lors de l'afflux de réfugiés en 2015. Par ailleurs, les lignes de fracture économique, politique et sociale qui la séparent de ses voisins sont profondes. Le continent européen est très présent sur les chaînes de télévision des pays proches et dans des langues que les voisins non européens maîtrisent souvent. Enfin, de nombreux liens familiaux, tissés par la migration, lient l'Europe au reste de la planète, en particulier à l'espace euro-méditerranéen où s'est mis en place un véritable système migratoire régional, fondé sur des complémentarités diverses et des proximités liées au passé colonial. [...]
Des secteurs entiers de l'économie des pays européens sont dépendants de l'immigration. [...] De nombreux métiers y sont mal ou non pourvus. Au point que certains secteurs fonctionnent structurellement avec l'immigration irrégulière : bâtiment, restauration, nettoyage industriel et domestique, garde de personnes âgées, ramassage des fruits et légumes... »

Frank Tétart (dir.), *Grand Atlas 2019*, Autrement, 2018.

5 ▸ Plus de 3 000 migrants disparus en 2017[1]

«Samedi 6 janvier 2018, un canot avec 140 à 150 personnes à bord est parti de Garabulli, à 50 km à l'est de Tripoli (Libye), en direction des côtes italiennes. À son bord, des candidats à l'exil, originaires de Gambie, de Guinée, de Sierra Leone, du Mali, de Côte d'Ivoire, du Sénégal, du Cameroun et du Nigeria.
Au bout de huit ou neuf heures, l'embarcation a commencé à se dégonfler et à prendre l'eau. Dans la panique, beaucoup de personnes sont tombées à l'eau. Huit migrants ont péri et une cinquantaine d'autres ont disparu.
Ce scénario dramatique est désormais tristement habituel dans cette région de la Méditerranée. Sur les 5 386 migrants morts ou disparus sur leur route de l'exil en 2017 dans le monde, 3 119 l'ont été lors du passage de la Méditerranée [...] sans compter les victimes des naufrages sans témoins, qui n'ont laissé aucun survivant et donc aucun décompte. »

[1] L'agence Frontex a recensé 204 734 franchissements en 2017.

Julien Duriez, *La Croix* (la-croix.com), 10 janvier 2018.

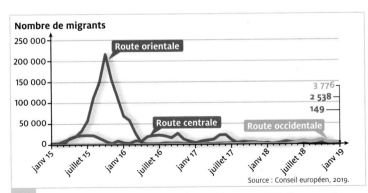

6 ▸ Les principales routes migratoires en Méditerranée

La crise de 2015 est la plus importante crise migratoire en Europe depuis 1945. Elle s'explique principalement par les guerres en Syrie, en Irak et en Afghanistan qui ont déstabilisé tout le Moyen-Orient.

▸ Analyser et confronter les documents

1. Quels sont les principaux espaces de départ, de transit* et d'arrivée des migrants passant par la Méditerranée ? Doc 2 et 5

2. Quelles raisons motivent ces migrations et comment expliquer les itinéraires empruntés ? Doc 2 et 4

3. Pourquoi ces routes migratoires sont-elles si dangereuses ? Quels types de lieux le sont particulièrement ? Doc 1, 3 et 5

4. Pourquoi parle-t-on de crise migratoire en 2015 ? Comment cela s'est-il traduit dans les routes migratoires empruntées ? Carte-repère, doc 6 ci-contre et doc 7 p. 178

SYNTHÉTISER À l'aide des questions précédentes, donnez les différentes raisons qui font de la Méditerranée un pôle migratoire majeur.

B Quelles mutations depuis la crise migratoire de 2015 ?

7 **La crise des migrants et des réfugiés en Europe**

«Cernée par les conflits, l'Europe affronte une crise migratoire iné-dite. [...] D'après le HCR, plus d'un million de personnes sont arrivées en Europe par la mer en 2015. En 2014, ils étaient 219 000 à avoir traversé la Méditerranée. [...]

L'Italie a longtemps été au centre des arrivées, du fait de la proximité de l'île de Lampedusa avec les côtes d'Afrique. Les migrants (Ery-thréens, Somaliens, Soudanais, Nigériens...) passent par la Libye où Daech contrôlerait le trafic. Mais c'est aujourd'hui la Grèce qui est devenue le "point chaud" de l'Europe, incapable de gérer les flux massifs de Syriens, d'Afghans et d'Irakiens qu'elle voit arriver par ses îles les plus à l'est et par la frontière terrestre gréco-turque, en Thrace. Elle a élevé un mur pour empêcher le franchissement de la rivière Evros qui sépare les deux États. La Hongrie aussi a construit un mur au sud du pays pour stopper les migrants passés par la Serbie et la Croatie.

L'objectif défendu par certains de "faire la guerre aux migrants", en fermant les frontières nationales, en chassant et détruisant les embarcations des passeurs et en éliminant les trafiquants du passage clandestin, manque de réalisme.»

Catherine Wihtol de Wenden (dir.), *Atlas des migrations, Un équilibre mondial à inventer*, Autrement, 2018.

8 **L'Union européenne et la politique des quotas migratoires**

Dessin de Lasserpe publié sur son blog le 18 mai 2015.

Caricature parue lors de la crise migratoire en 2015. Les dirigeants européens décident alors d'accueillir un quota de 120 000 réfugiés, répartis entre les pays membres, en fonction de leur PIB, de leur nombre d'habitants et de leur taux de chômage. En 2016, ce chiffre est revu à la baisse (98 255 personnes). Selon Amnesty International, seules 46 000 personnes auraient été accueillies.

9 **Le *hotspot* de Moria sur l'île de Lesbos, Grèce**

Depuis 2015 l'Union européenne a créé des *hotspots*, en Grèce et en Italie. Ces structures sont officiellement chargées d'identifier les nouveaux arrivants, et de séparer les demandeurs d'asile des migrants économiques. Une fois les demandes d'asile triées, le sort des migrants économiques est très incertain. Depuis la signature d'un accord avec la Turquie en 2016, pays de transit qui n'acceptait pas de recevoir les migrants refusés par l'UE, certains centres sont devenus des centres de rétention.

▶ **Analyser et confronter les documents**

1. Montrez que la politique migratoire de l'Union européenne et des autres pays européens face aux migrants est devenue plus restrictive avec la crise de 2015 : quels moyens ont été renforcés ou créés ? Doc 1, 2, 7 à 9

2. Pourquoi les États bordant la Méditerranée ne sont-ils pas les seuls concernés ? Doc 2, 7, 8

3. Montrez que ces restrictions font l'objet de critiques. Doc 1, 4 et 8

4. De façon plus générale, quels sont les différents acteurs qui interviennent dans le parcours des migrants ? Comment et avec quels objectifs ? Doc 1, 2, 7 à 9

SYNTHÉTISER À l'aide des questions précédentes, résumez l'évolution des politiques migratoires européennes depuis 2015 et ses conséquences.

Bilan

→ Complétez le schéma fléché à l'aide de l'étude de cas en indiquant ce que peut signifier chaque flèche.

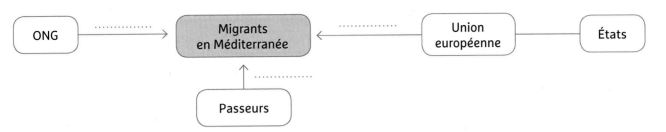

ONG ·············→ Migrants en Méditerranée ←············· Union européenne ······· États

Passeurs ·············↑

→ Complétez la légende du croquis à l'aide de l'étude de cas.

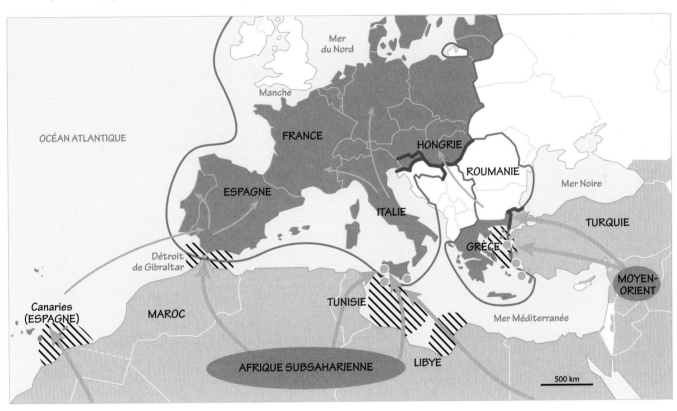

Titre : ....

Ⓐ Des foyers d'émigration

Ⓑ Des foyers d'immigration de moins en moins accessibles

Mise en perspective

→ Répondez aux questions pour replacer le cas de la Méditerranée à l'échelle mondiale.

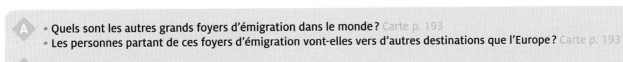

Ⓐ
- Quels sont les autres grands foyers d'émigration dans le monde ? Carte p. 193
- Les personnes partant de ces foyers d'émigration vont-elles vers d'autres destinations que l'Europe ? Carte p. 193

Ⓑ
- Quels sont les grands foyers d'immigration dans le monde ? Carte p. 193
- Quels autres pays tentent de freiner l'immigration par des murs et d'importants contrôles aux frontières ? Carte p. 200

Pourquoi des Européens vont-ils travailler et étudier dans un autre pays du continent ?

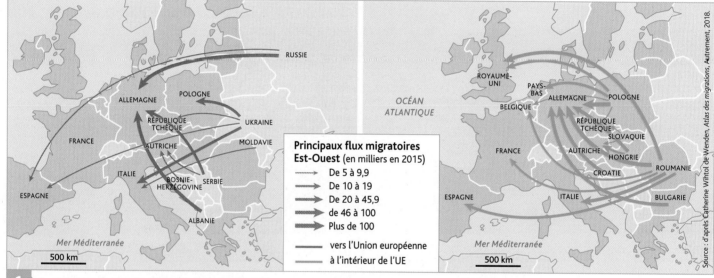

Union européenne

Depuis 1990 (fin de la guerre froide et signature de la convention Schengen*), la mobilité des Européens au sein du continent a augmenté, pour travailler ou pour étudier. En 2018, 17 millions d'Européens vivent ou travaillent dans un autre État membre que le leur. Parmi eux, 1,4 million sont des travailleurs frontaliers et 2,3 millions des travailleurs détachés.

A Pourquoi aller travailler dans un autre pays européen ?

Principaux flux migratoires Est-Ouest (en milliers en 2015)
- De 5 à 9,9
- De 10 à 19
- De 20 à 45,9
- de 46 à 100
- Plus de 100

— vers l'Union européenne
— à l'intérieur de l'UE

Source : d'après Catherine Wihtol de Wenden, *Atlas des migrations*, Autrement, 2018.

1 Les flux migratoires Est-Ouest en Europe

2 Les migrations de travail en Europe : de l'Est vers l'Ouest ?

« Aujourd'hui, le système migratoire s'est complexifié et les pays d'Europe orientale y participent en tant que pays à la fois émetteurs et récepteurs. Globalement, les flux d'émigration à destination de l'Europe occidentale l'emportent. Le flux alimenté par la Pologne est le plus important et a concerné pour l'essentiel les îles britanniques où l'on recense, début 2016, plus d'un million de Polonais. [...] Une partie de cette émigration prend aujourd'hui le chemin de l'Allemagne qui a levé en 2011 toutes les restrictions à l'accès à son marché du travail et est, en 2016, le premier pays d'accueil d'immigrés intracommunautaires (3,5 millions). En parallèle, certains de ces pays deviennent aussi des pays d'immigration : la Pologne est obligée d'accueillir des immigrés ukrainiens pour satisfaire ses propres besoins de main-d'œuvre non qualifiée de même que les croissances économiques hongroises et surtout tchèques qui attirent quelques dizaines de milliers d'immigrés. On est cependant loin des niveaux ouest-européens. »

Bernard Elissalde (dir.), *Géopolitique de l'Europe*, Nathan, 2017.

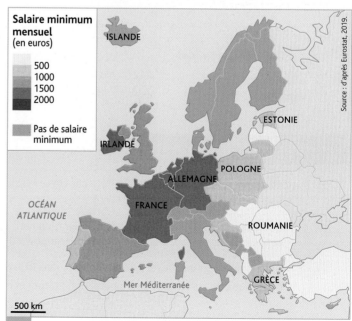

Salaire minimum mensuel (en euros)
- 500
- 1000
- 1500
- 2000

Pas de salaire minimum

Source : d'après Eurostat, 2019.

3 Des salaires minimum très différents en Europe

4 **Les travailleurs détachés vus par un caricaturiste**

Dessin d'Aurel publié par Front syndical de classe, *février 2017.*

5 **Une manifestation à Londres de travailleurs issus de l'UE**

Les travailleurs issus de pays membres de l'Union européenne et installés au Royaume-Uni sont inquiets pour leur avenir après le Brexit. Certains s'organisent en collectifs comme *The 3 million*, avec le slogan « *I'm not a bargaining chip* » (« Je ne suis pas une monnaie d'échange »). Un certain nombre de travailleurs ont choisi de quitter le pays.

6 **Les travailleurs détachés dans l'Union européenne**

RADIO

« On les trouve essentiellement dans le BTP, l'intérim, l'agriculture. C'est une directive européenne de 1996 qui a créé ce statut. Le travailleur détaché n'est ni un travailleur migrant, ni un expatrié. [Il] effectue une mission ponctuelle dans un autre pays de l'UE que celui dans lequel il travaille habituellement. Cette directive prévoit qu'[il] doit bénéficier des mêmes droits que les travailleurs locaux : salaire minimum, congés, temps de travail. Mais les cotisations sociales[1] qui s'appliquent sont celles du pays d'origine [...] D'où les accusations de concurrence déloyale, car la moitié des détachements se font des pays à bas salaires vers les pays à hauts salaires (France, Allemagne, Belgique). [Cependant, l'Allemagne et la France sont les 2e et 3e fournisseurs de travailleurs détachés, notamment dans la finance, les assurances...]. »

Isabelle Chaillou, « Travailleurs détachés : vers un durcissement de la directive européenne », Le mot de l'éco, France Info, 10 juin 2017.

[1] Si elles sont plus basses, le salarié coûte moins cher à l'entreprise.

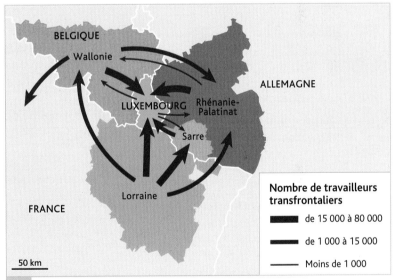

7 **Les flux quotidiens de travailleurs transfrontaliers**

Les quatre pays appartiennent à l'espace Schengen*.

▼ Analyser et confronter les documents

1. Quels sont les principaux pays émetteurs et récepteurs de travailleurs en Europe ? Comment expliquer ces flux et leur évolution ? Introduction et doc 1, 2, 3 et 6

2. Quelles craintes suscite le phénomène des travailleurs détachés ? Relativisez-les. Doc 4 et 6

3. Pourquoi le Brexit suscite-t-il des inquiétudes pour les travailleurs de l'UE installés au Royaume-Uni ? Doc 5

4. Comment expliquer le phénomène des travailleurs transfrontaliers entre la France, l'Allemagne, la Belgique et le Luxembourg ? Doc 7

SYNTHÉTISER À l'aide des questions précédentes, récapitulez les différentes dynamiques des flux intra-européens de travailleurs.

B Quels sont les flux internationaux d'étudiants en Europe ?

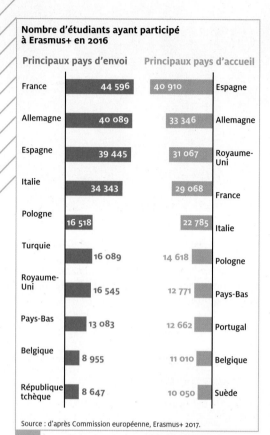

Nombre d'étudiants ayant participé à Erasmus+ en 2016

Principaux pays d'envoi		Principaux pays d'accueil	
France	44 596	40 910	Espagne
Allemagne	40 089	33 346	Allemagne
Espagne	39 445	31 067	Royaume-Uni
Italie	34 343	29 068	France
Pologne	16 518	22 785	Italie
Turquie	16 089	14 618	Pologne
Royaume-Uni	16 545	12 771	Pays-Bas
Pays-Bas	13 083	12 662	Portugal
Belgique	8 955	11 010	Belgique
République tchèque	8 647	10 050	Suède

Source : d'après Commission européenne, Erasmus+ 2017.

8 **Les 10 premiers pays d'Erasmus+**

Lancé en 1987, le programme d'échanges européens Erasmus, devenu Erasmus+ en 2014, associe 33 pays dont 27 de l'UE. Il a permis à 4,4 millions d'étudiants d'aller à l'étranger sans payer les frais de scolarité de l'université d'accueil et parfois à l'aide de bourses. Au total, 9 millions de personnes ont profité du programme (collégiens, lycéens, apprentis, éducateurs et formateurs).

11 **L'espace européen de l'enseignement supérieur**

« Le processus de Bologne lancé en 1999 a pour finalité la construction de l'espace européen de l'enseignement supérieur. L'objectif est double : faire du continent européen un vaste espace "sans frontières" où la mobilité des étudiants et des enseignants chercheurs est naturelle ; et rendre cet espace européen lisible et attractif vis-à-vis du reste du monde. Depuis 2015, le processus de Bologne compte 48 pays européens, adhérant à la convention culturelle européenne et répartis sur l'ensemble du continent, de la Finlande à Chypre et de l'Irlande à la Russie. »

Ministère de l'Enseignement supérieur, 2018.

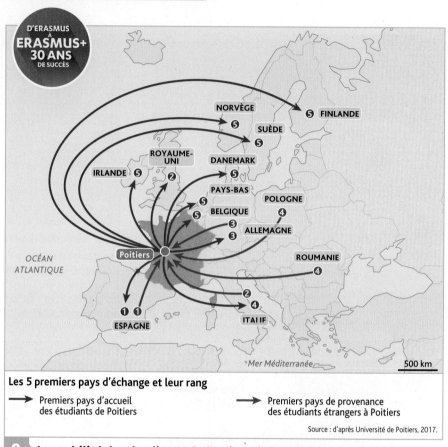

Les 5 premiers pays d'échange et leur rang

→ Premiers pays d'accueil des étudiants de Poitiers

→ Premiers pays de provenance des étudiants étrangers à Poitiers

Source : d'après Université de Poitiers, 2017.

9 **La mobilité des étudiants de l'université de Poitiers en Europe**

10 **La reconnaissance des diplômes de l'Union européenne** ARTICLE

« Le système LMD ou Licence-Master-Doctorat, mis en place en 2002, a pour but d'unifier l'enseignement supérieur européen et de faciliter les équivalences de diplômes entre les pays afin de favoriser les déplacements d'étudiants au sein de l'Europe. [...]. Tous les pays de l'Union européenne doivent adopter un nouveau schéma afin qu'il ne reste que 3 niveaux universitaires au final, la Licence, le Master et le Doctorat. De plus en plus de jeunes peuvent partir étudier à l'étranger sans craindre pour la non reconnaissance de leur diplôme. Des crédits ECTS (système européen de transfert et d'accumulation de crédits) ont été mis en place dans le cadre du LMD. Un an d'étude correspond à 60 crédits, 1 crédit correspondant sur le papier à 25 heures de travail. L'utilité de ces crédits est de favoriser le transfert des étudiants d'un pays à l'autre. »

« Le système LMD et son intégration dans l'Union européenne », etudionsaletranger.fr, 2019.

▮Analyser et confronter les documents

1. Quels sont les pays qui attirent le plus d'étudiants européens ? Doc 8 et 9

2. Comment la mobilité des étudiants européens est-elle facilitée ? Doc 8, 10, 11

3. La mobilité des étudiants se limite-t-elle à l'Union européenne ? Pourquoi ? Doc 8 à 11

SYNTHÉTISER À l'aide des questions précédentes, décrivez les mobilités étudiantes en Europe et donnez leurs principales raisons.

Bilan

➡️ Complétez le schéma en indiquant à gauche à quoi correspondent les trois couleurs et en montrant par des flèches les liens entre les éléments mentionnés (seules deux ont été tracées).

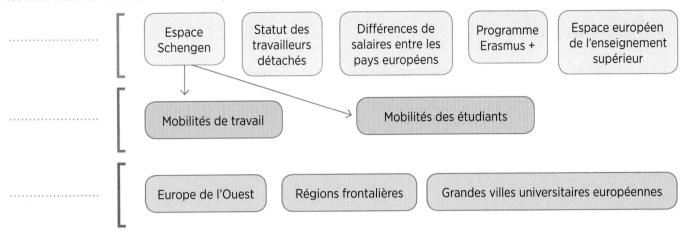

....
- Espace Schengen
- Statut des travailleurs détachés
- Différences de salaires entre les pays européens
- Programme Erasmus +
- Espace européen de l'enseignement supérieur

....
- Mobilités de travail
- Mobilités des étudiants

....
- Europe de l'Ouest
- Régions frontalières
- Grandes villes universitaires européennes

➡️ Complétez la légende du croquis et donnez-lui un titre.

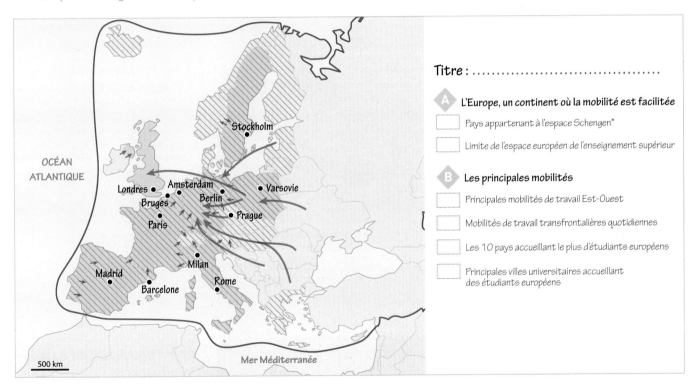

Titre : ....

A L'Europe, un continent où la mobilité est facilitée

☐ Pays appartenant à l'espace Schengen*

☐ Limite de l'espace européen de l'enseignement supérieur

B Les principales mobilités

☐ Principales mobilités de travail Est-Ouest

☐ Mobilités de travail transfrontalières quotidiennes

☐ Les 10 pays accueillant le plus d'étudiants européens

☐ Principales villes universitaires accueillant des étudiants européens

Mise en perspective

➡️ Répondez aux questions pour replacer le cas de l'Europe à l'échelle mondiale.

A
- Citez d'autres pays non européens très attractifs pour les migrations de travail. Doc 2 p. 188 et doc 2 p. 195
- Montrez que l'Union européenne est moins ouverte aux migrations internationales qui ne proviennent pas de l'Union européenne. Doc 2 p. 176

B
- Montrez que l'espace européen est aussi traversé par des migrations venues de pays non européens. Doc 1 p. 195
- Montrez que l'Europe est un pôle émetteur et récepteur de migrants à l'échelle mondiale. Carte p. 192-193
- Quels autres types de mobilités connaît l'Europe ? Carte p. 204-205

DONNÉES PAYS

HAWAÏ • ÉTATS-UNIS

Les États-Unis, 3ᵉ pôle du tourisme international : qui attirent-ils et pourquoi ?

Les États-Unis se placent au 3ᵉ rang pour l'accueil de touristes internationaux (environ 77 millions en 2018 contre 50 millions en 2000). Ils se situent au 1ᵉʳ rang pour les recettes du tourisme international. Le pays dispose en effet d'atouts déterminants et a développé des formes de tourisme spécifiques.

A Comment expliquer l'attractivité touristique des États-Unis ?

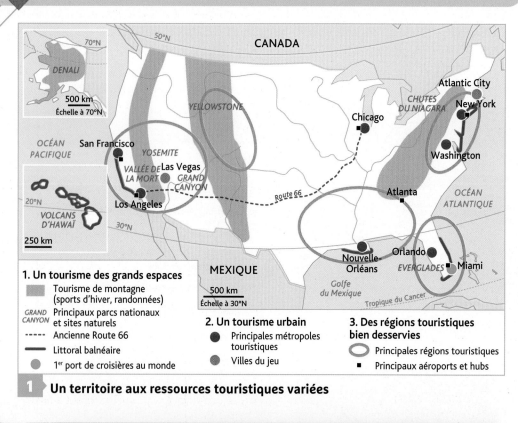

1. Un tourisme des grands espaces

▨ Tourisme de montagne (sports d'hiver, randonnées)

GRAND CANYON Principaux parcs nationaux et sites naturels

---- Ancienne Route 66

— Littoral balnéaire

● 1ᵉʳ port de croisières au monde

2. Un tourisme urbain

● Principales métropoles touristiques

● Villes du jeu

3. Des régions touristiques bien desservies

◯ Principales régions touristiques

■ Principaux aéroports et hubs

1 Un territoire aux ressources touristiques variées

Nombre de touristes internationaux par pays en 2017 (en millions)

France ; Espagne ; États-Unis ; Chine ; Italie ; Mexique ; Royaume-Uni

(échelle 0 — 20 — 40 — 60 — 80 — 100)

Recettes du tourisme international par pays en 2017 (en milliards de dollars)

États-Unis ; Espagne ; France ; Thaïlande ; Royaume-Uni ; Italie ; Australie

(échelle 0 — 50 — 100 — 150 — 200 — 250)

Source : d'après OMT, 2018.

2 Un pôle majeur du tourisme international

Source : usatravel.be

3 Le mythe américain des grands espaces

La nature « sauvage » (*wilderness*) ainsi que le *Far West* sont des points forts de l'imaginaire des États-Unis. Cette image de la conquête d'un territoire vierge donne lieu à des formes de tourisme spécifiques : visites de grands sites naturels souvent très aménagés (Grand Canyon, Yellowstone, Yosemite, chutes du Niagara, etc.), mais aussi *road trips* (traversée d'est en ouest en voiture, par exemple sur la Route 66).

4 ▸ Miami, le 1er port de croisières mondial

Le port de Miami accueille 4 millions de passagers par an. Les quais destinés aux bateaux de croisière jouxtent les quais de marchandises. Les croisiéristes profitent de très bonnes connexions à toutes les échelles (métro vers la ville de Miami), autoroutes, aéroports internationaux... et bien sûr vers le bassin caraïbe par bateau.

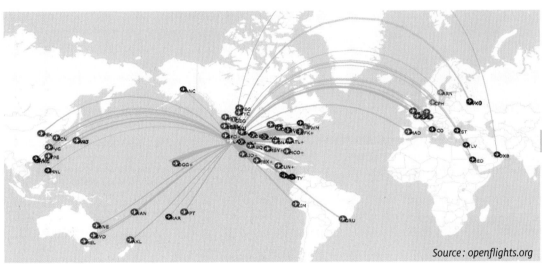

5 ▸ Un des pôles du trafic aérien mondial : l'aéroport international de Los Angeles

Le territoire américain est desservi par de multiples aéroports (hubs* de Chicago, d'Atlanta...).

Source : openflights.org

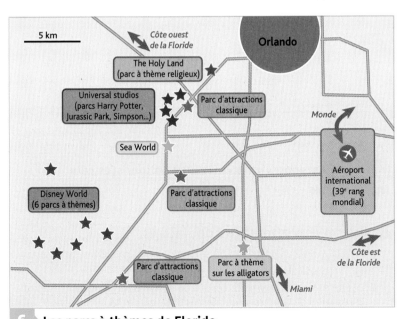

6 ▸ Les parcs à thèmes de Floride

Les parcs à thèmes, dont le modèle est né en 1955 avec *Disneyland Park* en Californie, sont une des destinations touristiques majeures aux États-Unis. Ceux de la banlieue d'Orlando attirent chaque année plusieurs dizaines de millions de visiteurs.

▌Analyser et confronter les documents

1. Montrez l'importance du tourisme international aux États-Unis. Doc 2

2. Développez les raisons qui peuvent expliquer cette ampleur :
   – des images associées aux États-Unis doc 3 et 7
   – des ressources paysagères doc 1, 3 et 9
   – des métropoles attractives doc 1, 7 et 8
   – des aménagements et types de tourisme spécifiques doc 1, 3, 4 et 6
   – un accès facilité doc 1, 4, 5 et 6

3. Quels sont les principaux acteurs du secteur touristique ? Doc 4 à 7

SYNTHÉTISER Par quels mots-clés synthétiseriez-vous les raisons de l'attractivité touristique des États-Unis ?

B   **Des touristes issus de pays de plus en plus divers ?**

7 **Campagne de publicité de Los Angeles en Chine**   [SITE]

Les États-Unis font régulièrement des campagnes de publicité pour modeler l'image de marque du pays. Chaque métropole a également sa politique publicitaire propre.

8 **L'attractivité touristique de New York**   [ARTICLE]

« Big Apple a battu son record de fréquentation en 2017, avec 62,8 millions de visiteurs. [...] La progression concerne à la fois les touristes américains et les touristes étrangers. Ceux-ci ont été 13,1 millions à visiter New York l'an dernier, soit 20,8 % du total (mais 50 % des dépenses). Le 1ᵉʳ contingent de touristes vient du Royaume-Uni. Mais les Chinois arrivent juste derrière, franchissant pour la 1ʳᵉ fois le cap du million, suivis des Canadiens. [...] La ville est desservie par un nombre croissant de liaisons, y compris des vols *low cost*. L'offre hôtelière continue de se développer. La ville propose toujours plus d'attractions[1], comme *VR World NYC*, un centre dédié à la réalité virtuelle, *National Geographic Encounter* qui permet de voyager à travers les océans, ou encore un système de ferries reliant certains quartiers. Enfin, New York a lancé deux vastes campagnes de promotion ces derniers mois ; [elle] a notamment mis l'accent sur l'Asie et le Mexique. "Après l'élection de Donald Trump, quand on a commencé à parler du décret anti-immigration, on a ressenti un effet immédiat sur le sentiment des gens, a expliqué Fred Dixon, PDG de NYC & Company. Mais pour les touristes étrangers, voyager est presque un droit. Ils passent outre la politique." »

Nicolas Rauline, *Les Échos*, 21 mars 2018.

[1]Les principaux sites visités sont à Manhattan : Times Square, la Statue de la Liberté, Central Park, musées Guggenheim, etc.

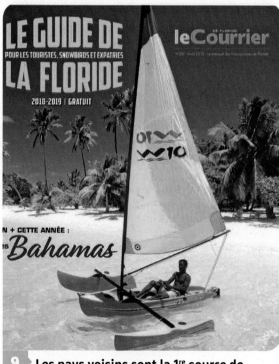

9 **Les pays voisins sont la 1ʳᵉ source de touristes pour les États-Unis**

Entre novembre et mars, plusieurs millions de Québécois et de Canadiens francophones font du tourisme en Floride. Ce tourisme saisonnier les conduit parfois à s'installer définitivement aux États-Unis.

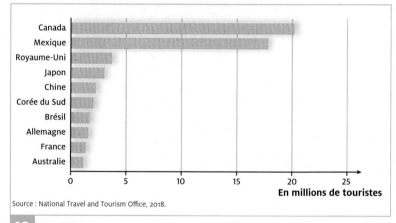

Source : National Travel and Tourism Office, 2018.

10 **Les 10 premiers pays émetteurs de touristes vers les États-Unis**

Analyser et confronter les documents

1. Quels sont les principaux pays d'origine des touristes ? Expliquez ces provenances et certaines évolutions. Doc 7, 9 et 10
2. Montrez que le tourisme reste une activité sensible au contexte international. Quelles stratégies les différents acteurs mettent-ils en place pour continuer à attirer des touristes ? Doc 7 et 8

SYNTHÉTISER À l'aide des questions précédentes, dans quelle mesure peut-on parler d'une diversification des touristes étrangers aux États-Unis ?

Bilan

➜ Complétez le schéma fléché à l'aide de l'étude de cas.

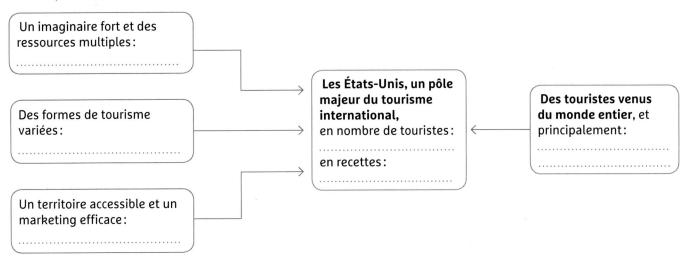

Un imaginaire fort et des ressources multiples :
....

Des formes de tourisme variées :
....

Un territoire accessible et un marketing efficace :
....

Les États-Unis, un pôle majeur du tourisme international,
en nombre de touristes :

en recettes :
....

Des touristes venus du monde entier, et principalement :
....
....

➜ Complétez le croquis à l'aide de la carte p. 184 et donnez-lui un titre.

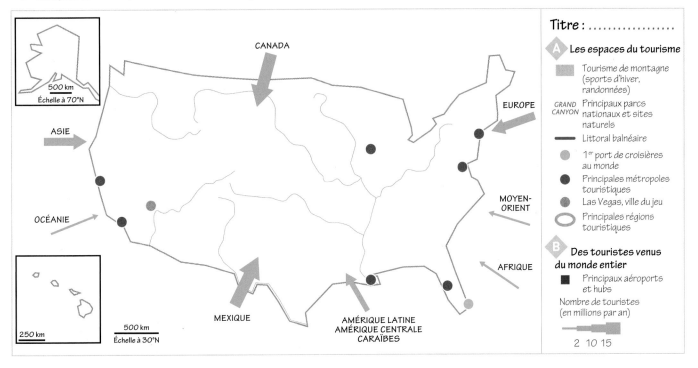

Mise en perspective

➜ Répondez aux questions pour replacer le cas des États-Unis à l'échelle mondiale.

A
- Citez d'autres destinations du tourisme de croisière. Doc 4 p. 205
- Citez d'autres métropoles ou villes très touristiques. Doc 1 p. 188, doc 1 p. 204, doc 1 et 2 p. 210

B
- Pourquoi les flux aériens sont-ils devenus importants pour les mobilités touristiques ? Doc 6 p. 189, doc 2 p. 204
- Quels sont les autres grands pôles touristiques dans le monde ? Carte p. 205
- L'origine des touristes est-elle la même pour les autres pôles touristiques que pour les États-Unis ? Carte p. 205

DONNÉES PAYS

Dubaï
ÉMIRATS ARABES UNIS

Dubaï, un pôle touristique et migratoire mondial de plus en plus attractif ?

Entre le désert et le Golfe persique, Dubaï a connu une croissance spectaculaire. Depuis 1950, sa population a été multipliée par 100. Sur les 3,1 millions d'habitants, 85 % sont étrangers (surtout des travailleurs). En 2017, Dubaï a aussi accueilli 15,8 millions de touristes.

1 ▶ Palm Jumeirah, archipel artificiel de luxe

Construit à partir de 2001, Palm Jumeirah est l'un des trois archipels artificiels réalisés sur le littoral de Dubaï. L'ensemble abrite environ 9 000 habitants vivant dans des villas de grand luxe. Des marinas, plus de 30 hôtels, des commerces et restaurants assurent l'attractivité du site.

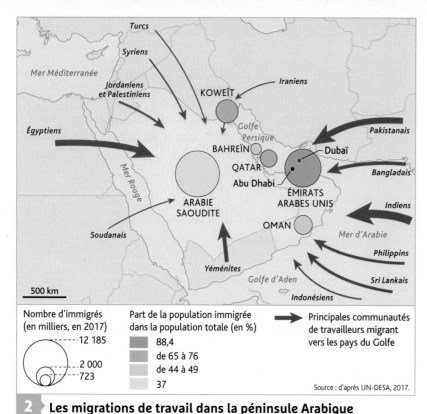

2 Les migrations de travail dans la péninsule Arabique

Nombre d'immigrés (en milliers, en 2017)
12 185
2 000
723

Part de la population immigrée dans la population totale (en %)
88,4
de 65 à 76
de 44 à 49
37

→ Principales communautés de travailleurs migrant vers les pays du Golfe

Source : d'après UN-DESA, 2017.

3 Un pouvoir d'attraction élevé

« La dynastie Maktoum a transformé un territoire coincé entre la mer et le désert en un haut lieu du capitalisme mondial dont témoignent ses réalisations : la plus haute tour du monde depuis 2010 avec le Burj el Khalifa, [...] ou encore le "ski-dôme". C'est aussi le hub le plus attractif du monde [...] Peuplé à 85 % d'expatriés, qu'ils soient rentiers (occidentaux, Russes), cadres (techniciens syriens, libanais, égyptiens) ou soutiers[1] de la croissance (Pakistanais, Chinois, Indiens, Philippins), l'Émirat déborde de son territoire pour s'étendre en une conurbation de front de mer de plus de 70 km [...]. Dubaï, qui a su se doter d'une industrie touristique [...] vend tout, y compris son image d'îlot de paix et de stabilité. Elle aimante aussi la main-d'œuvre étrangère et les entrepreneurs de pays émergents par des expositions comme Art Dubaï 2017 réunissant 90 galeries de 140 pays. »

[1] Personne exerçant un travail difficile et peu considéré.

Michel Nazet et Alain Nonjon (dir.), *Atlas des 160 lieux stratégiques du monde*, Ellipses, 2018.

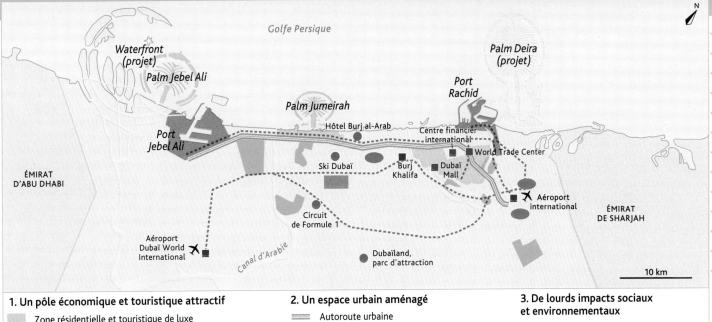

Golfe Persique

Waterfront (projet)
Palm Jebel Ali
Palm Deira (projet)
Palm Jumeirah
Port Rachid
Port Jebel Ali
Hôtel Burj al-Arab
Centre financier international
ÉMIRAT D'ABU DHABI
World Trade Center
Ski Dubaï
Burj Khalifa
Dubaï Mall
Aéroport international
ÉMIRAT DE SHARJAH
Circuit de Formule 1
Aéroport Dubaï World International
Canal d'Arabie
Dubaïland, parc d'attraction
10 km

1. Un pôle économique et touristique attractif
- Zone résidentielle et touristique de luxe
- ■ Centre commercial
- ● Principal pôle de loisir international
- Zone franche
- ■ Centre d'affaires
- ✈ Aéroport

2. Un espace urbain aménagé
- Autoroute urbaine
- Ligne de métro réalisée ou en projet
- Golf et espace vert

3. De lourds impacts sociaux et environnementaux
- Camp de travailleurs immigrés, conditions de vie souvent difficiles
- Littoral artificialisé

Source : d'après Alexandra Monod, Farid Benhammou, Dominique Roquet, *L'Afrique, le Proche et le Moyen-Orient*, Bréal, 2015.

4 **Dubaï, un pôle économique et touristique**

5 **Des travailleurs étrangers sur un chantier**

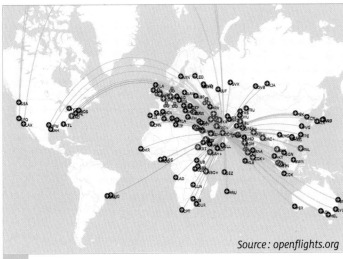

Source : openflights.org

6 **L'aéroport international de Dubaï, hub* mondial**

Bilan

→ À l'aide des documents, rédigez une réponse à la problématique selon le plan suivant.

A Un pôle attractif majeur pour les touristes et les travailleurs venus de différents pays Doc 2, 3 et 5

B Une ville aménagée pour renforcer son accessibilité et son attractivité Doc 1, 3, 4 et 6

C Des conséquences sociales et environnementales peu durables Doc 1, 4 et 5

Mise en perspective

→ Puis répondez aux questions de mise en perspective.

A
- Comparez l'attractivité de Dubaï à celle d'autres grands pôles touristiques mondiaux. Carte p. 205
- Comparez l'attractivité de Dubaï à celle d'autres grands pôles migratoires mondiaux. Carte p. 193

B
- Citez d'autres hubs aéroportuaires. Doc 5 p. 185 et 1 p. 243
- Cherchez dans votre manuel des photographies de métropoles misant sur la modernité architecturale.

C
- Comparez les niveaux de développement de Dubaï et du Qatar. Doc 6 p. 133
- Montrez l'artificialisation provoquée par certains aménagements touristiques. Doc 1 p. 208

Migrants d'Amérique centrale escaladant un train en route vers les États-Unis (la « Bestia »)

Les États-Unis sont le 1er pays pour le nombre d'immigrés, mais une politique plus restrictive a été mise en place en 2017.

question Monde

1. Les migrations internationales

Les migrations internationales sont en essor et génèrent des flux à l'échelle de la planète. Motivées par des raisons diverses, elles présentent des enjeux différents pour les espaces de départ et pour les espaces d'arrivée et elles concernent des acteurs multiples.

Programme
Erasmus+

Manifestation à Chypre
Étudiants manifestant contre une baisse des crédits pour Erasmus+, programme finançant les échanges d'étudiants entre 33 pays européens.

Quels types de mobilités illustrent ces photographies ? Comment témoignent-elles de migrations internationales croissantes ?

···ᐧ Quels sont les enjeux et les dynamiques des mobilités internationales ?

CARTE INTERACTIVE

Les migrations internationales

Notion-clé Migrations internationales

Un migrant international est une personne passant d'un État à un autre pour s'y établir au moins un an, pour diverses raisons (économiques, familiales...). Juridiquement, le terme ne s'applique pas aux déplacés ni aux réfugiés chassés de leur pays et qui cherchent à obtenir un asile politique.

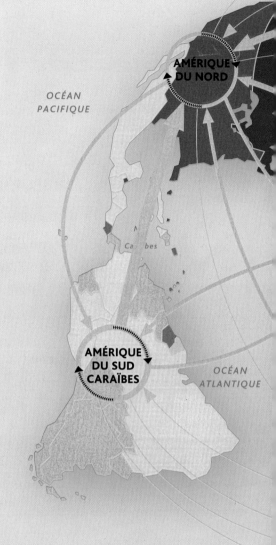

AMÉRIQUE DU NORD

OCÉAN PACIFIQUE

Caraïbes

AMÉRIQUE DU SUD CARAÏBES

OCÉAN ATLANTIQUE

1 Route migratoire

Camion de migrants à Agadez (Niger) Une route migratoire est un itinéraire emprunté par un flux important de migrants. La route de la « Méditerranée centrale » traverse le Sahara, la Libye et la Méditerranée vers l'Italie. C'est l'une des trois grandes routes d'accès à l'Europe. Elle a été fréquentée par des centaines de milliers de personnes depuis une dizaine d'années.

2 Migrations économiques

Employée philippine à Singapour Les motivations économiques sont de très loin la première cause de migration internationale. Elles sont souvent encouragées par les différences de développement et la proximité géographique, comme ici. 48 % des migrants internationaux dans le monde sont des femmes.

Système migratoire 3

« Little Havana » à Miami Un système migratoire est formé par un flux de personnes entre pays de départ, de transit et d'arrivée, qui s'accompagne de liens privilégiés (culturels, économiques...). À Miami, la communauté cubaine représente plus de 600 000 personnes.

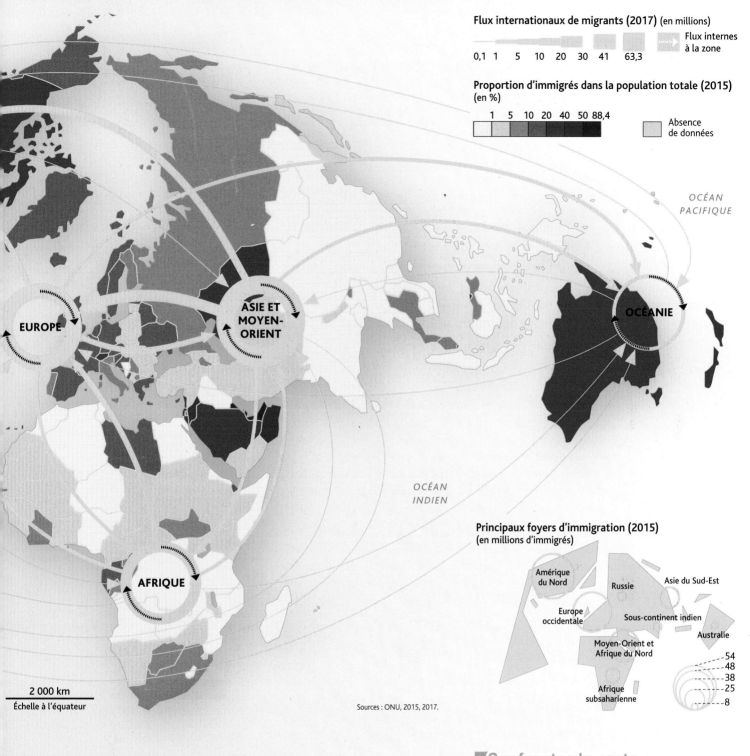

Flux internationaux de migrants (2017) (en millions)

0,1 1 5 10 20 30 41 63,3 →→ Flux internes à la zone

Proportion d'immigrés dans la population totale (2015) (en %)

1 5 10 20 40 50 88,4 ☐ Absence de données

OCÉAN PACIFIQUE

EUROPE

ASIE ET MOYEN-ORIENT

AFRIQUE

OCÉANIE

OCÉAN INDIEN

2 000 km
Échelle à l'équateur

Sources : ONU, 2015, 2017.

Principaux foyers d'immigration (2015)
(en millions d'immigrés)

Amérique du Nord

Russie

Asie du Sud-Est

Europe occidentale

Sous-continent indien

Australie

Moyen-Orient et Afrique du Nord

Afrique subsaharienne

- - - 54
- - - 48
- - - 38
- - - 25
- - - 8

4 Réfugiés

Camp de réfugiés au Bangladesh
Les réfugiés sont considérés juridiquement comme un cas particulier au sein des mobilités internationales. Il s'agit de personnes qui ont été forcées de quitter leur pays pour des raisons politiques, religieuses ou ethniques, comme ici les Rohingyas birmans.

▮Confronter la carte et les documents

1. Quelles sont les catégories de déplacements internationaux non comptabilisés par la carte ? Aidez-vous de la légende du doc 4.

2. Les motivations des migrants sont-elles directement visibles sur le planisphère ?

3. Quels sont les grands foyers de départ ? d'arrivée ?

4. Quels sont les systèmes migratoires évoqués par les photographies 1 à 3 ? Repérez-les sur le planisphère et expliquez leur logique.

Quelles sont les principales dynamiques migratoires dans le monde ?

A Des migrations en hausse dans un espace mondialisé

● **Environ 260 millions de personnes vivent en dehors de leur pays d'origine.** Presque tous les pays sont concernés par l'émigration d'une partie de leur population. Ce phénomène s'est accéléré, mais les migrants internationaux ne concernent que 3,4 % de la population mondiale et qu'un quart de la totalité des migrations.

● **La majorité des migrants habitent dans un pays développé, mais les migrations entre pays du Sud** dépassent aujourd'hui les flux du Sud vers le Nord. Ainsi en est-il des Indiens ou des Égyptiens partis travailler dans les pays du Golfe. Cette tendance a été renforcée par la crise économique de 2008.

B Une tendance à la régionalisation des flux migratoires

● **Les principales régions de départ et d'accueil sont l'Europe et l'Asie.** Nombreux sont les migrants qui s'installent dans des pays voisins du leur. Ainsi, 2/3 des migrants d'Afrique subsaharienne migrent en Afrique et 2/3 des migrants originaires de pays européens résident en Europe. Les autres migrants qui rejoignent l'Europe viennent principalement d'Afrique et du Proche-Orient. Ces mobilités circulatoires ne sont pas linéaires et passent souvent par des espaces de transit.

● **Cette régionalisation des systèmes migratoires, *a priori* contradictoire avec la mondialisation,** s'explique par la proximité entre espaces de départ et d'arrivée ou par des liens culturels, linguistiques, économiques et politiques (souvent hérités de la période coloniale). À une autre échelle, la présence d'une diaspora peut être attractive. La communauté chinoise, par exemple, se regroupe fréquemment au sein de quartiers spécifiques dans les métropoles.

C Des politiques migratoires différenciées

● **Les États cherchent souvent à sélectionner les migrants qu'ils accueillent.** Médecins, ingénieurs... sont ainsi les bienvenus dans les pays riches où la population est vieillissante. Mais cette « fuite des cerveaux » (*brain drain*) s'avère dommageable pour les pays d'origine de ces migrants qualifiés.

● **Les politiques migratoires, notamment de pays développés, sont devenues plus dissuasives** depuis la fin des années 2000. L'Union européenne a renforcé les contrôles à ses frontières terrestres et maritimes avec l'agence européenne de garde-frontières et de garde-côtes (Frontex) ; des pays de l'espace Schengen ont même rétabli des contrôles aux frontières intérieures depuis la « crise migratoire » de 2015. Les États-Unis projettent de continuer le mur qui les sépare du Mexique.

> Les migrations internationales sont un phénomène ancien qui s'est intensifié et complexifié avec la mondialisation. Elles reflètent les disparités démographiques et économiques mondiales et régionales.

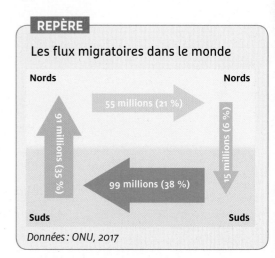

REPÈRE

Les flux migratoires dans le monde

Nords — 55 millions (21 %) → Nords
91 millions (35 %)
15 millions (6 %)
99 millions (38 %)
Suds — Suds

Données : ONU, 2017

VOCABULAIRE

Diaspora Dispersion à travers le monde de migrants d'une même origine, ayant maintenu des liens (culturels, économiques,...) entre eux.

Émigration / Immigration Fait de quitter un espace, dit de départ, pour aller s'installer durablement ailleurs / Fait d'entrer dans un espace, dit d'arrivée, pour s'y installer. La différence entre le nombre d'immigrants et le nombre d'émigrants dans un espace est le solde migratoire.

Espace de transit Pays ou régions traversés par les migrants lors de leur déplacement.

Espace Schengen Zone de libre-circulation des personnes entrée en vigueur en 1995 et comptant 26 pays en 2019, dont quatre ne sont pas membres de l'UE.

Migration Déplacement d'une personne ou d'une population qui implique un changement de domicile pour une durée longue. Une migration internationale suppose un changement de pays et le passage de frontières.

Mobilités Déplacements de personnes.

Mobilités circulatoires Déplacements non linéaires, comportant des allers-retours en fonction de choix d'itinéraires successifs.

Système migratoire Flux de personnes entre pays de départ, de transit et d'arrivée, qui s'accompagnent de liens privilégiés (culturels, économiques...).

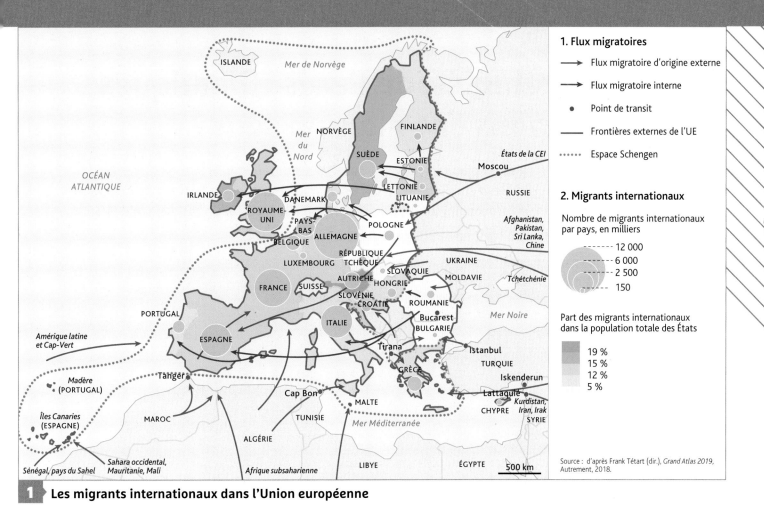

1 ▶ **Les migrants internationaux dans l'Union européenne**

1. Flux migratoires

→ Flux migratoire d'origine externe

→ Flux migratoire interne

• Point de transit

— Frontières externes de l'UE

······ Espace Schengen

2. Migrants internationaux

Nombre de migrants internationaux par pays, en milliers

12 000
6 000
2 500
150

Part des migrants internationaux dans la population totale des États

19 %
15 %
12 %
5 %

Source : d'après Frank Tétart (dir.), *Grand Atlas 2019*, Autrement, 2018.

---

2 ▶ **Les États-Unis : un pôle migratoire attractif**

« Le rêve américain perdure si l'on s'en réfère au pouvoir d'attraction que le pays exerce sur tous les talents du monde [...]. Les États-Unis représentent toujours un "eldorado", la terre du *self made man*, où tout est possible pour les populations pauvres ou qui fuient l'instabilité politique de leur pays. L'immigration est essentielle pour l'économie américaine [...]. Les immigrés légaux viennent majoritairement du Mexique (plus de 13 %), de Chine (plus de 7 %) et d'Inde (environ 6,6 %). La main-d'œuvre bon marché qui afflue principalement d'Amérique latine [...] permet au pays de maintenir une compétitivité "par le bas". Sur les 11 millions de clandestins en 2014, presque 9 millions ont entre 18 et 54 ans et sont donc en âge de travailler aux États-Unis. Ceux-ci occupent généralement des emplois précaires, pénibles, à temps partiel dont les Américains ne veulent pas, dans les *sweatshops* (usines de montage), de travailleurs maraîchers saisonniers, ou encore de domestiques [...]. Le *brain drain* permet de maintenir la compétitivité de l'économie américaine "par le haut". Face à la concurrence de pays émergents tels que la Chine et l'Inde, le dernier "avantage comparatif" des États-Unis est de conserver le premier rang dans la course à l'innovation. »

Frédéric Leriche, *Les États-Unis, géographie d'une grande puissance*, Armand Colin, 2016.

3 ▶ **Quartier chinois à Londres, Royaume-Uni**

▮ Analyser et confronter les documents

1. Montrez que l'Union européenne et les États-Unis sont des pôles d'immigration majeurs. Donnez des facteurs explicatifs. Doc 1 et 2

2. Avec quels pays forment-ils des systèmes migratoires* ? Pourquoi peut-on parler de régionalisation des flux migratoires ? Doc 1 et 2

3. Les grandes tendances du repère se retrouvent-elles dans les doc 1 et 2 ?

4. Quels éléments du doc 3 montrent que des liens sont conservés avec le pays d'origine de la diaspora* ?

Migrants, réfugiés, déplacés climatiques… : ces distinctions ont-elles un sens ?

Les termes de migrants, réfugiés, déplacés recouvrent des réalités différentes et leur emploi prête à discussion. Il est en effet difficile d'établir des catégories de migrants, tant les facteurs de migration sont complexes et liés entre eux (économique, politique, environnemental…). Or ces distinctions ont un impact sur leur statut dans les pays d'accueil.

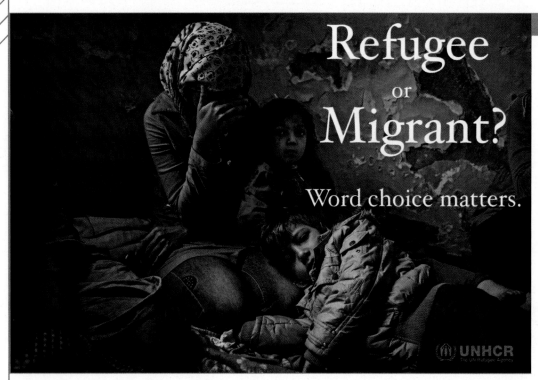

1 ▸ « Réfugié »
ou « migrant » ?
Les mots sont importants
Affiche de l'UNHCR, l'Agence des Nations unies pour les réfugiés

2 **Le point de vue de l'UNHCR (Agence des Nations unies pour les réfugiés)**

« Il devient de plus en plus courant de voir les termes "réfugié" et "migrant" être utilisés de façon interchangeable par les médias et le public. [Or] les deux termes ont des significations distinctes. […] Les réfugiés sont des personnes qui fuient des conflits armés ou la persécution. […] On les identifie précisément car il est dangereux pour eux de retourner dans leur pays et qu'ils ont besoin d'un refuge ailleurs. Ne pas accorder l'asile à ces personnes aurait potentiellement des conséquences mortelles. […]
Les migrants choisissent de quitter leur pays non pas en raison d'une menace directe de persécution ou de mort, mais surtout afin d'améliorer leur vie en trouvant du travail, et dans certains cas, pour des motifs d'éducation, de regroupement familial ou pour d'autres raisons. […] S'ils choisissent de rentrer chez eux, ils continueront de recevoir la protection de leur gouvernement. Interchanger les deux termes détourne l'attention de la protection juridique précise dont les réfugiés ont besoin. »

« "Réfugié" ou "migrant", quel est le mot juste ? », site de l'UNHCR, 12 juillet 2016.

3 **Des migrations multifactorielles** VIDÉO

« On essaye de faire rentrer les migrants dans une catégorie, selon le motif de leur migration, alors que beaucoup de raisons interagissent avant de mener au départ. […] Notre régime juridique comme nos politiques migratoires sont en décalage complet avec les réalités migratoires actuelles. Le motif environnemental n'est pas pris en compte et la différence entre migration économique et politique est artificielle. […]
Des conditions climatiques qui se dégradent vont rendre difficile l'accès aux ressources. Dans beaucoup de conflits, il y a une forte imbrication entre les facteurs politiques, économiques et environnementaux. C'est très clair en Afrique : la moitié de la population dépend directement de l'agriculture pour sa subsistance. Toute variation de la température ou de la pluviométrie aura donc des conséquences économiques, et se traduira par des pertes de revenus […]. C'est important de le dire : la migration environnementale est toujours aussi une migration politique et économique. »

François Gemenne : « Le motif environnemental des migrations n'est pas pris en compte », propos recueillis par Catherine Calvet, *Libération*, 29 août 2016.

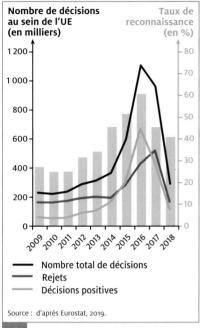

Nombre de décisions au sein de l'UE (en milliers) / Taux de reconnaissance (en %)

Source : d'après Eurostat, 2019.

4 ▶ **Décisions de l'Union européenne face aux demandes de statut de réfugié**

- Nombre total de décisions
- Rejets
- Décisions positives

CEUX QUI MEURENT DE FAIM, LEVEZ LA MAIN !

Asile politique seulement

5 ▶ **« Naufrage près des côtes libyennes, 90 migrants portés disparus »**

Dessin de Plantu publié dans Le Monde, *le 2 février 2018.*

6 ▶ **« Réfugiés », « déplacés » ou « migrants » climatiques ? Le point de vue d'un chercheur en sciences politiques**

« Dans les médias et les débats publics, ceux qui se sont déplacés à la suite du changement climatique sont souvent appelés "réfugiés climatiques". Les juristes et les organisations internationales, pourtant, ont rapidement réfuté ce terme [...]. Techniquement, ils avaient raison : la Convention de Genève de 1951 définit une série de critères à remplir pour prétendre au statut de réfugié. [...] Un élément central dans le concept de "réfugié" est celui de persécution [...]. Et réfuter le terme de "réfugié climatique" revient en quelque sorte à réfuter le fait que le changement climatique soit une forme de persécution à l'encontre des plus vulnérables. [...]

De surcroît, en insistant sur le fait que les déplacés du changement climatique étaient des migrants plutôt que des réfugiés, nous avons contribué à renforcer [l'idée] qui voudrait que seuls les réfugiés soient légitimes dans leur migration. [Avec] la "crise des réfugiés" de 2015, [...] les politiques de tous bords ont insisté sur la nécessaire distinction entre migrants et réfugiés, comme si seul l'exil des seconds était légitime, tandis que les premiers pouvaient être renvoyés [...]. En dépit des difficultés juridiques, il existe donc une raison très forte pour réutiliser le terme de "réfugié climatique". »

François Gemenne, « Migrations et environnement », in *Ramses 2019 Les chocs du futur* (Thierry de Montbrial et Dominique David, dir.), IFRI/Dunod, 2018.

DEUX PARCOURS AU CHOIX

PARCOURS GUIDÉ

1. Montrez que, du point de vue du droit international, la distinction entre migrant et réfugié est nette. Quelles en sont les conséquences concrètes en termes d'accueil ? Doc 1, 2 et 4

2. Pourquoi le fait de créer des catégories de migrants est-il contesté par certains ? Doc 3 et 5

3. Quel terme F. Gemenne (chercheur spécialisé dans le domaine) souhaite-t-il privilégier pour qualifier les mobilités internationales liées à l'environnement ? Pour quelles raisons ? Doc 4 et 6

BILAN De façon générale, montrez que le choix des termes est important, en particulier dans les médias. Doc 1 à 6

PARCOURS AUTONOME ORAL

Vous êtes journaliste et votre rédaction vous a demandé de faire le point sur la question des termes à employer dans les diverses situations de migrations internationales. Vous préparez votre rapport, à l'oral ou à l'écrit, en montrant les différents enjeux de ces termes.

COURS 2

Comment s'explique la diversité des dynamiques migratoires ?

A Des migrations volontaires dans un monde inégalement développé

• **Migrer est d'abord un moyen d'améliorer son niveau de vie**. Les migrants peuvent être des personnes qualifiées cherchant de meilleures conditions de travail et de vie, mais aussi des personnes au faible niveau de vie venant de pays moins développés. Cependant migrer coûte cher et ce ne sont en général pas les plus pauvres qui partent. Les migrations économiques peuvent être légales ou clandestines. Certains migrants envoient de l'argent dans leur pays d'origine. Ces remises peuvent constituer d'importants revenus pour des pays en développement (environ 12 % du PIB pour le Bangladesh par exemple).

• **Migrer peut aussi permettre de rejoindre sa famille ou de faire des études**. En France et dans d'autres pays européens, les migrations liées au regroupement familial sont désormais les principaux flux migratoires légaux. Séjourner à l'étranger pour étudier est de plus en plus fréquent. La part des femmes dans les migrations a augmenté pour atteindre 50 % des migrants aujourd'hui.

B Des migrations contraintes dans un monde instable

• **Fuir un pays en guerre ou des persécutions** est un motif politique de départ pour environ 10 % des migrants internationaux. Depuis le début de la guerre en Syrie en 2011, on estime que plus de 6 millions de Syriens ont fui leur pays pour se réfugier, surtout dans les pays voisins. Mais des millions d'autres ont dû se déplacer à l'intérieur de la Syrie. La déstabilisation de la région, accrue par le rôle de Daech, a amené à la « crise migratoire » de 2015.

• **Des associations humanitaires ou l'Agence des Nations unies pour les réfugiés** (UNHCR) aident ces réfugiés dans leur parcours migratoire, notamment en veillant à l'application de la Convention de Genève de 1951 qui définit les modalités d'attribution du droit d'asile.

C De plus en plus de déplacés environnementaux

• **Dans un contexte de changement climatique** et d'occurrences accrues des catastrophes naturelles, un nombre croissant de personnes sont contraintes de fuir leur lieu de résidence. Menacés par la désertification ou par la montée des eaux, par des séismes, des feux de forêt ou des inondations, ces déplacés environnementaux n'ont pas le statut juridique de réfugiés.

• **Les migrants climatiques pourraient être 250 millions en 2050.** Mais la majorité d'entre eux seront déplacés à l'intérieur de leur pays. À l'instar de la famine que connut la Corne de l'Afrique en 2011, de telles crises humanitaires ne sont cependant pas déclenchées uniquement par des désordres climatiques : l'insécurité et l'instabilité politiques sont des facteurs prépondérants.

> La complexité des migrations s'explique par la multiplicité des facteurs qui incitent une personne à quitter son pays. Malgré la mondialisation, les frontières demeurent des obstacles majeurs pour de nombreux migrants.

REPÈRE

a. Article 13 de la *Déclaration universelle des droits de l'homme* de 1948

« 1. Toute personne a le droit de circuler librement et de choisir sa résidence à l'intérieur d'un État.
2. Toute personne a le droit de quitter tout pays, y compris le sien, et de revenir dans son pays »

b. Convention de Genève
(Convention relative au statut des réfugiés, 1951, art. 1er a, § 2)
Réfugié : « personne qui, craignant avec raison d'être persécutée du fait de sa race, de sa religion, de sa nationalité, de son appartenance à un certain groupe social ou de ses opinions politiques, se trouve hors du pays dont elle a la nationalité et qui ne peut ou, du fait de cette crainte, ne veut se réclamer de la protection de ce pays ; ou qui, si elle n'a pas de nationalité et se trouve hors du pays dans lequel elle avait sa résidence habituelle à la suite de tels événements, ne peut ou, en raison de ladite crainte, ne veut y retourner »

VOCABULAIRE

Demandeur d'asile Personne qui demande l'accueil et la protection d'un pays en vertu de la Convention de Genève de 1951.

Déplacé environnemental Personne devant quitter son lieu de résidence pour des raisons environnementales (catastrophes, désertification, relèvement du niveau marin...). On parle parfois de réfugiés climatiques pour insister sur la vulnérabilité de ces personnes vis-à-vis du changement climatique.

Étranger Personne qui n'a pas la nationalité du pays où elle se trouve.

Réfugié Personne qui est forcée de quitter sa région ou son pays d'origine pour fuir une crise (guerre...), des menaces ou la persécution.

Regroupement familial Procédure européenne permettant selon certaines conditions de rassembler les membres d'une même famille.

Remise Transfert d'argent d'un migrant vers sa famille ou sa communauté restée au pays d'origine.

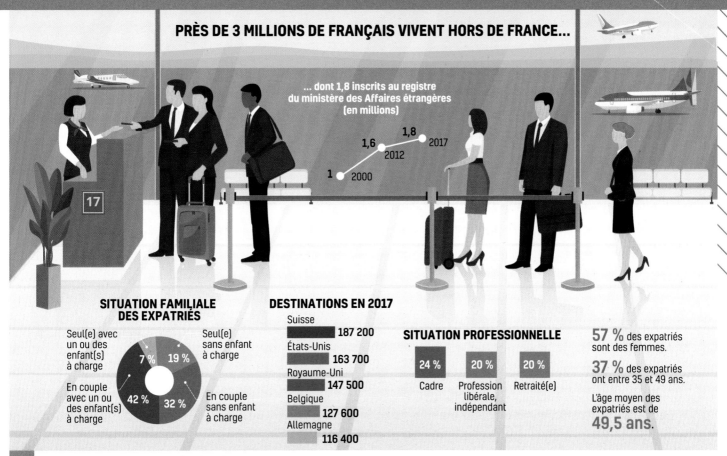

PRÈS DE 3 MILLIONS DE FRANÇAIS VIVENT HORS DE FRANCE...

... dont 1,8 inscrits au registre du ministère des Affaires étrangères (en millions)

1,8 2017
1,6 2012
1 2000

SITUATION FAMILIALE DES EXPATRIÉS

- Seul(e) avec un ou des enfant(s) à charge : 7 %
- Seul(e) sans enfant à charge : 19 %
- En couple avec un ou des enfant(s) à charge : 42 %
- En couple sans enfant à charge : 32 %

DESTINATIONS EN 2017

- Suisse : 187 200
- États-Unis : 163 700
- Royaume-Uni : 147 500
- Belgique : 127 600
- Allemagne : 116 400

SITUATION PROFESSIONNELLE

- Cadre : 24 %
- Profession libérale, indépendant : 20 %
- Retraité(e) : 20 %

57 % des expatriés sont des femmes.

37 % des expatriés ont entre 35 et 49 ans.

L'âge moyen des expatriés est de **49,5 ans.**

1 ▶ Trois millions de Français vivent à l'étranger

D'après Humanis, 2017 et le ministère des Affaires étrangères, 2018.

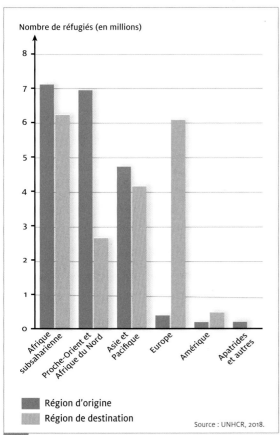

Nombre de réfugiés (en millions)

- Région d'origine
- Région de destination

Source : UNHCR, 2018.

3 ▶ Régions d'origine et de destination des réfugiés*

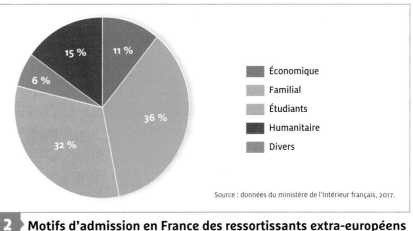

- Économique : 11 %
- Familial : 36 %
- Étudiants : 32 %
- Humanitaire : 6 %
- Divers : 15 %

Source : données du ministère de l'Intérieur français, 2017.

2 ▶ Motifs d'admission en France des ressortissants extra-européens

Analyser et confronter les documents

1. À l'aide du doc 1, établissez un portrait « type » des Français vivant à l'étranger.

2. En France, quelle part occupent les motifs familiaux dans l'attribution des titres de séjour aux ressortissants extra-européens ? Pour quelle raison ? Doc 2 et vocabulaire

3. Pourquoi l'existence de réfugiés* semble-t-elle aller à l'encontre de l'affirmation de la Déclaration universelle des droits de l'homme ? Repères, doc 3 Analysez les régions d'origine et de destination des réfugiés internationaux.

ACTEURS & ENJEUX

Des États aux politiques migratoires de plus en plus restrictives?

VOTRE MISSION (ORAL)

À l'heure où certains États construisent des murs pour bloquer l'immigration, vous travaillez pour un cabinet de conseil international et devez faire un bilan nuancé sur le thème: «Les États se ferment-ils de plus en plus aux migrations?» en analysant la diversité des politiques et leurs motivations. Vous pouvez travailler à plusieurs, chacun se chargeant d'approfondir le cas d'un pays ou groupe de pays, pour confronter différentes politiques.

Le nombre de migrants internationaux fluctue en fonction du contexte économique mais aussi des politiques des États: très important à la fin du xixe siècle (migrations européennes), puis en baisse dans les années 1960-1980, il est à nouveau en hausse depuis le début du xxie siècle. De nombreux États ont récemment modifié leurs politiques migratoires.

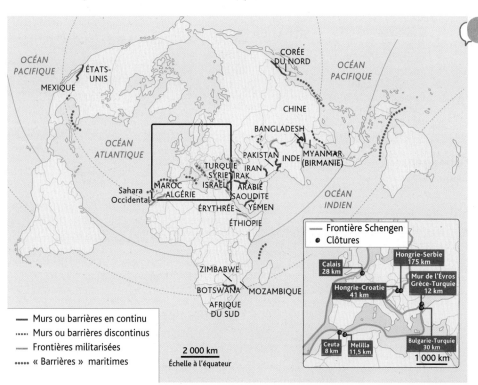

1 Des frontières fermées

— Murs ou barrières en continu
···· Murs ou barrières discontinus
— Frontières militarisées
···· « Barrières » maritimes

2 000 km
Échelle à l'équateur

Frontière Schengen
• Clôtures

Calais 28 km
Hongrie-Serbie 175 km
Hongrie-Croatie 41 km
Mur de l'Évros Grèce-Turquie 12 km
Ceuta 8 km
Melilla 11,5 km
Bulgarie-Turquie 30 km

1 000 km

2 La politique migratoire du Canada

«Le gouvernement fédéral a lancé une campagne pour «faire connaître» les avantages de l'immigration [...]. Selon les plans du gouvernement libéral, le Canada accueillerait 350 000 immigrants en 2021. Il s'agit d'une hausse de 40 000 personnes comparativement à la cible de 310 000 établie pour 2018.»

«Ottawa lance une campagne pro-immigration sur fond de grogne conservatrice», Radio Canada, 1er novembre 2018.

3 La politique migratoire du Japon

«Le gouvernement japonais a validé vendredi 2/11 un projet de loi autorisant l'accueil de davantage de travailleurs étrangers afin de combler en partie la pénurie de main-d'œuvre. [...] Ce programme inédit doit permettre de faire entrer des travailleurs moins qualifiés dans les secteurs souffrant d'une pénurie de bras, comme la restauration, le bâtiment, les soins aux personnes. [...] Il prévoit deux nouvelles catégories de visas. L'un permettra à des étrangers peu qualifiés de travailler dans le pays pour une durée maximale de cinq ans. L'autre autorisera des immigrés très compétents, capables de parler dans une certaine mesure la langue japonaise, à venir avec leurs familles et à obtenir un visa permanent.»

«Shinzo Abe veut ouvrir davantage le Japon aux travailleurs étrangers dès 2019», RFI, 2 novembre 2018.

4 Des migrants vénézuéliens à la frontière colombienne

Près de 3 millions de Vénézuéliens vivent à l'étranger.

Dessin de Payam (Iran)
La majeure partie des émigrants iraniens vont vers les États-Unis, le Canada, l'Inde, la France.

Dessin d'Ares (Cuba)
La majeure partie des émigrants cubains vont vers les États-Unis, l'Espagne et l'Italie.

Dessin de Yumba (Congo)
La majeure partie des émigrants congolais vont vers les autres États africains, vers la France, la Belgique.

6 La politique migratoire de l'Australie

« L'Australie est l'un des pays les plus multiculturels du monde. Plus de 28 % de ses 24 millions d'habitants sont nés à l'étranger. [...] Le poids de l'immigration qualifiée n'a cessé d'augmenter depuis les années 1980 : 68 % des immigrés rentraient dans cette catégorie en 2016 [...] Ces migrants passent par un système à points, qui sert à évaluer leur niveau d'anglais, leurs diplômes, leurs expériences professionnelles, etc. Les ingénieurs et les personnes travaillant dans les technologies de l'information sont particulièrement recherchés. L'âge est également un élément essentiel, les jeunes actifs entre 25 ans et 35 ans ayant la priorité. [...]

[Mais] Canberra a l'une des politiques les plus dures du monde envers les clandestins : ceux qui tentent de rejoindre ses côtes par bateaux sont interceptés, envoyés hors des eaux australiennes ou placés dans des centres offshores, sur l'île Manus (Papouasie-Nouvelle-Guinée) [...]. Les conditions de vie sur place font régulièrement les gros titres de l'actualité, après des agressions, des sévices, des suicides, etc. »

Caroline et Taïx Anne Pélouas, « L'Australie et le Canada, deux sociétés multiculturelles à l'immigration choisie », *Le Monde*, 2 mars 2017.

Des pistes de réflexion

• Analysez la carte : dans quelles régions du monde sont situés la plupart des murs ou barrières aux frontières ? Pour quels types de raisons les a-t-on érigés ? Quelle est la particularité de l'Europe ? Doc 1

• En quoi les politiques migratoires du Canada, de l'Australie et du Japon diffèrent-elles ? Doc 2, 3 et 6

• Quel est le sentiment véhiculé par les caricatures sur certaines politiques migratoires ? Doc 5

• Lorsque c'est possible, classez les pays récepteurs en fonction de leur politique plus ou moins restrictive. Doc 5

Pour trouver des arguments complémentaires :

➜ Études de cas sur la Méditerranée (p. 176) et Dubaï (p.188).

➜ Sur la politique européenne, le site touteleurope.eu

➜ Sur la politique migratoire française, le site officiel du gouvernement

➜ Pour d'autres pays, entrez sur un moteur de recherche : « pays, politique migratoire »

➜ *Cartooningforpeace*, dessins pour la paix : une bibliothèque de caricatures en ligne

➜ The *Guardian* (en anglais) : carte interactive avec des témoignages sur les murs et frontières dans le monde

SITOGRAPHIE

GRÈCE
• Santorin

Des touristes
sur l'île grecque
de Santorin

question Monde

2. Les mobilités touristiques internationales

Les mobilités touristiques internationales sont en plein essor : aller dans un pays différent du sien pour son plaisir est devenu la principale cause de mobilités internationales. Plus d'1,4 milliard de touristes fréquentent chaque année des territoires de plus en plus variés et selon des formes de tourisme multiples.

PÉROU
Altiplano

Touriste randonnant
sur l'Altiplano au Pérou

? Quels types de tourisme illustrent les photographies ? Montrez qu'elles témoignent toutefois d'un phénomène mondial.

⋯ Comment s'expliquent et se structurent ces mobilités ?

Les mobilités touristiques internationales

Notion-clé **Tourisme**

Fait de se déplacer hors de son environnement habituel pour au moins deux jours et pour une activité non rémunérée. On comptait 1,4 milliard de touristes internationaux en 2018, ils devraient être le double en 2030. Ces flux majeurs fournissent 10 % du PIB mondial.

1 Des types de tourisme

Touristes devant la tour Eiffel Les motivations et les types de tourisme sont variés : tourisme balnéaire, de montagne, tourisme culturel ou de découverte... Les touristes chinois, de plus en plus nombreux du fait de l'émergence* du pays, visitent les lieux emblématiques des grandes villes mondiales.

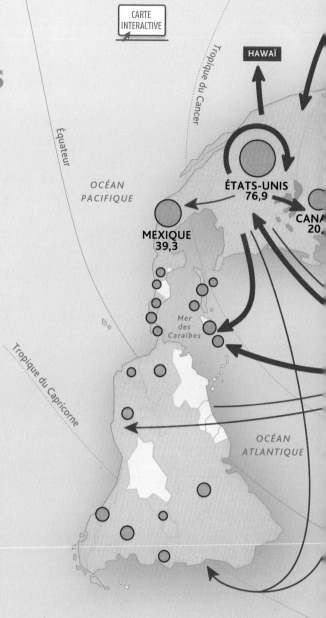

CARTE INTERACTIVE

HAWAÏ

Tropique du Cancer

Équateur

OCÉAN PACIFIQUE

ÉTATS-UNIS 76,9

CAN... 20,...

MEXIQUE 39,3

Mer des Caraïbes

Tropique du Capricorne

OCÉAN ATLANTIQUE

2 Flux, transports

Vol *low cost* Paris-Palerme (Sicile) Si les déplacements touristiques internationaux se font surtout par les transports terrestres (voiture, train), les flux aériens représentent une part croissante. Le développement des vols bon marché (*low cost*) contribue à un tourisme de masse* sur de plus longues distances.

Aménagement 3

Saalbach-Hinterglemm (Autriche) Le tourisme de masse* est favorisé par la création de grandes stations touristiques consacrées à l'activité balnéaire ou, comme ici, aux sports d'hiver.

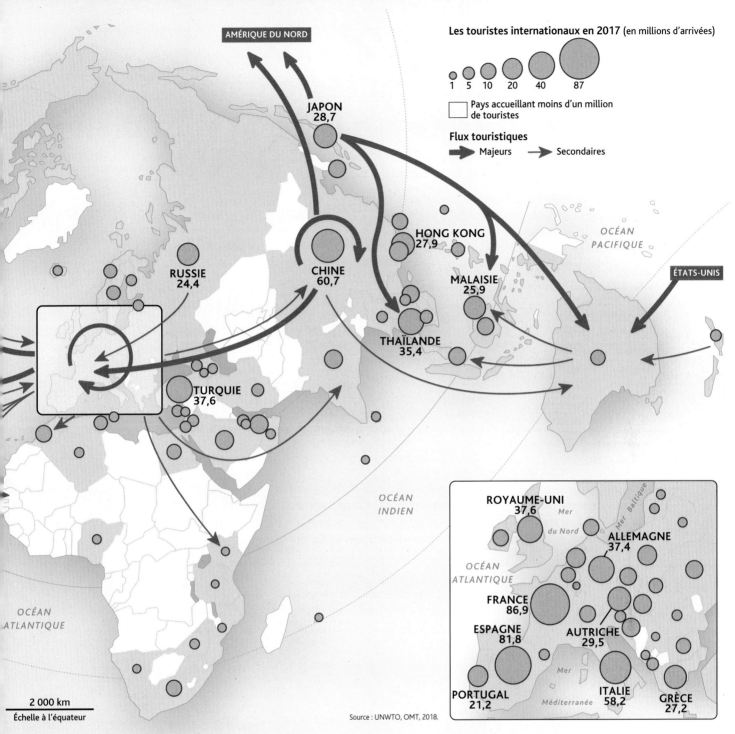

AMÉRIQUE DU NORD

Les touristes internationaux en 2017 (en millions d'arrivées)

1 5 10 20 40 87

☐ Pays accueillant moins d'un million de touristes

Flux touristiques
→ Majeurs   → Secondaires

JAPON
28,7

HONG KONG
27,9

OCÉAN PACIFIQUE

ÉTATS-UNIS

CHINE
60,7

MALAISIE
25,9

RUSSIE
24,4

THAÏLANDE
35,4

TURQUIE
37,6

OCÉAN INDIEN

OCÉAN ATLANTIQUE

ROYAUME-UNI
37,6   Mer du Nord   Mer Baltique

ALLEMAGNE
37,4

OCÉAN ATLANTIQUE

FRANCE
86,9

ESPAGNE
81,8

AUTRICHE
29,5

PORTUGAL
21,2   Mer Méditerranée   ITALIE 58,2   GRÈCE 27,2

2 000 km
Échelle à l'équateur

Source : UNWTO, OMT, 2018.

4 ▸ Bassin touristique

Croisiéristes américains débarquant à Fort-de-France, Martinique Les flux touristiques ont souvent lieu dans un bassin touristique, entre des pôles de départ et d'arrivée privilégiés assez proches. Le bassin caraïbe est un espace préférentiel du tourisme de croisière pour les États-Unis (2nd pays émetteur de touristes en Martinique, après les Français de métropole).

▪ Confronter la carte et les documents

1. D'après le planisphère, quelles sont les régions du monde les plus fréquentées par les touristes internationaux ? Pour chacune de ces régions, de quel(s) pays viennent préférentiellement les touristes ?

2. Quelles régions du monde sont peu fréquentées ? D'après vous, pour quelles raisons ?

3. Quels types de tourisme évoquent les photographies ? Localisez les lieux concernés sur le planisphère et analysez les flux engendrés (types de transport, pays émetteurs/récepteurs, etc.)

Comment s'expliquent et s'organisent les mobilités touristiques à l'échelle mondiale ?

A Des mobilités touristiques en pleine expansion

• **En 2018, on compte plus de 1,4 milliard de touristes internationaux**, soit 50 fois plus qu'en 1950. Cette massification du tourisme a d'abord concerné les pays développés. Elle s'explique par la prospérité des Trente Glorieuses, par l'ouverture des frontières, par la démocratisation des transports aériens et par la structuration de l'offre touristique.

• **Le tourisme est aujourd'hui un secteur économique majeur.** Avec environ 10 % du PIB mondial, il équivaut au secteur de l'industrie pétrolière ou de l'agroalimentaire. Il prend des formes diverses : tourisme balnéaire, de montagne, culturel… mais aussi d'affaires.

• **Le tourisme de masse soulève des enjeux sociaux et environnementaux.** Certaines destinations comme Venise souffrent d'une trop forte fréquentation touristique, de moins en moins supportée par une partie des habitants. Les aménagements touristiques, balnéaires ou de sports d'hiver, ont un fort impact paysager. Les dégradations environnementales incitent à mettre en œuvre un tourisme plus durable.

B Trois grands bassins touristiques régionaux

• **Le tourisme est fortement polarisé. Trois ensembles régionaux concentrent environ 75 % des flux internationaux** : le bassin touristique euro-méditerranéen, le bassin Amérique du Nord-Caraïbes et le bassin Asie orientale-Pacifique. Destination touristique historique, la Méditerranée est toujours le premier espace touristique mondial.

• **L'héliotropisme et les activités balnéaires expliquent le caractère saisonnier des mobilités touristiques.** Le développement touristique est aussi encouragé par des politiques publiques volontaristes et par d'importants aménagements comme les routes, les aéroports ou les parcs hôteliers.

• **L'évolution des contextes géopolitiques entraîne des recompositions des flux touristiques à l'échelle régionale.** Ce fut par exemple le cas de la Tunisie et de l'Égypte qui ont vu leur fréquentation chuter après les révolutions arabes de 2011 et la menace terroriste.

C L'Asie dans la recomposition des espaces touristiques

• **Les pays émergents deviennent des acteurs touristiques prépondérants, notamment en Asie.** Les touristes chinois, de plus en plus nombreux, sont les plus dépensiers lors d'un séjour à l'étranger. Leur nombre est estimé à 120 millions de visiteurs en 2018, pour des dépenses de 292 milliards de dollars.

• **La Chine est aussi une destination de plus en plus prisée par les touristes internationaux.** En 2019 elle est la quatrième destination mondiale, derrière la France, l'Espagne et les États-Unis.

▶ **Le tourisme est aujourd'hui le principal motif de mobilité dans le monde. La démocratisation touristique reste partielle et soumise aux inégalités socio-économiques : plus de 80 % des personnes n'ont jamais visité un autre pays que le leur.**

REPÈRE

Destinations des touristes internationaux

Arrivées de touristes internationaux (millions)
- Afrique
- Moyen-Orient
- Amérique
- Asie et Pacifique
- Europe

Source : d'après OMT, *Faits saillants du tourisme*, 2016.

VOCABULAIRE

Bassin touristique Espace géographique constitué d'un pôle de départ et un pôle d'arrivée liés par des flux touristiques privilégiés.

Héliotropisme Attraction des régions ensoleillées.

Tourisme Déplacement temporaire (effectué pour des raisons récréatives) en dehors du domicile habituel pour au moins une nuit et pour une activité non rémunérée.

Tourisme international Ensemble des mobilités touristiques qui impliquent le passage d'au moins une frontière.

Tourisme de masse Tourisme qui concerne un grand nombre de personnes en raison de la baisse du coût des transports et des séjours.

1 ▸ **Tourisme balnéaire de masse et transport aérien : l'île de Saint-Martin**

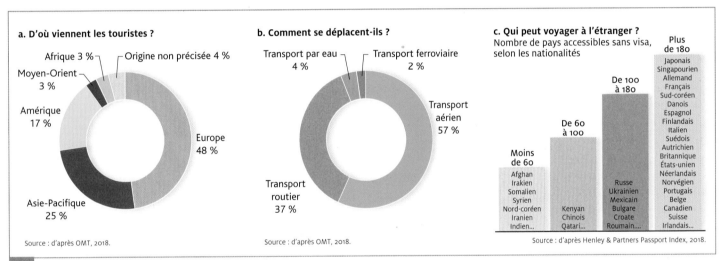

a. D'où viennent les touristes ?

- Afrique 3 %
- Origine non précisée 4 %
- Moyen-Orient 3 %
- Amérique 17 %
- Europe 48 %
- Asie-Pacifique 25 %

Source : d'après OMT, 2018.

b. Comment se déplacent-ils ?

- Transport par eau 4 %
- Transport ferroviaire 2 %
- Transport aérien 57 %
- Transport routier 37 %

Source : d'après OMT, 2018.

c. Qui peut voyager à l'étranger ?
Nombre de pays accessibles sans visa, selon les nationalités

- Moins de 60 : Afghan, Irakien, Somalien, Syrien, Nord-coréen, Iranien, Indien...
- De 60 à 100 : Kenyan, Chinois, Qatari...
- De 100 à 180 : Russe, Ukrainien, Mexicain, Bulgare, Croate, Roumain...
- Plus de 180 : Japonais, Singapourien, Allemand, Français, Sud-coréen, Danois, Espagnol, Finlandais, Italien, Suédois, Autrichien, Britannique, États-unien, Néerlandais, Norvégien, Portugais, Belge, Canadien, Suisse, Irlandais...

Source : d'après Henley & Partners Passport Index, 2018.

2 ▸ **Des mobilités touristiques inégales**

3 ▸ **Des bassins touristiques « régionaux »**

« La plupart des flux touristiques s'inscrivent dans la proximité. [...] En Corée du Sud par exemple, plus de 80 % des visiteurs viennent d'Asie Pacifique, le trio de tête étant respectivement constitué par le Japon, la Chine et Taïwan. Réciproquement, 80 % des voyages touristiques des Sud-Coréens à l'étranger se font en Asie, essentiellement en Chine, au Japon et en Thaïlande. [...] Au sein de l'Union européenne [...], les Allemands et les Britanniques sont souvent les premiers clients étrangers des autres pays européens. [...] À ces structurations régionales s'ajoute un cloisonnement par fuseau horaire, les déplacements le long des méridiens étant moins pénibles en termes de décalage horaire que ceux suivant les parallèles. Le fuseau américain concentre ainsi la majorité des flux touristiques de ce continent, les Européens dominent dans celui eurafricain, etc. Cette logique explique en partie les flux en direction de comptoirs touristiques interchangeables, qu'incarne par exemple la figure de l'Île tropicale. [...]. Dans cette logique, les Nord-Américains privilégient le bassin caraïbe, tandis que les Européens se dirigeront plutôt vers la Méditerranée, la Réunion ou l'Île Maurice. »

Édith Fagnoni, *Les espaces du tourisme et des loisirs*, Armand Colin, 2017.

> ▌**Analyser et confronter les documents**
>
> **1.** Montrez l'essor des mobilités touristiques. Repère Quelles peuvent être les raisons du tourisme de masse ? Doc 1 et 2, doc 2 et 3 p. 204
>
> **2.** Quels sont les principaux pôles émetteurs et récepteurs ? Pourquoi peut-on affirmer que le tourisme reflète d'importantes inégalités ? Repère, doc 2
>
> **3.** Pourquoi les mobilités touristiques fonctionnent-elles en partie en bassins régionaux ? Doc 3

Quels sont les effets territoriaux du tourisme aux Maldives ?

INDE
●MALDIVES
OCÉAN INDIEN

Les Maldives accueillent plus d'un million de touristes par an, ce qui contribue, directement ou indirectement, à 80 % du PIB de l'archipel. Mais l'image de carte postale véhiculée par le pays repose sur des aménagements qui ont des effets territoriaux importants.

1 ▸ **L'île-hôtel de Rangali : un tourisme de « carte postale »**

« Maldives, la démesure du luxe »

2 ▸ **Sur les îles-hôtels, une « nature artificielle »**

« Le soin apporté à la végétation peut s'expliquer de différentes manières. En premier lieu, il s'agit "d'habiller" une terre nue puisque seuls les cocotiers constituent la végétation naturelle de l'île. Le jardinage de l'île permet de l'embellir et ainsi de prouver à grand renfort d'eau dessalée, de plantations, d'importation de terre que l'île maldivienne jouit d'une végétation luxuriante. [...] Si la végétation a un intérêt "symbolique" évident, de manière plus pragmatique, elle permet de camoufler ce que l'on souhaite cacher au touriste. [...] Les arbustes et les plantes grimpantes permettent d'embellir le mur qui délimite le quartier du personnel. [...] La recherche d'un foisonnement de la végétation garantit un cadre agréable au touriste en offrant à l'île les atours[1] d'un milieu laissé à la nature sauvage. »

[1] Atours : parure, ornement

Bénédicte Auvray, *L'enclavement touristique dans les îles tropicales Polynésie française, Maldives, République dominicaine*, thèse, Université du Havre, 2012.

Légende de la carte :

Vers l'île de service (logements du personnel, zone technique...)

Terminal du ferry (approvisionnement de l'île)

Restaurant sous-marin

Transfert vers l'aéroport international en hydravion

Lagon (plongée sous-marine)

N

Villas de bord de plage

Logements du personnel, mosquée, services techniques

Piscine et zone de loisirs

Végétation plantée par l'homme

Parties communes (salles de sport, réception, club pour enfant, bars...)

Restaurant

Villas sur pilotis

300 m

3 ▸ **Le fonctionnement de l'île-hôtel de Rangali**

4 ▸ L'île-logistique de Thilafushi

«Les déchets sont envoyés sur l'île de Thilafushi. Ce territoire sacrifié est situé à moins de 10 km de Malé [...]. Les déchets proviennent de toutes les îles des Maldives [...]. Un million de touristes par an produisent chaque jour individuellement plus de 7 kilos de déchets, contre un peu moins de 3 kilos pour un Maldivien [...]. Résultat, plus de 300 tonnes de déchets arrivent chaque jour sur l'île de Thilafushi. [...] Si les bouteilles en plastique, les papiers et les métaux sont envoyés en Inde, le reste n'est pas trié. Il y a des piles, des déchets électroniques, du plastique en vrac et aussi des déchets industriels qui sont incinérés par des travailleurs immigrés souvent venus du Bangladesh [...]. L'île abrite aussi d'autres activités. À commencer par d'énormes réservoirs de pétrole construits sur des piles de déchets compactés au bulldozer.»

Gérald Roux, «C'est comment ailleurs? L'île poubelle des Maldives», France info, 3 mai 2018.

VIDÉO

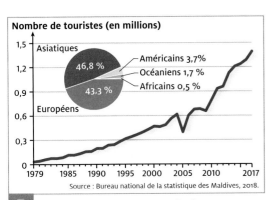

Nombre de touristes (en millions)

Asiatiques
46,8 %
Américains 3,7 %
Océaniens 1,7 %
Africains 0,5 %
43,3 %
Européens

Source : Bureau national de la statistique des Maldives, 2018.

5 ▸ Une fréquentation touristique croissante

La baisse de 2005 s'explique par le tsunami de décembre 2004.

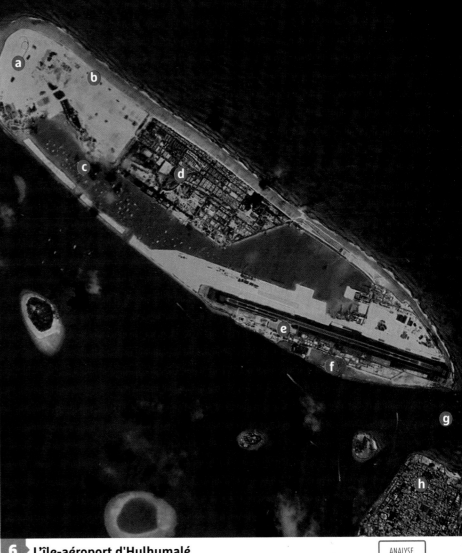

6 ▸ L'île-aéroport d'Hulhumalé

ANALYSE DIACHRONIQUE

a Ancienne île du Club Med b Prochains terre-pleins artificiels
c Lagon d Ville d'Hulhumalé e Aéroport d'Hulhulé (vols internationaux)
f Transfert vers les îles-hôtels g Pont vers Malé en partie financé par la Chine
h Malé, ville-capitale

DEUX PARCOURS AU CHOIX

PARCOURS GUIDÉ

1. Analysez la fréquentation touristique des Maldives et son impact économique. Introduction, doc 5

2. Montrez que l'organisation de l'île-hôtel de Rangali est conçue pour faciliter son accessibilité mais aussi pour correspondre à l'image de carte postale. Doc 1, 2 et 3

3. ▢ Relevez sur Google Earth les éléments d'artificialisation montrés dans le reportage du doc 1. Cela correspond-il à l'image que les Maldives souhaitent donner aux touristes ?

4. Montrez que les effets territoriaux du tourisme ne concernent pas que les seules îles touristiques de l'archipel. Doc 4 et 6

PARCOURS AUTONOME

Le dessin ci-dessous schématise le doc 6. En vous aidant de l'ensemble des documents, réalisez sur ce modèle un schéma simplifié de l'organisation d'une île-hôtel aux Maldives.

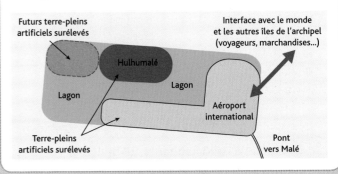

Futurs terre-pleins artificiels surélevés

Hulhumalé

Lagon

Lagon

Interface avec le monde et les autres îles de l'archipel (voyageurs, marchandises...)

Aéroport international

Terre-pleins artificiels surélevés

Pont vers Malé

Venise : une ville « asphyxiée » par le tourisme ?

De nombreux dangers menacent Venise : « *acqua alta* » liée à la montée du niveau marin, enfoncement de la ville du fait d'un pompage excessif de l'eau et des aménagements réalisés depuis 100 ans... et un tourisme massif. Si celui-ci est une opportunité économique (commerce, hôtellerie...), il est de plus en plus rejeté par les habitants et peut constituer une menace pour l'avenir de la ville.

1 Touristes devant la basilique Saint-Marc pendant l'*acqua alta*

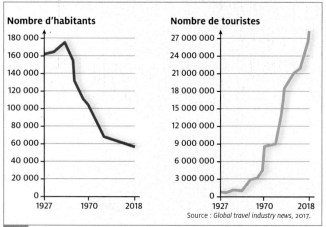

Source : *Global travel industry news*, 2017.

2 Venise : 55 000 habitants, 28 millions de touristes

3 La « touristophobie » à Venise

« À Venise, un véritable fleuve piéton parcourt chaque matin la ville [...] vers le Rialto et la place Saint-Marc. Les ponts, zones d'étranglement des flux, créent l'engorgement [...] Une deuxième forme de saturation apparaît dans les lieux de "stagnation" (abord des monuments les plus visités : Palais des Doges, [...]). La troisième forme de saturation concerne les alignements d'hôtels (Grand Canal [...]) et les quartiers populaires où les locations ont bouleversé la vie locale. [...] La sensation "d'inhabitabilité" créée par l'absence de répit diurne et nocturne s'ajoute à une sensation d'offense morale à l'égard de dérapages comportementaux (ébriété, nudisme). [...] Les Vénitiens expriment [aussi] leur désarroi devant une dépopulation [...] en lien avec la gentrification* et la muséification. »

Nacima Baron, « La contestation de la saturation touristique à Venise et Barcelone, occasion de relance des politiques urbaines » in Édith Fagnoni, *Les Espaces du tourisme et des loisirs*, Armand Colin, 2017.

4 **Les comportements interdits dans tout ou partie de la ville**

30 000 tonnes de déchets par an liés au tourisme doivent être évacués.

SITE

5 **La traversée de Venise désormais interdite aux grands navires de croisières**

Depuis janvier 2019, les navires de croisière de plus de 96 000 tonnes n'ont plus le droit de parcourir le Grand Canal. Les habitants de Venise et l'UNESCO ont obtenu cette décision pour protéger la ville de l'érosion causée par les remous et de la pollution. Les croisiéristes y voient un risque de pertes financières.

6 **Des portiques pour faire face au tourisme de masse**

«Des portiques ont été disposés à des points stratégiques de Venise (Italie), afin de gérer le flux des touristes pour ce long week-end du 1er mai. En cas d'affluence trop forte, ils seront fermés pour obliger les visiteurs à prendre un autre chemin. "C'est une façon de dissuader de venir à Venise à certaines périodes, lorsque ce sont des journées noires", explique Luigi Brugnaro, le maire de la ville. Venise croule littéralement sous des vagues sans cesse plus fortes de visiteurs venus du monde entier. [...] La Sérénissime accueille chaque année 600 fois plus de touristes qu'elle n'a d'habitants.»

France 2, 30 avril 2018.

VIDÉO

7 **Venise, le tourisme menace son patrimoine**

DEUX PARCOURS AU CHOIX

PARCOURS GUIDÉ

1. Montrez l'ampleur du tourisme à Venise. En quoi est-ce une opportunité économique ? Introduction, doc 1 et 2

2. Quelles sont les conséquences négatives de ce tourisme ? Pourquoi peut-on parler de « touristophobie » à Venise ? Doc 1, 2, 3, 4, 5 et 7

3. Quelles sont les solutions peu à peu mises en place ? Doc 5 à 7

BILAN Rédigez quelques lignes pour répondre à la problématique du dossier.

PARCOURS AUTONOME

Répondez à la problématique du dossier en complétant le schéma ci-dessous.

Un intérêt économique : ....

Des atteintes environnementales et paysagères : ....

Un tourisme disproportionné

La « touristophobie » de certains Vénitiens : ....

Quelles solutions ? ....

Faut-il développer le tourisme en Arctique?

VOTRE MISSION (ORAL)

Un débat sur le tourisme arctique réunit la direction d'un tour-opérateur organisant des séjours arctiques, des responsables politiques locaux, des touristes et des écologistes.

Après avoir choisi votre rôle, vous préparerez un discours de quelques minutes éclairant votre position sur la question : « à l'heure où plus d'1,5 million de touristes vont chaque année en Arctique, faut-il continuer à développer cette activité ?».

Avec les progrès techniques, le tourisme « arctique » est passé de 500 000 touristes en 1993 à plus de 1,5 million aujourd'hui : croisières, visites de parcs... Ce tourisme de luxe n'est pas sans conséquences sur les populations et l'environnement.

 1

L'attractivité de la ville d'Ilulissat (baie de Disko), au Groenland

« À l'échelle de l'île, le développement des transports aériens et maritimes a contribué à la mise en accessibilité des lieux. Dans la baie de Disko, un réseau de services touristiques s'est constitué : hôtels, bureaux de tourisme, prestataires privés, etc. La multiplicité de ces services a confirmé le statut d'Ilulissat comme principale ville touristique du Groenland. Progressivement se sont dessinés dans la baie de Disko les contours d'un territoire touristique constitué par des lieux centraux, un réseau d'acteurs, des activités et des pratiques spatiales.

Au même titre que ces transformations, l'inscription du fjord glacé d'Ilulissat au patrimoine mondial de l'Unesco a modifié le regard des sociétés sur cet espace. Valorisé pour ses caractéristiques glaciologiques, ce site, bien plus qu'un simple legs, est constitutif d'une identité revendiquée : les populations locales y habitent toujours. [...]. Progressivement ce lieu est d'ailleurs devenu un des emblèmes du changement climatique dans les espaces polaires. Clairement identifié et médiatisé, il attire les touristes en nombre, qui s'y pressent pour y voir les possibles derniers icebergs. »

Antoine Delmas, *Terre des Hommes, pays des glaces. L'expérience touristique au Groenland*, thèse de doctorat en géographie de l'université de Poitiers, 2014.

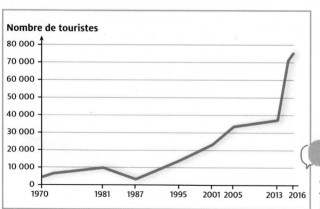

3 **Le nombre de touristes au Groenland**
D'après Greenland tourism report *2017 et* Daniela Tommasini, « *Tourisme de croisière et communautés éloignées au Groenland*», Études Inuit Studies *vol. 36, 2012.*

2 **Brochure du tour-opérateur australien** *Forward travel*
« Arctique canadien, faune et aurores boréales »

5 RÉCHAUFFEMENT CLIMATIQUE ET DÉVELOPPEMENT DU TOURISME

«Le slogan du tour-opérateur Grands Espaces en 2010, "Jamais les régions polaires n'ont été aussi accessibles pour vous!", évoque indirectement le réchauffement climatique. En effet, la baisse sensible des températures rend ces régions plus aisément accessibles. De nombreux articles dans la presse ont mis l'accent sur les conséquences de la fonte de la banquise, qui favoriserait, entre autres, l'arrivée de touristes croisiéristes. Ces prévisions sont contestées par certains géographes qui insistent sur le fait que les conditions de navigation, rendues plus complexes et dangereuses, pourraient au contraire avoir des incidences négatives sur le tourisme de croisière dans l'Arctique. Pourtant, en août 2016, pour la première fois un bateau de croisière a franchi le passage du Nord-Ouest libre de glace. Le paquebot de luxe transportant 1 000 passagers – ayant chacun déboursé près de 17 000 euros – est parti d'Anchorage (Alaska) à la mi-août pour rallier New York un mois plus tard. Or cet exploit plutôt controversé surfant sur un désastre écologique pourrait lancer le tourisme de masse vers le pôle Nord.»

Véronique Antomarchi, «Les Inuit et le froid. Les représentations autochtones et celles des touristes», *Communications*, vol. 101, 2017.

Des pistes de réflexion

• Comment expliquer le développement du tourisme arctique? Doc 1 à 6

• Qui sont les acteurs du tourisme dans les mondes arctiques? Doc 1 à 6

• Quel bilan peut-on tirer des documents concernant la durabilité du tourisme arctique? Doc 1, 2, 4 et 5

Pour trouver des arguments complémentaires:

→ Le site de l'Un...

→ Les sit...
e...

6 Le premier touriste

Kananginak Pootoogook, artiste Inuit (1935-2010), lithographie, 1992.

Des mobilités généralisées

A Des migrations internationales en essor

• En 2019, 260 millions de personnes vivent hors de leur pays de naissance (3,4% de la population mondiale). Les motivations des **migrants internationaux** sont diverses (travail, conditions de vie, études…). Le nombre des **réfugiés** liés aux guerres s'est accru. Enfin, le changement climatique global* augmente le nombre de déplacés environnementaux*, mais qui restent le plus souvent dans leur pays.

• Les systèmes migratoires* sont souvent régionaux : à l'intérieur de l'Europe ; entre Europe, Afrique et Proche-Orient ; entre Amérique du Nord et Amérique centrale ; entre Moyen-Orient et sous-continent indien… Les migrations entre pays du Sud sont devenues majoritaires.

• Les politiques migratoires sont devenues de plus en plus restrictives vis-à-vis de certains pays. Les tensions sont nombreuses, en particulier aux frontières où les contrôles sont accrus, notamment pour limiter les migrations clandestines.

B Des mobilités touristiques en pleine expansion

• Il y a désormais plus d'1,4 milliard de touristes* internationaux. Ce chiffre est en augmentation constante, du fait du développement des pays émergents (Chine…). Le **tourisme** est désormais un secteur-clé de l'économie mondiale (10 % du PIB mondial), mais les mobilités* touristiques ont parfois des impacts négatifs : surfréquentation, dénaturation des lieux, pollution…

• Trois grands bassins touristiques* se partagent 75 % des flux mondiaux : bassin méditerranéen et Europe du Sud, bassin caraïbe et Amérique du Nord, Asie Orientale. Certains pays se ferment au tourisme (guerre, troubles comme en Tunisie après 2011…) tandis qu'émergent de nouvelles destinations comme l'Arctique.

• Le monde actuel est donc marqué par une **transition vers les mobilités,** visible aussi bien par l'augmentation des migrations* que par celle du tourisme international.

NOTIONS-CLÉS

• **Migrant international** Personne allant s'établir dans un autre pays pour au moins un an pour diverses raisons (économiques, familiales, etc).

• **Mobilités** Déplacements de personnes quelles qu'en soient les raisons, l'échelle et la durée.

• **Réfugié** Personne chassée de son pays pour des raisons politiques (persécutions, guerres), religieuses…

• **Tourisme** Déplacement temporaire en dehors du domicile habituel pour au moins une nuit et pour une activité non rémunérée.

• **Transition vers les mobilités** Passage de sociétés relativement peu mobiles à des sociétés de plus en plus mobiles.

NE PAS CONFONDRE

• **Migrant / Émigrant / Immigrant** Les **émigrants** (qui quittent leur pays) deviennent des **immigrants** dans leur pays d'accueil. Les deux termes désignent donc une même personne – un **migrant** – nommée différemment en fonction du lieu où l'on se place.

RETENIR AUTREMENT

Le processus de décision d'une migration internationale

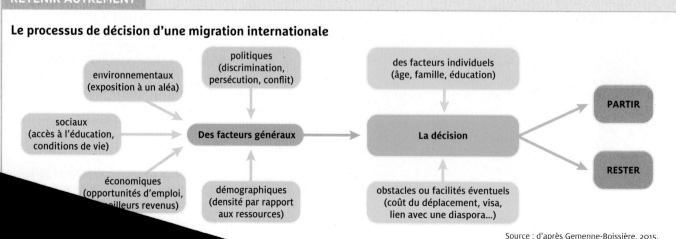

Source : d'après Gemenne-Boissière, 2015.

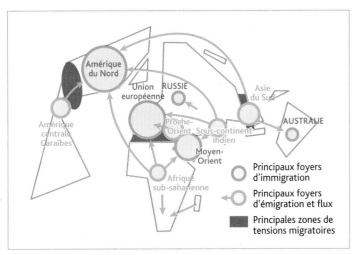

1. Les migrations internationales

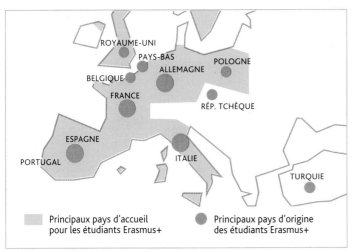

Légende :
- Zones de départ des migrants
- Principales routes migratoires
- Zones de tension
- Espace Schengen
- FRANCE Principaux pays européens d'accueil

2. La Méditerranée, zone de tensions migratoires

Principaux foyers d'immigration

Principaux foyers d'émigration et flux

Principales zones de tensions migratoires

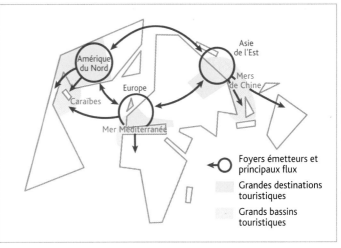

3. Les échanges Erasmus

Principaux pays d'accueil pour les étudiants Erasmus+

Principaux pays d'origine des étudiants Erasmus+

4. Les mobilités touristiques internationales

Foyers émetteurs et principaux flux

Grandes destinations touristiques

Grands bassins touristiques

---

260 millions de personnes vivent en dehors de leur pays d'origine

250 millions de personnes déplacées d'ici 2050 pour des raisons climatiques (estimation de l'ONU)

1,4 milliard de touristes internationaux dans le monde en 2018

---

1 Je maîtrise les idées du cours

Les affirmations suivantes sont-elles vraies ou fausses ?

	Vrai	Faux
1. Les migrations internationales sont moins nombreuses que les migrations à l'intérieur d'un même pays.		
2. L'Europe et l'Asie sont à la fois de grandes régions de départ et d'accueil des migrants.		
3. Les migrations internationales Nord-Sud sont les plus nombreuses.		
4. Les migrations internationales sont un phénomène très récent.		
5. Le nombre de déplacés climatiques est stable depuis le début des années 1980.		
6. La « fuite des cerveaux » a des conséquences négatives pour les pays de départ.		
7. Le tourisme est une activité sensible au contexte géopolitique.		
8. La Méditerranée, l'Amérique du Nord et l'Amérique latine sont les trois grands bassins touristiques mondiaux.		
9. La Chine est à la fois un grand pays émetteur et récepteur de touristes.		
10. Plus de 80 % des habitants de la planète n'ont jamais visité un autre pays que le leur.		

2 Je compare des graphiques

1. Quel est le premier pôle touristique mondial d'après le **a.** ? et d'après le **b.** ?

2. Analysez plus en détail les **a.** et **b.** À quoi peuvent-être dues les différences constatées ?

3. Analysez le **c.** En quoi peut-il aussi expliquer certaines différences constatées en question 1 ?

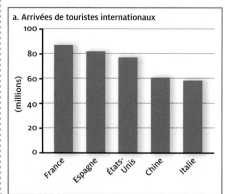

a. Arrivées de touristes internationaux (millions)

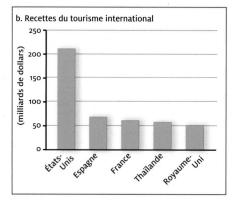

b. Recettes du tourisme international (milliards de dollars)

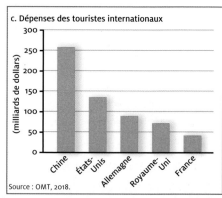

c. Dépenses des touristes internationaux (milliards de dollars)

Source : OMT, 2018.

3 Je confronte des documents pour analyser une publicité

La photographie ci-contre est prise sur le site Internet de l'office du tourisme de Saint-Martin (île partagée entre la France et les Pays-Bas).

1. Comparez-la au doc 1 p. 207 : la photographie est-elle un trucage ou une exagération de la vérité ?

2. Expliquez pourquoi et comment un handicap s'est transformé en atout touristique et comment la publicité tente de valoriser cette situation.

3. Vous pouvez faire une recherche sur Internet (mots-clés « aéroport Saint-Martin » puis « images ») pour trouver d'autres vues de cette attraction touristique.

Se rendre à St. Martin

4 | J'utilise mes connaissances pour analyser une caricature

1. Que sont les accords de Schengen* ? Quel est donc l'espace concerné ?

2. Que représentent ces hommes ? Que signifient les cloisons ?

« Gérez les vagues ou nous verrons notre fort s'effondrer ! »
3. Quel est ce fort ?

« Crise migratoire »
4. Quelle est cette mer ? De quelle crise migratoire s'agit-il ?

Caricature de Paresh dans The Khaleej Times, 2016.

5 | Je révise à l'aide d'un court documentaire

Pour mieux cerner les questions de vocabulaire sur les migrations :

1. Visionnez sur Internet le film « **Doit-on employer le mot migrants ?** » (Jean-Guillaume Santi et Richard Herlin, *Le Monde*, 2015).

VIDÉO

2. Faites une fiche-vocabulaire sur les termes suivants :

migrant   réfugié   expatrié   déplacé

Vous pouvez vous aider du manuel p. 196-197.

3. Préparez un oral de quelques minutes pour présenter leurs différences.

ORAL

Le viaduc de la Savoureuse
(TGV Rhin-Rhône)

Viaduc de
la Savoureuse

3. Mobilités, transports et enjeux d'aménagement

En France, les mobilités sont multiples et répondent à des motivations très diverses. Elles reflètent des inégalités socio-économiques mais aussi territoriales, en fonction de la trame des réseaux de transport et de communication. La transition vers les mobilités* pose des questions environnementales.

Centre-ville de Bordeaux

Quels types de mobilités et de transports sont visibles sur les photographies ? À quels espaces correspondent-ils ?

⋯▹ Quels sont les enjeux d'aménagement liés aux mobilités en France ?

CARTE INTERACTIVE

Les réseaux de transport et de communication en France

Notion-clé **Transition vers les mobilités**

Passage d'une sédentarité autrefois dominante à une mobilité accrue des personnes. Cette transition est liée aux transformations économiques et sociales, ainsi qu'à l'urbanisation. Les sociétés rurales traditionnelles se déplacent moins que les urbains et surtout que les périurbains.

Les réseaux de transports et de communication en France

1. Des réseaux denses et performants
- Axe européen majeur (autoroute, voie rapide)
- Axe national majeur (autoroute, voie rapide)
- Ligne à grande vitesse (LGV)
- LGV envisagée à long terme
- Zone de trafic saturé aux heures de pointe
- Tunnel

2. Des métropoles au cœur des échanges
- Paris, tête du réseau français
- Autre métropole
- Ville secondaire

3. Des réseaux de transport ouverts sur le monde
- Port de rang mondial
- Port de rang national
- Roissy, hub mondial
- Autres aéroports principaux
- Fortes mobilités transfrontalières

1 Mobilités du quotidien

Le TCSP* en Martinique (Transport en commun en site propre), inauguré en 2018

Avec la périurbanisation*, les mobilités du quotidien se font fréquemment dans des aires urbaines, embouteillées lors des heures de pointe. Le développement des transports en commun paraît une solution d'avenir, comme ici à Fort-de-France (175 000 véhicules par jour dans l'agglomération).

2 Distance-temps, distance-coût

Ouibus, un mode de transport alternatif au TGV

Tout autant que la distance, le temps (distance-temps) et le coût (distance-coût) du déplacement interviennent dans le choix d'un mode de transport. Ainsi, la SNCF propose pour une même destination le TGV mais aussi des bus, plus lents mais meilleur marché.

3 Réseau de transport, axe, nœud

Le boulevard périphérique, porte de Bagnolet (Paris)

En France, excepté quelques espaces de Guyane, tout lieu habité est relié aux autres. Un réseau est constitué d'un ensemble d'axes qui quadrillent l'espace et s'interconnectent, comme ici, autour de nœuds.

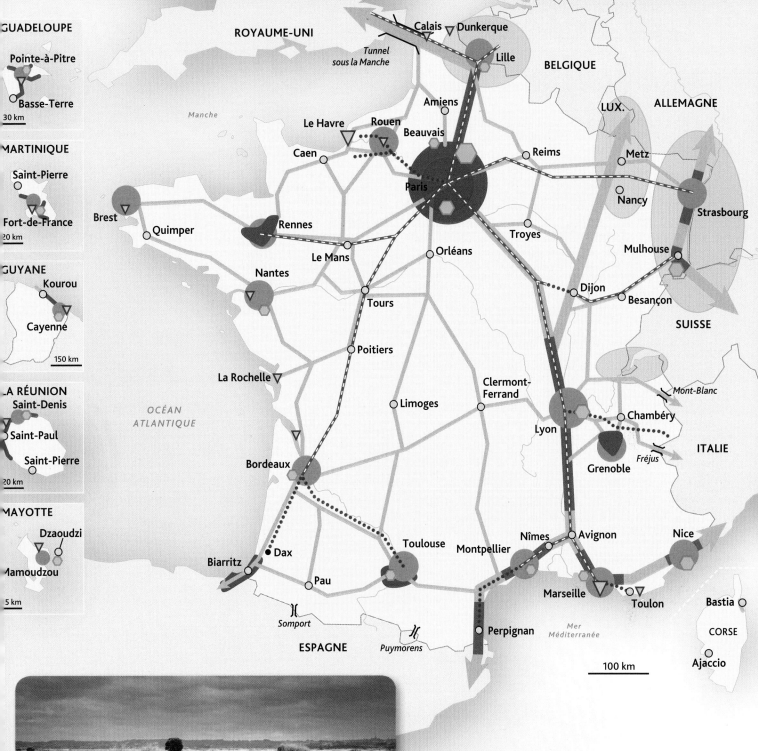

GUADELOUPE
Pointe-à-Pitre
Basse-Terre
30 km

MARTINIQUE
Saint-Pierre
Fort-de-France
20 km

GUYANE
Kourou
Cayenne
150 km

LA RÉUNION
Saint-Denis
Saint-Paul
Saint-Pierre
20 km

MAYOTTE
Dzaoudzi
Mamoudzou
5 km

ROYAUME-UNI

Calais Dunkerque
Lille
BELGIQUE

Tunnel sous la Manche

Amiens
LUX. ALLEMAGNE

Le Havre Rouen
Beauvais
Caen
Reims
Metz

Paris
Nancy
Strasbourg

Brest
Rennes
Troyes
Mulhouse

Quimper
Le Mans
Orléans

Nantes
Dijon
Besançon

Tours
SUISSE

Poitiers

OCÉAN ATLANTIQUE

La Rochelle
Limoges
Clermont-Ferrand
Mont-Blanc

Chambéry

Lyon
ITALIE

Bordeaux
Grenoble
Fréjus

Toulouse
Montpellier
Nîmes Avignon
Nice

Biarritz Dax
Pau
Marseille
Toulon
Bastia

Somport
Perpignan
Mer Méditerranée
CORSE

ESPAGNE
Puymorens
Ajaccio

100 km

4 **Inégalités territoriales, France des marges**

Une route secondaire en Bretagne

En France en 2018, 25 % des routes étaient dans un état « mauvais ou très mauvais ». La plupart sont situées dans des zones rurales, dans « la France des marges », souvent peu peuplée.

▌Confronter la carte et les documents

1. En quoi les doc 1, 2 et 3 illustrent-ils la notion de transition vers les mobilités* ?

2. Quels sont les espaces où les réseaux de transport sont denses ? Quels espaces sont moins bien desservis ? Carte, doc 3 et 4

3. À quels objectifs et impératifs répondent les infrastructures et moyens de transport ? Carte, doc 1, 2 et 3

4. Comment les différents réseaux relient-ils la France à l'Europe et au monde ? Carte

Mobilités, transports, enjeux d'aménagement en France

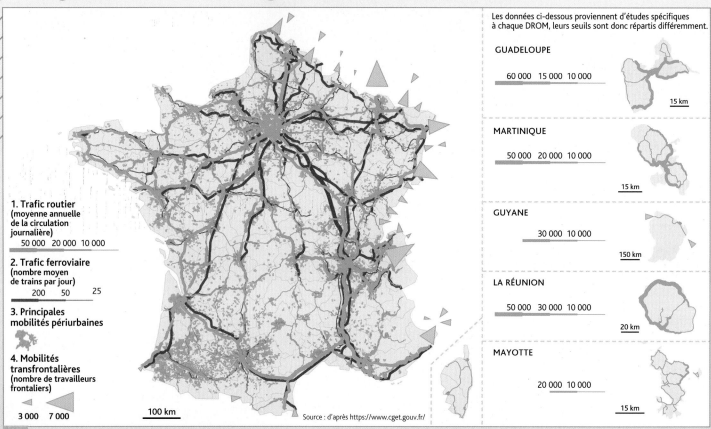

Les données ci-dessous proviennent d'études spécifiques à chaque DROM, leurs seuils sont donc répartis différemment.

GUADELOUPE
60 000 15 000 10 000
15 km

MARTINIQUE
50 000 20 000 10 000
15 km

GUYANE
30 000 10 000
150 km

LA RÉUNION
50 000 30 000 10 000
20 km

MAYOTTE
20 000 10 000
15 km

1. Trafic routier
(moyenne annuelle de la circulation journalière)
50 000 20 000 10 000

2. Trafic ferroviaire
(nombre moyen de trains par jour)
200 50 25

3. Principales mobilités périurbaines

4. Mobilités transfrontalières
(nombre de travailleurs frontaliers)
3 000 7 000

100 km

Source : d'après https://www.cget.gouv.fr/

1 **Principaux flux par voie terrestre en France**

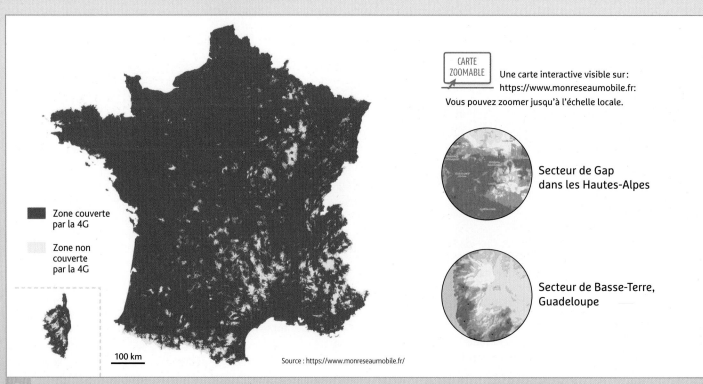

CARTE ZOOMABLE
Une carte interactive visible sur :
https://www.monreseaumobile.fr/
Vous pouvez zoomer jusqu'à l'échelle locale.

Secteur de Gap dans les Hautes-Alpes

Secteur de Basse-Terre, Guadeloupe

■ Zone couverte par la 4G

☐ Zone non couverte par la 4G

100 km

Source : https://www.monreseaumobile.fr/

2 **Le réseau mobile en France métropolitaine**

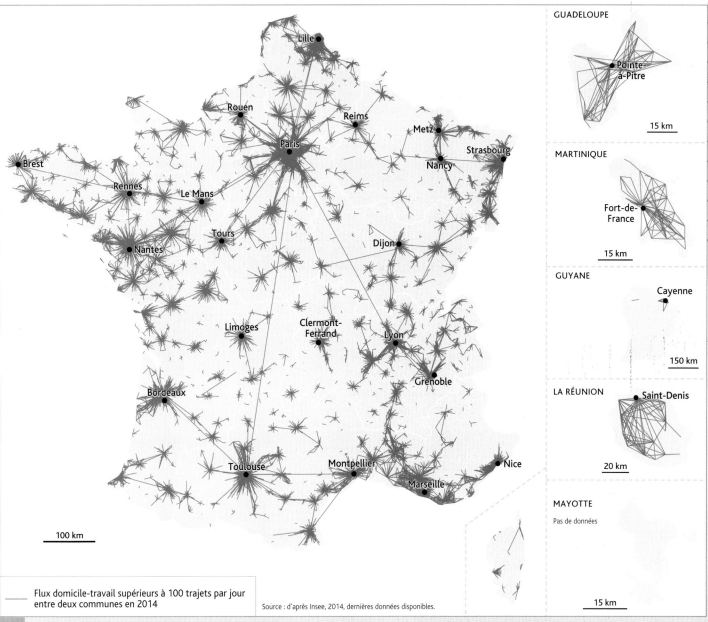

GUADELOUPE

Pointe-à-Pitre

15 km

MARTINIQUE

Fort-de-France

15 km

GUYANE

Cayenne

150 km

LA RÉUNION

Saint-Denis

20 km

MAYOTTE

Pas de données

15 km

100 km

Flux domicile-travail supérieurs à 100 trajets par jour entre deux communes en 2014

Source : d'après Insee, 2014, dernières données disponibles.

3 ▸ **Les déplacements domicile-travail en France**

DEUX PARCOURS AU CHOIX POUR ANALYSER LES CARTES

PARCOURS RÉDIGÉ

1. Localisez les types d'espaces où les flux et réseaux de transport sont denses. Cartes 1 et 3

2. Localisez les types d'espaces où les flux et réseaux de transport et communication sont moins denses. Pourquoi peut-on parler d'une France des marges ? Cartes 1, 2 et 3

3. Montrez l'importance des déplacements quotidiens. Cartes 1 et 3. En quoi témoignent-ils d'une transition vers les mobilités* ?

BILAN Rédigez quelques lignes montrant l'importance des mobilités et les principaux espaces concernés.

PARCOURS CARTOGRAPHIQUE

Réalisez un schéma montrant les principaux axes de mobilités à l'échelle nationale ainsi que les principales aires urbaines polarisant des mobilités de travail. Cartes 1 et 3

Aidez-vous de la page 78.

Qu'est-ce qui pousse les habitants à se déplacer ?

A Les mobilités quotidiennes dominent

• **La mobilité s'est accrue à toutes les échelles.** Au quotidien, c'est à l'échelle locale, plus rarement régionale ou nationale, que les habitants se déplacent : mobilités pendulaires (domicile-travail ou domicile-études) ou mobilités triangulaires en incluant un tiers-lieu (lieux des loisirs, des courses, lieux concernant les enfants...). Les espaces de vie sont en effet de plus en plus nombreux et spécialisés par quartiers (zones commerciales, industrielles...). Une personne fait ainsi en moyenne 3 trajets par jour sur 40 km (4 fois plus qu'en 1960), soit 7 h par semaine dans les transports.

• **Cette moyenne cache de grandes disparités, d'abord géographiques.** On passe deux fois plus de temps dans les transports en région parisienne que dans les petites villes (68 minutes contre 35 minutes) à cause de l'étalement urbain et de la congestion en heure de pointe. Mais les déplacements peuvent aussi être longs en milieu rural. Cette mobilité contrainte provoque stress, fatigue et pollution. En réaction, le travail en tiers-lieu se développe pour ceux qui le peuvent : chez soi, dans le train ou dans des espaces partagés.

• **Les disparités sont aussi socio-économiques.** La motilité dépend du lieu de vie mais aussi du niveau de vie : les dépenses liées à la voiture, l'accès plus ou moins aisé aux transports en commun peuvent pénaliser les jeunes et les milieux modestes. Les mobilités dépendent aussi du genre : le nombre de trajets quotidien est plus important pour les femmes (travail, courses, enfants...).

B Les mobilités saisonnières ou ponctuelles

• **Les mobilités dépassant le cadre quotidien sont multiples** et concernent aussi bien les vacances dans des espaces de plus en plus éloignés que les mobilités liées à l'emploi. Les régions françaises les plus attractives sont dans les deux cas l'ouest et le sud du pays.

• **L'accès à la mobilité conditionne souvent l'accès à l'emploi.** Le cliché selon lequel les Français seraient peu mobiles dans ce cas est faux : 4 % des actifs changent de zone d'emploi chaque année, soit plus que la moyenne européenne. Mais ces migrations résidentielles recouvrent des inégalités importantes : plus faciles pour un travailleur diplômé (salaires ou conditions de travail attractives), elles ne valent pas toujours le coup pour des personnes aux revenus plus modestes (logement plus cher, perte de la solidarité familiale...).

• **Partir en vacances est l'une des expériences les plus fortes de la mobilité :** visites, hôtels ou résidence secondaire, camping, moyens de transport inhabituels... Les deux tiers des Français le vivent chaque année, d'autant plus pour les 20 % des personnes qui partent à l'étranger. Mais là aussi, les inégalités sont fortes : un habitant sur trois ne part pas en vacances.

> En France, les mobilités sont multiples : mouvements pendulaires le plus souvent à l'échelle locale, mobilités résidentielles ou touristiques... Ces mobilités sont marquées par des disparités territoriales mais aussi socio-économiques.

REPÈRE

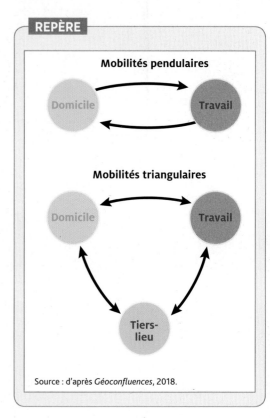

Mobilités pendulaires

Domicile — Travail

Mobilités triangulaires

Domicile — Travail — Tiers-lieu

Source : d'après *Géoconfluences*, 2018.

VOCABULAIRE

Migrations résidentielles Changement de domicile d'un foyer.

Mobilités pendulaires/triangulaires Déplacements journaliers domicile-travail / domicile-travail-tiers-lieu.

Motilité Inégale potentialité à se déplacer, qui dépend en grande partie du niveau de vie.

Tiers-lieu Territoire qui n'est ni le domicile ni le lieu de travail habituel : loisirs, écoles des enfants, commerces... Le terme désigne aussi les espaces de travail situés entre le domicile et l'entreprise.

1 La mobilité modifie la façon d'habiter les territoires

«Ce matin, j'ai pris le TGV de 5 h 38 pour Paris, le premier au départ de Grenoble.[...] Demain, je me rendrai à mon travail en tramway. Après-demain, rendez-vous à Lyon, à 9h30, la bonne heure pour échapper aux embouteillages autoroutiers du matin, et ainsi de suite, d'un lieu à un autre, d'un contexte à un autre, d'un territoire à un autre.

Ce matin, comme à chaque fois, le TGV était plein. Plein de ceux qui se rendaient vers divers horizons, certains avec leur valise parce que c'est un début de semaine. Demain, l'autoroute sera chargée aussi, pour d'autres mouvements à plus courte portée. Dans le tram, encore un autre public, majoritairement composé de jeunes scolarisés, de personnes âgées seules, de femmes issues de l'immigration[...].

Cette fin de semaine, beaucoup bougeront encore, pour des lieux de loisirs[...]. Quant aux vacances, elles seront l'apothéose de cette expérience multiple de l'espace, ces mouvements vers ailleurs, ces ancrages éphémères (visites, hôtels, camping...) ou retrouvés (famille, résidence secondaire, retour au pays...). On dit: "partir en vacances"; en être privé (un sur trois aujourd'hui), c'est rester captif d'un seul territoire.»

Martin Vanier, *Le pouvoir des territoires, essai sur l'interterritorialité*, Economica, 2010.

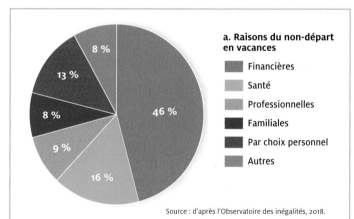

a. Raisons du non-départ en vacances

- Financières
- Santé
- Professionnelles
- Familiales
- Par choix personnel
- Autres

8 % — 13 % — 8 % — 9 % — 16 % — 46 %

Source : d'après l'Observatoire des inégalités, 2018.

b. Départs en vacances selon la catégorie sociale

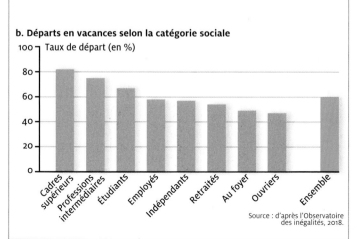

Taux de départ (en %)

Source : d'après l'Observatoire des inégalités, 2018.

3 Des inégalités face aux départs en vacances

2 Des tiers-lieu*: les espaces de travail dans les gares

19 % des Français ont déjà renoncé à se rendre à un entretien d'embauche ou dans une structure d'aide à la recherche d'emploi par manque de moyens pour se déplacer.

Parmi les titulaires du permis B
17 %

Parmi les non titulaires du permis B
37 %

23 % ont déjà renoncé à un travail ou à une formation du fait des difficultés de mobilité pour s'y rendre.

46 %	18-24 ans
32 %	25-34 ans
29 %	35-49 ans
18 %	50-64 ans
5 %	+ de 65 ans

Source : d'après le Laboratoire de la Mobilité inclusive et l'institut Elabe, 2016.

4 Motilité* et emploi

Analyser et confronter les documents

1. Pourquoi parle-t-on aujourd'hui de mobilité triangulaire ? Repère et vocabulaire En quoi le tiers-lieu* évoqué par le doc 2 est-il lié au développement des mobilités ?

2. Analysez la diversité des motivations qui amènent les habitants à se déplacer, ainsi que la multiplicité des transports, des distances parcourues et de la durée des mobilités. Doc 1

3. Montrez les inégalités sociales face à la mobilité. Doc 1, 3 et 4

DOSSIER

Quelles formes prennent les mobilités des habitants du périurbain ?

Près d'un quart des Français vit dans des espaces périurbains. Les contextes géographique et socio-économique les amènent à se déplacer souvent plus que le reste de la population et font que leurs mobilités prennent des formes spécifiques.

2 Les déplacements des habitants du périurbain en Île-de-France, par mode de transport et en fonction du motif du déplacement

Source : IAU-idf, « La mobilité dans le périurbain », Enquête global transport, n°18, janvier 2013.

1 Un espace périurbain à 5 km de Lille

Source : IGN, 2019

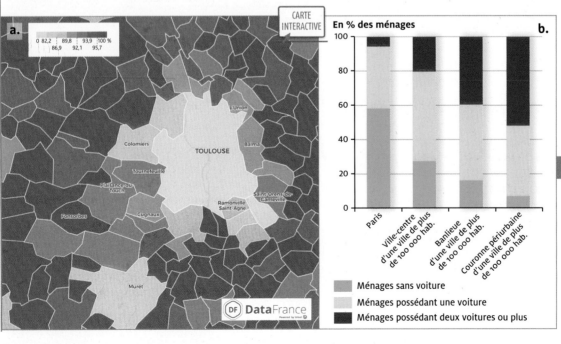

3 Le taux d'équipement en voiture

a. Pourcentage de ménages ayant plus d'une voiture dans l'agglomération de Toulouse

b. Nombre de voitures par ménage en fonction du lieu d'habitation

DataFrance et Insee, 2018

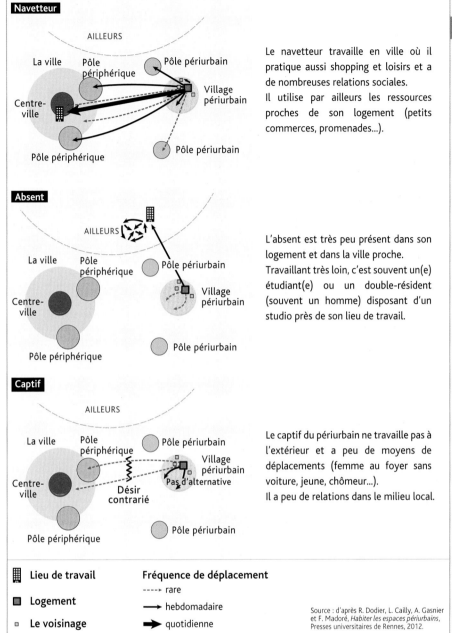

Navetteur

Le navetteur travaille en ville où il pratique aussi shopping et loisirs et a de nombreuses relations sociales.

Il utilise par ailleurs les ressources proches de son logement (petits commerces, promenades...).

Absent

L'absent est très peu présent dans son logement et dans la ville proche. Travaillant très loin, c'est souvent un(e) étudiant(e) ou un double-résident (souvent un homme) disposant d'un studio près de son lieu de travail.

Captif

Le captif du périurbain ne travaille pas à l'extérieur et a peu de moyens de déplacements (femme au foyer sans voiture, jeune, chômeur...).

Il a peu de relations dans le milieu local.

	Fréquence de déplacement
▦ Lieu de travail	----→ rare
◼ Logement	—→ hebdomadaire
◻ Le voisinage	➡ quotidienne

Source : d'après R. Dodier, L. Cailly, A. Gasnier et F. Madoré, *Habiter les espaces périurbains*, Presses universitaires de Rennes, 2012.

4 ▸ Habiter le périurbain et se déplacer : une diversité de situations

Des géographes et des sociologues ont étudié les mobilités des périurbains, les classant en neuf types, dont les trois ci-contre.

5 ▸ Vers une évolution des mobilités des périurbains ?

« Les périurbains sont souvent considérés comme uniformément contraints à des mobilités de longue distance. L'analyse des évolutions récentes des mobilités des périurbains de l'ouest francilien [...] met en évidence une stabilisation des distances moyennes et des budgets-temps des navettes domicile-travail, une plus grande recherche de proximité dans les comportements d'achat quotidiens, une utilisation plus fréquente et plus différenciée des ressources locales. [...] Qu'il s'agisse des trajets domicile-travail ou des autres déplacements, les comportements des périurbains sont donc bien loin de répondre à un modèle unique. Au-delà des choix individuels, ils renvoient à la diversité croissante des espaces périurbains et de leurs ressources, en fonction de leur distance aux pôles d'emplois, de leur densité d'habitat et d'emploi, [de leurs niveaux d'équipement], ainsi que des profils sociodémographiques des populations résidentes. »

Martine Berger, Mireille Bouleau et Catherine Mangeney, « Les périurbains franciliens : vers de nouveaux comportements de mobilité ? », *EchoGéo* 34, 2015.

DEUX PARCOURS AU CHOIX

PARCOURS GUIDÉ

1. Analysez les modes de transport des habitants du périurbain en Île-de-France. Doc 2

2. De façon plus générale, quelle place tient la voiture dans les mobilités des périurbains en France ? Quel est le taux d'équipement aux alentours de votre lycée ? Doc 3, carte interactive

3. Comment la place de la voiture se traduit-elle dans le paysage ? Doc 1 Quels sont ses inconvénients ?

4. Décrivez et expliquez la diversité des pratiques de mobilité des périurbains. En quoi sont-elles un révélateur d'une fragmentation sociale des territoires ? Doc 4 et 5

5. Sur quelle évolution récente le doc 5 met-il l'accent ?

PARCOURS AUTONOME

Prenez connaissance des documents du dossier, puis en adoptant le point de vue d'un habitant du périurbain, imaginez un récit évoquant ses mobilités (quotidiennes, hebdomadaires, annuelles). Vous pouvez vous inspirer du doc 1 p. 225. Définissez bien le lieu et le type d'habitant qui servent de base à votre texte.

ORAL Ce récit peut prendre la forme d'une présentation orale.

Quels sont les enjeux d'une bonne desserte territoriale?

A Un territoire maillé par des réseaux performants

• **Les réseaux de transport et de communication permettent à la France de valoriser sa position de carrefour en Europe et d'être connectée au monde.** Au départ centré sur Paris (réseau en étoile), le réseau français est désormais maillé grâce à des transversales, comme l'autoroute Bordeaux-Lyon et est très bien relié aux pays limitrophes. Le réseau de LGV est ainsi connecté au Royaume-Uni via le tunnel sous la Manche (Eurostar), à la Belgique et aux Pays-Bas (Thalys) et est en cours de connexion avec l'Allemagne.

• **Les aéroports permettent des mobilités rapides** entre les principales métropoles (Nice, Lyon, Marseille, Toulouse, pour les plus fréquentés) et entre celles-ci et Paris. Les liaisons aériennes entre le territoire métropolitain et l'Outre-mer assurent la continuité territoriale*. Les aéroports contribuent à insérer la France dans les réseaux européens et mondiaux : le hub (Air-France-KLM) de Roissy est au 2e rang européen pour les passagers (70 millions par an) après Londres et au 8e rang mondial.

• **La voiture individuelle reste le mode de transport privilégié** (79 % des déplacements). C'est le résultat d'un réseau routier et autoroutier dense, mais aussi de choix plus ou moins contraints selon le lieu de résidence.

B Une offre inégale met les territoires en concurrence

• **Les possibilités offertes par ces réseaux font qu'on raisonne moins en distance qu'en distance-temps.** Faire 10 km peut nécessiter une heure en ville ou 5 mn sur autoroute. En TGV, des navetteurs qui estiment la distance-coût rentable font régulièrement les 2 h de trajet qui séparent Lyon ou Bordeaux de Paris. En revanche, les habitants d'un espace simplement traversé par un TGV peuvent pâtir d'un effet-tunnel.

• **L'accessibilité est profondément différente selon les territoires habités.** Par souci de rentabilité et pour répondre à la croissance urbaine, quelques axes et pôles majeurs ont été renforcés, via des plates-formes multimodales (aéroport de Lyon par exemple), alors que d'autres régions sont plus à l'écart, comme le Massif central. Des différences importantes existent à l'échelle des aires urbaines, où le centre-ville est mieux desservi que certaines banlieues et que la plupart des espaces périurbains. Enfin, de nombreuses régions rurales souffrent aussi d'enclavement.

• **Les réseaux numériques de communication** peuvent en partie compenser l'éloignement des pôles économiques, administratifs et culturels. Cependant, ils ne remplacent pas la mobilité réelle et la France connaît encore des zones blanches, qui coïncident souvent avec des espaces déjà enclavés (rural isolé, zone de montagne, certains espaces d'outre-mer).

> Les réseaux de transport permettent une mobilité des personnes importante à l'échelle nationale et internationale. Cependant les territoires ne sont pas tous également accessibles, ce qui influe sur leur attractivité ainsi que, parfois, sur la qualité de vie des habitants.

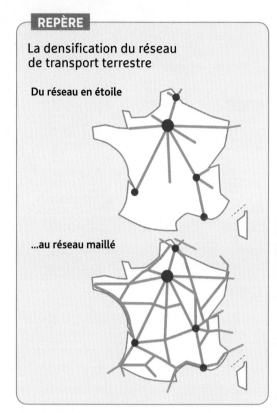

REPÈRE

La densification du réseau de transport terrestre

Du réseau en étoile

...au réseau maillé

VOCABULAIRE

Distance-temps et distance-coût Évaluation de la distance non pas en fonction des kilomètres parcourus mais selon la durée ou le coût du parcours.

Effet-tunnel Phénomène qui caractérise un territoire traversé par une voie de communication sans être desservi, faute d'accès.

Enclavement Fait d'être mal relié à l'extérieur. Cet enclavement peut être temporaire, comme par exemple l'accès aux grandes villes du fait des bouchons (on parle alors d'enclavement fonctionnel).

Hub Plate-forme de correspondance permettant une redistribution des passagers, marchandises ou informations vers d'autres destinations.

LGV Ligne de train à grande vitesse (TGV).

Multimodalité Combinaison de plusieurs modes de transport pour un même trajet.

Plate-forme multimodale Lieu d'interconnexion entre des modes de transport différents.

Réseau Ensemble d'axes de communication qui s'interconnectent en des nœuds.

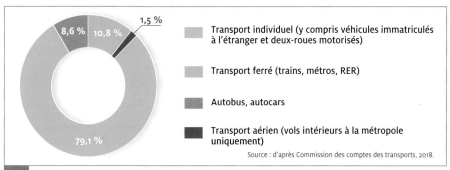

Sources : d'après SNCF - RFF - AUDIAR.

1 ▸ Le TGV réduit la distance-temps pour certains territoires

La carte la plus foncée a été dessinée en tenant compte du temps qu'il faut en TGV pour relier Paris aux métropoles régionales. Marseille se trouve ainsi avantagée par rapport à Perpignan, située pourtant à la même distance en km de la capitale.

2 ▸ L'enclavement en Guyane

ARTICLE

« À l'intérieur comme à l'extérieur des villes, les déplacements des Guyanais sont limités par des infrastructures peu nombreuses et dans un état délabré. Aucune autoroute et seulement deux routes nationales qui desservent uniquement les communes du littoral. "Et encore, ça ressemble plus à une route départementale en mauvais état", décrit Jean-Louis Antoinette, agriculteur guyanais [...] qui affirme qu'embouteillages et accidents rendent au quotidien le trafic "infernal". [...] Quelques routes départementales complètent la desserte des villes de la côte, mais pour les territoires intérieurs, pas d'autre choix que le transport fluvial, souvent par pirogues – pouvant parfois être dangereux et onéreux – ou aérien [...]. 72,3 % des Guyanais sont obligés de se déplacer en voiture pour aller au travail [...] quand 10,6 % s'y rendent à pied, 8,8 % en deux-roues, et seulement 2,6 % en transports en commun [...]. Et ce alors que [...] seulement 59,2 % des ménages guyanais disposaient d'un véhicule. »

Loan Nguyen, « Guyane. Des zones enclavées et un réseau de transports dégradé », *L'Humanité*, 28 mars 2017.

3 ▸ La mobilité des personnes en France par mode de transport

1,5 %
8,6 %
10,8 %
79,1 %

- Transport individuel (y compris véhicules immatriculés à l'étranger et deux-roues motorisés)
- Transport ferré (trains, métros, RER)
- Autobus, autocars
- Transport aérien (vols intérieurs à la métropole uniquement)

Source : d'après Commission des comptes des transports, 2018.

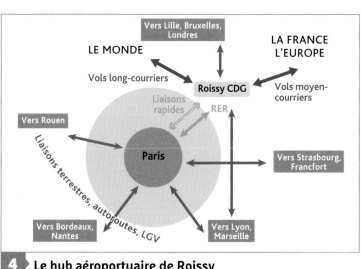

4 ▸ Le hub aéroportuaire de Roissy

Analyser et confronter les documents

1. Analysez les modes de transport privilégiés en France. Doc 3

2. Pourquoi peut-on dire que le territoire français est bien connecté à l'échelle nationale mais aussi aux échelles européenne et mondiale ? Repère, doc 1 et 4

3. Montrez qu'il existe toutefois des régions plus enclavées que d'autres. Doc 1 et 2

DOSSIER

Faut-il construire de nouvelles LGV dans le sud de la France ?

Rennes en Bretagne, mais aussi Bordeaux et Montpellier sont reliées depuis peu à Paris par des lignes à grande vitesse (LGV). D'autres LGV, Bordeaux-Toulouse, Bordeaux-Dax et Montpellier-Perpignan, sont prévues depuis longtemps. Mais les coûts financiers et environnementaux conduisent l'État à reporter ce type de grands projets d'aménagement.

Lignes à grande vitesse (LGV) en service en 2018

LGV envisagées à plus long terme (tracés indicatifs)

Source : d'après Geneviève Zembri-Mary, « La LGV Nîmes Barcelone : les avatars d'un projet de ligne transfrontalière », *Géoconfluences*, 2019.

1 **Le réseau de lignes à grande vitesse**

En 2018, le gouvernement expliquait qu'il avait d'autres priorités que les LGV et qu'il souhaitait donner la priorité aux « mobilités du quotidien : désenclavement, réduction des embouteillages, entretien des réseaux ».

2 **Les LGV, des infrastructures de transport peu rentables**

	Taux de rentabilité interne[1]	
	A priori (prévu)	A posteriori (réel)
LGV Méditerranée	8 %	4,1 %
LGV Nord	12,9 %	2,9 %
LGV Atlantique	12 %	8,5 %
LGV Paris Lyon	16,5 %	15,2 %

[1] « Le taux de rentabilité interne » d'un projet mesure la capacité d'un investissement à dégager du bénéfice.

D'après Geneviève Zembri-Mary, *op. cit.*

3 **Manifestations en 2017 et 2018 : des acteurs divisés sur des projets de LGV**

Pour les partisans des projets (les deux régions, Réseau Ferré de France et une large part de l'opinion publique), les LGV vont mieux relier leurs territoires à Paris, à l'Espagne, et seront plus écologiques que la voiture ou l'avion.

Les opposants (riverains, écologistes, agriculteurs...) critiquent le coût, l'effet tunnel*, la gêne occasionnée, la perte de terres agricoles et soulignent la nécessité de rénover les lignes existantes.

4 La gare de Montpellier-La Mogère, une infrastructure contestée

Inaugurée en 2018, cette gare réalisée sur le futur axe LGV Paris-Barcelone, est située à plus de 20 mn de Montpellier.
Le raccordement à la ville par tramway n'existera pas avant 2021.
ⓐ Autoroute ⓑ Gare ⓒ Rails TGV ⓓ Parking ⓔ Futur pôle multimodal

ARTICLE

5 Gagnants et perdants de l'ouverture de nouvelles LGV

«Les médias comme les politiques ont tendance à grandement exagérer l'importance de l'effet TGV sur la dynamique d'un territoire. En effet, il est [...] limité et ne concerne que certains secteurs d'activité. Le premier [effet] est l'augmentation des flux touristiques court séjour. [...] Le second effet concerne le secteur tertiaire supérieur. Ce dernier privilégie les territoires bien connectés aux autres métropoles européennes. L'amélioration de la desserte TGV conduit donc des entreprises de ce secteur à haute valeur ajoutée à s'installer, en particulier à proximité de la gare (par exemple, le quartier de la Part Dieu à Lyon). Cependant, son effet est [...] fort dans des métropoles, comptant ou approchant le million d'habitants (Lyon ou Lille), mais quasiment nul dans les villes petites ou moyennes (Le Creusot ou Vendôme). Par ailleurs, l'effet TGV est souvent temporaire. Par exemple, le boom marseillais du début des années 2000, consécutif de l'arrivée de la LGV Méditerranée, est largement retombé depuis. [...] En définitive, le TGV favorisant les grandes métropoles et ayant tendance à produire un "effet tunnel"[1], les territoires les plus pénalisés sont les villes moyennes.»

[1] C'est-à-dire que les territoires sont traversés par les LGV mais ne disposent d'aucun accès à cette infrastructure.

Laurent Chalard, «LGV: voilà qui sont les gagnants et les perdants de l'ouverture des nouvelles lignes TGV», atlantico.fr, 3 juillet 2017.

DEUX PARCOURS AU CHOIX

PARCOURS GUIDÉ

1. Localisez les trois LGV prévues en Occitanie et Nouvelle Aquitaine : quelles métropoles desserviraient-elles ? Pour quel gain de temps ? Doc 1

2. Quelles autres LGV sont prévues sur le reste du territoire ? Pourquoi peut-on dire qu'elles contribuent à renforcer le réseau en étoile centré sur Paris ? Doc 1

3. Quels sont les arguments des partisans et des opposants aux projets de LGV ? Pourquoi peut-on parler de conflits d'usages* voire de conflit environnemental* ? Doc 2, 3 et 4

4. Quelle est la position de l'État depuis 2018 ? Pour quelles raisons ? Doc 1 et 3

5. Quels sont les territoires gagnants et les territoires perdants de l'ouverture des LGV ? Doc 1 et 5

PARCOURS AUTONOME

(ORAL) Dans un débat sur l'extension d'une ligne LGV dans votre région, quels arguments pourriez-vous avancer ? Recensez-les, à l'aide des documents, dans un tableau à double-entrée (pour/contre et en distinguant les arguments économiques, environnementaux, etc.).

Vous pouvez alimenter votre réflexion en recherchant sur Internet des débats sur les autres projets de LGV, par exemple celui de la Transalpine devant relier Lyon à Turin.

En quoi les transports sont-ils des leviers d'un aménagement durable?

A Des priorités plus favorables à l'équité territoriale

• **L'Union européenne, l'État et les collectivités territoriales se mobilisent pour réduire les inégalités entre territoires**. C'est le cas de l'autoroute A75 qui, notamment du fait de sa gratuité sur une grande partie de son parcours, a permis le désenclavement d'une partie du Massif central en facilitant la liaison avec Paris d'une part et Montpellier d'autre part. La LGV Paris-Strasbourg a permis de mieux connecter le réseau français au réseau européen. La desserte de la Corse et des DROM-COM est subventionnée par l'État au titre de la continuité territoriale car les liaisons aériennes et maritimes sont vitales pour ces territoires.

• **Mais la dernière loi d'orientation des mobilités prévoit une pause dans les grands projets.** L'un des derniers qui sera réalisé est le Grand Paris Express (métros automatiques autour de Paris). La liaison LGV avec l'Espagne (Montpellier-Barcelone) est différée, de même qu'avec l'Italie (Lyon-Turin). Plutôt que de nouvelles LGV ou autoroutes, la rénovation des réseaux existants, liés aux mobilités du quotidien, est privilégiée.

• **Les acteurs de ces aménagements sont divers**: outre l'État et les régions, des «autorités organisatrices de la mobilité» ont été créées en 2014. Il s'agit des communes et des intercommunalités qui doivent proposer des plans de déplacement en ville (plans de déplacement urbain ou PDU) mais aussi dans les zones peu denses.

B Une transition vers des mobilités plus respectueuses de l'environnement

• **À l'échelle nationale, diverses stratégies tentent de transposer les propositions des sommets internationaux**: développement de modes de transport alternatifs à la route, interdiction des avions les plus bruyants ou les plus polluants, système du bonus-malus pour les véhicules polluants, subventions pour les véhicules électriques, encouragement du covoiturage. Mais la domination du tout-routier fait que les résultats en matière d'environnement sont limités.

• **Les changements sont plus importants** à l'échelle urbaine. C'est dans les agglomérations et leurs abords que les pics de pollution sont les plus fréquents du fait de la concentration des véhicules. En réaction, les villes encouragent l'écomobilité: transports en site propre comme les tramways, vélos en libre-service, etc. Plusieurs d'entre elles imposent des contraintes aux voitures individuelles: zones à faible émission, rétrécissement des voies, piétonisation des centres-villes, fermeture de certains axes (berges de la Seine à Paris...). Pour diminuer la circulation motorisée, l'accent est aussi mis sur l'intermodalité (parkings-relais situés en périphérie, intermodalité au niveau des gares).

> La question des mobilités est une thématique forte de l'aménagement des territoires, même si l'État restreint le nombre et l'envergure des projets. Les régions et les villes tentent de mettre en œuvre des politiques innovantes.

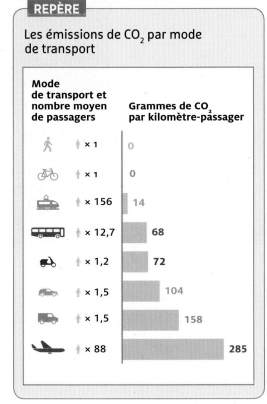

1 La continuité territoriale avec la Corse

Les ferries et avions assurant ce service public bénéficient de subventions de l'État.

2 Vers un désenclavement de la Lozère par une voie rapide ?

ARTICLE

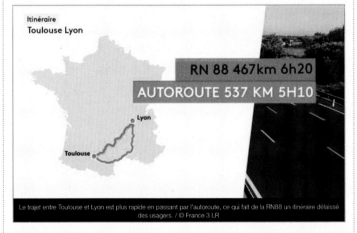

Itinéraire
Toulouse Lyon

RN 88 467km 6h20
AUTOROUTE 537 KM 5H10

Lyon
Toulouse

Le trajet entre Toulouse et Lyon est plus rapide en passant par l'autoroute, ce qui fait de la RN88 un itinéraire délaissé des usagers. / © France 3 LR

« La Lozère est le seul département d'Occitanie à ne pas avoir d'accès par la voie rapide à sa préfecture de région, Toulouse. L'autoroute A 75 se situe en effet à 30 km du chef-lieu de la Lozère, Mende. La RN 88 relie Lyon à Toulouse en passant par la Lozère. Seulement voilà, si vous empruntez cette route, plus courte de 70 km, mais limitée à 80km/h, il faudra compter une heure de plus que par l'autoroute. La RN 88 est donc aujourd'hui délaissée. [...] Aurélie Maillols, la vice-présidente (PS) du Conseil Régional explique : "L'économie aujourd'hui est plus numérisée qu'il y a quelque temps, mais elle n'est pas entièrement dématérialisée. Pour transporter du bois, il faudra toujours ou un transport routier, ou un transport ferroviaire. Mais dans tous les cas, le désenclavement physique est vraiment important pour l'économie de notre département." La mise à 2x2 voies de la RN 88 serait donc une solution au désenclavement de la Lozère. Un dossier vieux de 20 ans mais qui pourrait aujourd'hui ressusciter grâce à l'annonce de la ministre des Transports. »

Olivia Boisson, « Lozère : le projet de désenclavement routier en bonne voie ? », France 3, 5 décembre 2018.

3 Une zone 20 en ville, ou zone de rencontre à Quiberon

Analyser et confronter les documents

1. Sur quoi repose le principe de continuité territoriale ? Qui doit le garantir ? Doc 1 et vocabulaire

2. Pourquoi et par quel aménagement les habitants de la Lozère souhaitent-ils le désenclavement de leur territoire ? Doc 2

3. À quels problèmes liés aux mobilités les zones partagées répondent-elles ? Qui les met en place ? Repère et doc 3

ACTEURS & ENJEUX

Quelles alternatives à la voiture en ville?

VOTRE MISSION (ORAL)

En charge des mobilités de votre commune, vous devez présenter des alternatives possibles à la voiture dans votre ville. Après des recherches sur ce qui se fait ailleurs en France et dans le monde, vous choisissez deux ou trois solutions que vous devrez défendre lors d'un débat, en présentant également leurs inconvénients.

La circulation automobile est une source majeure de pollution atmosphérique et sonore dans les agglomérations. Face aux risques sanitaires et environnementaux, de nombreuses villes cherchent à en limiter l'usage par des solutions alternatives. Toutes ne sont pas aisées à mettre en œuvre et certaines sont critiquées comme étant sources d'inégalités socio-spatiales.

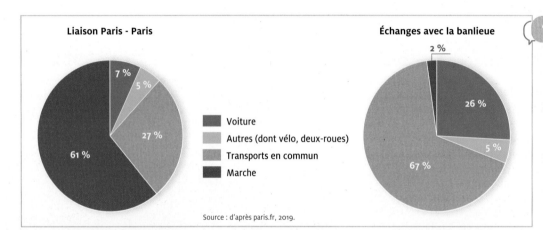

Liaison Paris - Paris
- Voiture : 61 %
- Transports en commun : 27 %
- Marche : 7 %
- Autres (dont vélo, deux-roues) : 5 %

Échanges avec la banlieue
- 67 %
- 26 %
- 5 %
- 2 %

Légende :
- Voiture
- Autres (dont vélo, deux-roues)
- Transports en commun
- Marche

Source : d'après paris.fr, 2019.

1 Quels modes de déplacements dans Paris et sa banlieue ?

Dans Paris, 8 millions de déplacements sont réalisés quotidiennement, dont 88 % par des Parisiens. Les échanges avec la banlieue représentent 4,3 millions de déplacements quotidiens, dont 26 % sont effectués par des Parisiens.

2 Instaurer un péage urbain comme à Singapour ?

La solution de faire payer l'accès au centre-ville a été adoptée par Singapour dès 1975, mais aussi par Téhéran, Stockholm, Milan, Londres et bien d'autres villes. À Singapour, c'est la possession même de voiture qui est taxée. Ces solutions sont socialement peu équitables et ne concernent qu'une partie des espaces urbains.

ARTICLE

3 Piétoniser certains quartiers comme à Lyon ?

Projet de requalification de l'ex A6-7 en boulevard urbain à l'horizon 2030

La piétonisation existe dans de nombreux centres-villes. À Lyon, le déclassement des autoroutes A6 et A7 devrait permettre d'aménager les quais en libérant de la place pour les piétons et les transports en commun. Ceci suppose de détourner une partie du transit vers d'autres espaces de la métropole.

Il favorise l'intermodalité

Métro 8 Bus 393 ...

Métro 8

Véligo

Électrique

4 Développer
les mobilités douces*
connectées par des pôles
multimodaux* ?

VIDÉO

5 Favoriser les déplacements à vélo comme à Amsterdam ?

À Amsterdam, Groningue ou Utrecht (Pays-Bas), plus de 60 % des déplacements quotidiens se font à vélo, grâce à des aménagements (voies réservées, immenses parkings...) et à une politique dissuasive vis-à-vis des automobilistes (coût des parcmètres, amendes, plan de circulation...). Ce mode de transport n'est cependant pas utilisable par tous.

6 Développer le transport par câble comme à Brest ?

Brest a mis en service le premier téléphérique urbain de France en 2016 (si l'on excepte les « bulles » touristiques de Grenoble). Il permet de relier les deux rives du fleuve traversant la ville. Cette solution déjà largement développée par des villes comme La Paz (Bolivie) et Medellin (Colombie) séduit de plus en plus de villes françaises.

Des pistes de réflexion

• Évaluez la place de la voiture par rapport à d'autres modes de déplacements dans Paris et avec la banlieue. Expliquez les différences. Doc 1

• Dressez un tableau afin de récapituler, pour chaque solution alternative à la voiture, les avantages et les difficultés. Vous pouvez ajouter d'autres solutions et arguments à l'aide de vos connaissances. Doc 2 à 6

• Choisissez deux ou trois solutions qui vous semblent à privilégier pour la ville de votre lycée ou une grande ville proche.

Pour trouver des arguments complémentaires :

→ Le point sur les téléphériques urbains en France sur le site de Geoconfluences

→ Un système d'abonnement « tous transports » en Norvège, également testé en Suède et en France

→ Des exemples de parkings-relais favorisant l'intermodalité, à Besançon, Nantes ou à Strasbourg

SITOGRAPHIE

Mobilités, transport, enjeux d'aménagement

A En France, des mobilités croissantes motivées par de multiples raisons

• Les espaces du quotidien sont de plus en plus nombreux et spécialisés (domicile, travail, loisirs), ce qui rend les habitants de plus en plus mobiles (**mobilités pendulaires** ou **triangulaires**).

• Les mobilités sont aussi saisonnières, notamment pour les vacances, ou plus définitives (déménagement pour trouver un emploi, par exemple).

• Les **mobilités** reflètent les inégalités : géographiques (habitants des villes, du périurbain*, de la ruralité...), socio-économiques, de genres, etc.

B Les réseaux de transport permettent différentes formes de mobilité

• Le territoire français est maillé par des **réseaux** de transport performants, connectés à l'Europe et au monde. Les possibilités offertes font que l'on raisonne moins en distance qu'en **distance-temps**. La route reste de loin le réseau le plus employé (88 % des déplacements).

• Certains territoires souffrent d'un **enclavement** relatif, ce qui les rend moins attractifs pour les populations et les activités.

C Les transports sont un puissant moyen d'aménagement des territoires

• L'État, l'Union européenne et les collectivités territoriales sont des acteurs intervenant dans les mobilités. L'État veille à la continuité territoriale* et a impulsé de grandes infrastructures (autoroutes, LGV). Mais ces grands projets sont actuellement en pause. À une autre échelle, les régions et les autres collectivités territoriales favorisent également l'accessibilité de leur territoire.

• La transition vers des mobilités* plus respectueuses de l'environnement devient une priorité, notamment pour les métropoles qui favorisent l'écomobilité par différentes mesures.

NOTIONS-CLÉS

• **Écomobilité ou mobilité douce** Mobilités plus respectueuses de l'environnement et du cadre de vie.

• **Enclavement** Fait d'être mal relié à l'extérieur.

• **Mobilités pendulaires/triangulaires** Déplacements journaliers domicile – travail / domicile- travail- «tiers-lieu»*

• **Réseau** Ensemble d'axes de communication qui s'interconnectent en des nœuds.

NE PAS CONFONDRE

• **Mobilités / flux** Les **mobilités** désignent les déplacements de personnes alors que les **flux** englobent aussi les déplacements de marchandises, de capitaux et d'informations.

• **Intermodalité / multimodalité** L'**intermodalité** désigne la possibilité de passer d'un mode de transport à un autre en un même lieu. La **multimodalité** rend compte de la combinaison de plusieurs modes de transport sur un même trajet.

RETENIR AUTREMENT

Des espaces de vie nombreux et spécialisés

Des réseaux de transport performants, mais une accessibilité inégale

Des habitants aux conditions sociales inégales

L'omniprésence de la voiture

→ Des mobilités croissantes mais inégales d'un point de vue social et territorial

→ La nécessité d'un aménagement du territoire pour réduire les inégalités et rendre les mobilités plus respectueuses de l'environnement

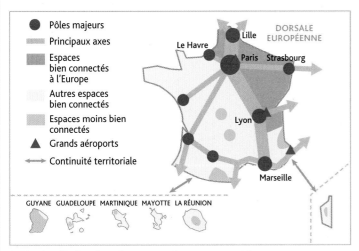

1. Un territoire de mieux en mieux connecté

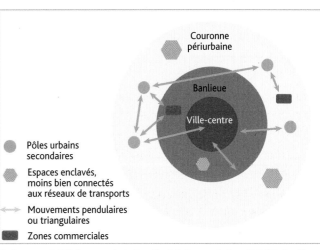

2. Les mobilités pendulaires* et triangulaires* à l'échelle d'une aire urbaine

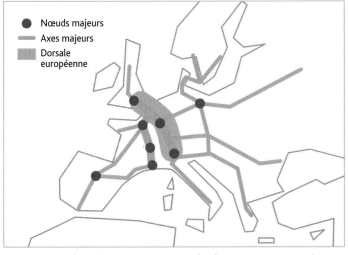

3. La connexion de la France aux principaux axes européens

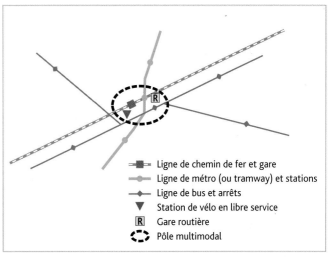

4. Schéma d'une plate-forme multimodale

CHIFFRES-CLÉS

Un habitant fait en moyenne **3** trajets par jour (40 km), soit **7h** par semaine dans les transports.

La route assure **88%** **des déplacements** de personnes.

2/3 des Français partent en vacances chaque année.

1 Je maîtrise les idées du cours

Les affirmations suivantes concernant la France sont-elles vraies ou fausses ?

	Vrai	Faux
1. La motilité dépend exclusivement de la proximité des transports.		
2. Les mobilités pendulaires sont les déplacements domicile-travail.		
3. Les Français déménagent peu pour rechercher un nouvel emploi.		
4. L'avion est le mode de transport qui émet le plus de CO_2 par km-passager.		
5. L'effet-tunnel permet de franchir les zones montagneuses.		
6. L'enclavement ne touche que les zones rurales.		
7. De nombreuses autoroutes vont être construites dans les années à venir.		
8. Le principe de continuité territoriale ne concerne pas la Corse.		
9. Les grandes villes imposent de plus en plus de contraintes aux voitures.		
10. Compter en distance-temps, c'est évaluer le parcours en fonction du temps et non pas des kilomètres parcourus.		

2 Je maîtrise les chiffres-clés

Quels sont les chiffres exacts ?

1. En France, **1/3** **2/3** **3/4** des habitants ne partent pas en vacances chaque année.

2. La route assure environ **50 %** **70 %** **90 %** des mobilités.

3. Un Français passe en moyenne **3 h** **7 h** **10 h** dans les transports par semaine.

3 Je maîtrise les notions-clés

À quels mots correspondent les définitions suivantes ?

Plate-forme multimodale **❶**

Migration résidentielle **❷**

Continuité territoriale **❸**

Flux **❹**

Transport en site propre **❺**

Tiers-lieu **❻**

Enclavement **❼**

A. Lieu qui fait partie des déplacements quotidiens mais qui n'est ni le domicile ni le travail

B. Principe par lequel l'État compense la distance entre métropole et territoires éloignés (DROM)

C. Lieu où l'on peut facilement passer d'un mode de transport à un autre

D. Fait d'être mal relié aux autres territoires, de façon temporaire ou permanente

E. Déplacement de marchandises, de personnes, d'informations ou de capitaux

F. Changement de domicile, à cause par exemple d'un changement d'emploi

G. Mode de transport qui circule sur sa propre voie, évitant ainsi les embouteillages

4   Je comprends la notion d'écomobilité

Dans cette photo prise à Nantes, identifiez les aménagements ou moyens de transport correspondant à l'écomobilité, et définissez cette notion.

5   Je révise à l'aide d'un court documentaire

Pour mieux cerner la question de la lutte contre l'enclavement et pour la transition environnementale :

1. Visionnez le reportage « Les oubliés des transports », de l'émission Transportez-moi (France 3, 25 mars 2017).

VIDÉO

2. Récapitulez les handicaps des territoires enclavés et les solutions proposées.

3. Préparez une courte présentation orale à partir de vos réponses.

Réaliser un schéma à partir d'une carte

SUJET

Analysez la carte de la diaspora indienne et faites-en un schéma.

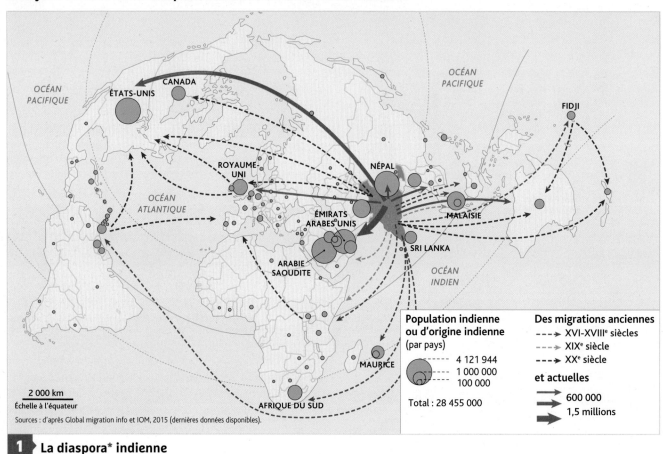

1 ▶ La diaspora* indienne

Sources : d'après Global migration info et IOM, 2015 (dernières données disponibles).

Population indienne ou d'origine indienne (par pays)

- 4 121 944
- 1 000 000
- 100 000

Total : 28 455 000

Des migrations anciennes

- ‑‑‑‑→ XVI-XVIIIe siècles
- ‑‑‑‑→ XIXe siècle
- ‑‑‑‑→ XXe siècle

et actuelles

- → 600 000
- → 1,5 millions

2 000 km
Échelle à l'équateur

POUR TRAITER LE SUJET

1. Pour vous assurer d'avoir compris la carte, répondez aux questions suivantes :
   – Les cercles sont-ils le résultat des migrations anciennes ? récentes ? des deux ?
   – Les migrations anciennes ne sont représentées que par des flèches d'une seule taille. Cela signifie-t-il que les migrations ont été aussi importantes au XVIIIe siècle qu'au XXe siècle ?

2. Dans quelles régions du monde la diaspora est-elle surtout implantée ? Vers quelles régions les migrations actuelles se dirigent-elles ?

3. À l'aide de vos connaissances et du doc 1 p. 124, donnez des facteurs économiques, historiques, géographiques et culturels expliquant les migrations actuelles.

4. Sur un schéma simplifié du planisphère indiquez :
   – les principales régions où réside la diaspora (couleurs ou cercles) ;
   – les principales migrations actuelles (flèches). Puis faites une légende et donnez un titre au schéma.

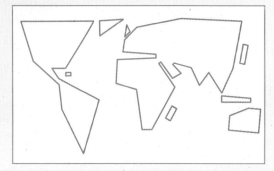

 POINT MÉTHODE

Réaliser un schéma cartographique

C'est représenter sous une forme synthétique la répartition d'un phénomène sur un fond de carte simplifié. Il faut :

→ **comprendre** le sujet ;

→ élaborer un fond de schéma simplifié ;

→ **synthétiser** les informations à représenter et **faire une légende** ;

→ **réaliser** le schéma en pensant à indiquer quelques noms de lieux et un titre.

Analyser une caricature à l'aide d'un texte

SUJET

Confrontez les documents afin d'analyser les migrations de Haïtiens vers les États-Unis.

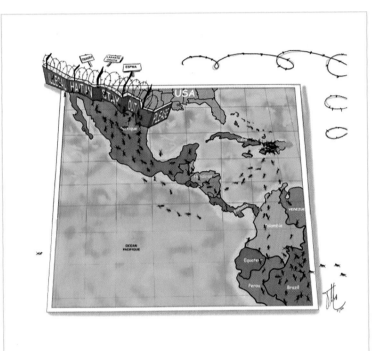

1 **Caricature publiée suite à l'expulsion de migrants haïtiens par les États-Unis**

Les termes mentionnés sur les panneaux sont en créole haïtien (*espwa*, espoir ; *travay*, travail).

Sur le mur rouge qui arrête les fourmis : *Illegal Haitian, stay out please* (Haïtien clandestin, merci de rester dehors).

Dessin publié dans le quotidien haïtien Le nouvelliste, *2016.*

2 **Les migrations de Haïtiens en 2016**

« Tijuana, au Nord-Est du Mexique, est devenu un goulot d'étranglement pour les migrants venus d'Haïti [...] qui rêvent d'entrer aux États-Unis. [...] La crise semble s'amplifier depuis que les États-Unis ont mis un frein aux arrivées de ces migrants. [...] La situation s'est en outre dégradée en Haïti, après le passage de l'ouragan Matthew [en 2016], avec le risque de voir une partie de la population poussée elle aussi à l'exil.

Ce mouvement migratoire trouve son origine au Brésil. Ce pays a octroyé massivement des visas humanitaires suite au tremblement de terre en Haïti, en 2010. Ces migrants ont trouvé du travail avant la Coupe du monde de football et les Jeux olympiques [...]. Mais quand le travail a commencé à manquer, ils ont repris leur voyage, à pied ou en bus, à travers l'Amérique du Sud et l'Amérique centrale. Beaucoup d'entre eux sont actuellement bloqués au Costa Rica, car le Nicaragua refuse de les laisser passer, contrairement au Mexique, qui les laisse traverser. [...] Le Mexique a proposé à certains Haïtiens de leur offrir l'asile et du travail, mais ceux-ci [...] n'ont pas traversé la moitié du continent américain, en passant par dix pays, pour s'arrêter sur le seuil de leur destination. »

Alexis Morel, Emmanuelle Steels, « En direct du monde. La route des migrants haïtiens vers les États-Unis passe par Tijuana, au Mexique », France Info, 20 octobre 2016.

POUR TRAITER LE SUJET

1. Localisez Haïti sur le planisphère du rabat du manuel. Puis prenez connaissance de la caricature : quelle est sa source ? Que représente-t-elle ? Comment sont représentés les migrants haïtiens ? Pourquoi ?

2. Lisez le doc 2 en notant les pays traversés. Les mobilités circulatoires* sont-elles globalement bien représentées sur le doc 1 ?

3. Quelles sont les motivations des migrants haïtiens ? Doc 1 et 2 et carte 1 page 124

4. Quelle a été la réaction des États-Unis à cette migration ? Doc 2 Comment est-ce représenté par la caricature ?

5. En conclusion, cette caricature correspond-elle à une certaine réalité ? Comment la montre-t-elle ?

POINT MÉTHODE

Analyser une caricature

C'est **comprendre ce que le dessinateur a voulu critiquer** et montrer comment il a fait passer son message de façon graphique, et souvent humoristique. Pour cela, il faut :

→ **repérer** la date, le contexte et le sujet global ;

→ **analyser** l'organisation d'ensemble du dessin puis les différents éléments qui le composent (texte, personnes, objets...). Ceux-ci sont souvent exagérés puisqu'il s'agit d'une caricature, mais ils sont symboliques et demandent à **être interprétés** en fonction de ce que l'on connaît du sujet. Il faut donc porter un **regard critique**.

Analyser des documents

SUJET

À partir de documents complémentaires, analysez la diversité des mobilités internationales des Français et leurs motivations.

1 Les Français ont envie d'aller vivre à l'étranger

« Retour de vacances. Certains sont ravis de retrouver leurs pénates [...], d'autres, au contraire, encore imprégnés du bonheur de découvrir de nouvelles cultures, de nouveaux paysages, [...] rêvent de ne pas limiter l'expérience aux périodes de congé, mais de l'approfondir en s'expatriant, ne serait-ce que temporairement. [...] 79 % des jeunes Français âgés de 21 à 30 ans, et 73 % des trentenaires s'affirment désireux de s'expatrier. Alors que ces taux atteignent respectivement 61 % et 58 %, tous pays confondus. Deux pays partiellement francophones, la Suisse et le Canada, sont les deux destinations les plus prisées des Français, devant les États-Unis, l'Australie et le Royaume-Uni. [...] La multiplication d'opportunités d'étudier à l'étranger qui leur ont été offertes durant leur jeunesse a ouvert leur curiosité. [...] Les Français ne partent pas pour gagner plus. [...] Ils recherchent en priorité un meilleur équilibre entre leur vie professionnelle et leur vie privée. Car [...] il reste mal vu, en France, de quitter son bureau ou autre lieu de travail à 5 h de l'après-midi, alors que ne pas le faire est au contraire vu comme une marque [...] d'inefficacité au Canada, en particulier. »

Annie Kahn, « Pourquoi les Français "ont envie d'aller vivre ailleurs" », *Le Monde*, 8 septembre 2018.

2 Les « hirondelles », des retraités français passant une partie de l'année au Maroc

Environ 30 000 retraités français passent les mois d'hiver au Maroc, souvent en camping-car pour profiter du climat et d'un coût de la vie deux fois moins élevé qu'en France. Le Maroc est la troisième destination préférée des retraités français (après l'Espagne et le Portugal) qui choisissent de s'installer plus de 6 mois par an à l'étranger pour profiter aussi d'un régime fiscal avantageux.

POUR TRAITER LE SUJET

1. Relevez les informations contenues dans chaque document (par exemple dans un tableau) pour pouvoir les comparer.

	Type de personnes concernées	Destinations privilégiées	Durée des mobilités	Motivations
Doc 1				
Doc 2				

2. Rédigez une réponse au sujet en montrant la diversité des mobilités évoquées par les documents mais aussi leur caractère nouveau. Pensez à expliciter certains passages (comme « La multiplication d'opportunités d'étudier à l'étranger qui leur ont été offertes durant leur jeunesse » Doc 1) et termes (comme « expatriés » ou « hirondelles »).

Réaliser un schéma à partir d'une image satellite

SUJET

À partir de l'image satellite, réalisez un schéma sur le sujet : « Roissy-Charles-de-Gaulle, un hub aéroportuaire et une plate-forme multimodale ».

GÉOPORTAIL

1 ▶ **L'aéroport de Roissy-Charles-de-Gaulle**

L'aéroport : **a** Pistes, **b** Terminal 1, **c** Terminal 2, **d** Terminal 3, **e** Terminal S3, **f** Terminal S4, **g** Zones de fret (dont hub de FedEx, compagnie de transport express).

Les accès : **h** Ligne TGV, **i** Gare TGV et RER, **j** Autoroute et RER, **k** Parkings.

Les activités liées : **l** Roissypôle (centre de congrès, hôtels, siège d'Air France), **m** Autres hôtels et centre de congrès, **n** Centre commercial Aéroville, **o** Zone d'activités.

POUR TRAITER LE SUJET

1. Localisez l'aéroport (carte p. 221).

2. Vérifiez le sens de « hub » et de « plate-forme multimodale » p. 228.

3. Grâce à l'observation du document et aux indications numérotées, complétez le schéma et sa légende.

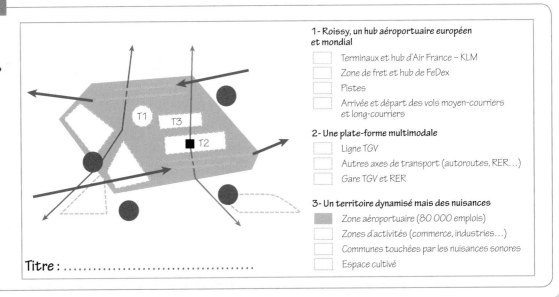

Titre : ....

1- Roissy, un hub aéroportuaire européen et mondial

☐ Terminaux et hub d'Air France – KLM
☐ Zone de fret et hub de FeDex
☐ Pistes
☐ Arrivée et départ des vols moyen-courriers et long-courriers

2- Une plate-forme multimodale

☐ Ligne TGV
☐ Autres axes de transport (autoroutes, RER…)
☐ Gare TGV et RER

3- Un territoire dynamisé mais des nuisances

☐ Zone aéroportuaire (80 000 emplois)
☐ Zones d'activités (commerce, industries…)
☐ Communes touchées par les nuisances sonores
☐ Espace cultivé

Analyser des photographies d'époques différentes

OBJECTIFS MÉTHODE
– Analyser des photographies diachroniques
– Analyser un paysage

SUJET Comparez les photographies de la presqu'île de Cancún (Mexique) puis rédigez un commentaire analysant les évolutions.

1 **La presqu'île de Cancún en 1970**

a La pointe Nord : une piste et quelques baraques de pêcheurs

b Lagune de Nichupte

c Mer des Caraïbes

d Cordon dunaire très peu aménagé

e Mangrove

f Piste menant à la ville de Cancún

POINT MÉTHODE

Analyser des photographies d'époques différentes

C'est **comparer des paysages** pour dégager des évolutions. Il faut :

→ **localiser** les photographies, les **dater** et **repérer le type de prise de vue** (au sol, aérienne, oblique ou verticale) ;

→ **identifier** les différentes unités du paysage (ville, port, zones humides, mer...) et les éléments qui structurent l'espace (route...) ;

→ **rédiger** le commentaire montrant les évolutions en dégageant des éléments d'explication et des conséquences.

Mangrove
asséchée pour
installer des villas
et un golf

MEXIQUE
Cancún

....

....

Enrochement
destiné à retenir le
sable sur la plage

....

2 ▶ La presqu'île de Cancún en 2017

GOOGLE
EARTH

POUR TRAITER LE SUJET

1. Repérez pour chacune des deux photos le lieu, la date, le type de prise de vue et l'angle de vue.

2. À l'aide du doc 1 et de sa légende, complétez les cadres vides du doc 2.

3. Pour préparer la rédaction du commentaire, complétez un tableau comparant les deux photos. Vous pouvez vous aider de *Google Earth* pour mieux repérer les éléments actuels.

	1970	2017
Milieu naturel (mangrove, plages...)		
Bâtiments		
Infrastructures de transport		
Activités		

4. Rédigez un commentaire en vous aidant du tableau. Pensez à expliquer les évolutions et à en montrer les conséquences. Vous pouvez organiser votre commentaire en deux parties :

A. Une station balnéaire créée de toutes pièces

B. Un milieu profondément transformé

Construire un schéma cartographique à partir d'un texte et d'une carte

SUJET

À partir du texte et de la carte, élaborez un schéma cartographique sur le sujet :
« Le nouvel échangeur de Borderouge sur le périphérique de Toulouse, un aménagement local élaboré par différents acteurs »

Titre ....

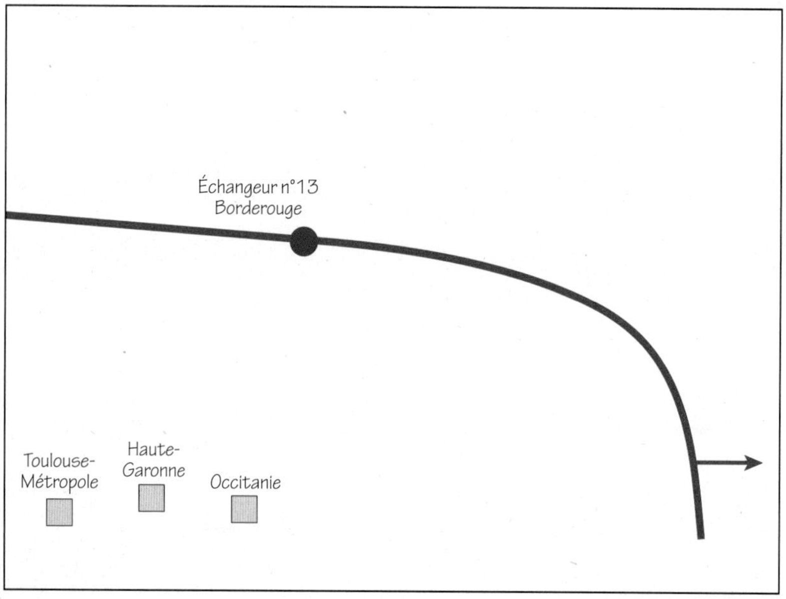

Échangeur n°13
Borderouge

Toulouse-Métropole   Haute-Garonne   Occitanie

1. Un nouvel échangeur pour fluidifier la circulation

— Périphérique de Toulouse

☐ Échangeurs antérieurs

☐ Nouvel échangeur n°13 dit « Borderouge »

☐ Élargissement du périphérique de 3 à 4 voies

☐ Ligne B du métro

2. De nombreux acteurs impliqués dans le projet

▨ Des acteurs publics locaux

☐ L'État, à travers le Ministère des transports

☐ La société privée Vinci Autoroutes, gestionnaire et exploitante de ce tronçon du périphérique

3. Un nouvel échangeur qui va régler tous les problèmes ?

☐ Boulevard urbain nord déjà en service

☐ Projet de prolongement du Boulevard urbain nord vers Bruguières et l'A62

☐ ++ Risque d'augmentation de la fréquentation du périphérique nord avec ce nouvel échangeur

☐ Des quartiers densément bâtis qui génèrent déjà beaucoup de trafic

☐ Des quartiers peu densément bâtis, qui risquent de générer un surplus de trafic dans le futur

1 ▸ La construction du nouvel échangeur de Borderouge, à Toulouse

« Entre les Izards et Croix-Daurade, sur la partie nord du périphérique toulousain, l'échangeur de Borderouge a ouvert hier après-midi. Attendu de longue date, cet équipement était en chantier depuis juin 2015. […] L'échangeur va donner un accès direct au périphérique notamment pour les habitants du nord de l'agglomération. Son ouverture va de pair avec la mise en service d'une première partie du boulevard urbain nord, jusqu'aux portes de Launaguet, un axe routier et de transports en commun qui, à terme, doit rejoindre Bruguières et l'A62. En permettant également aux automobilistes de se rendre aisément jusqu'au parking du terminus de la ligne B du métro, à Borderouge, il crée aussi une nouvelle porte d'entrée dans Toulouse. L'échangeur, d'un coût de près de 50 M€, a été financé par la Métropole, l'État [le ministère des Transports, dont le siège est à Paris], les conseils départemental et régional et Vinci Autoroutes[1]. Sur deux kilomètres, le périphérique a également été élargi de 3 à 4 voies. »

[1] Le siège de Vinci Autoroutes est à Rueil Malmaison, dans la banlieue ouest de Paris

D'après « Périphérique : l'échangeur de Borderouge est ouvert »,
La Dépêche du Midi, 24 décembre 2016.

POUR TRAITER LE SUJET

1. Après avoir lu et observé les doc 1 et 2, complétez la légende du schéma par des figurés pertinents.

2. Compte-tenu de la formulation du sujet et des documents, déterminez l'échelle la plus appropriée pour le schéma : l'agglomération toulousaine ou le nord de Toulouse ?

3. En vous inspirant de l'ébauche ci-dessus, réalisez le schéma de façon soignée et en simplifiant au maximum les éléments : privilégiez les formes géométriques simples (voir le point méthode).

4. Indiquez quelques éléments de nomenclature en respectant les règles rappelées dans le point méthode 2 p. 171. Donnez un titre au schéma.

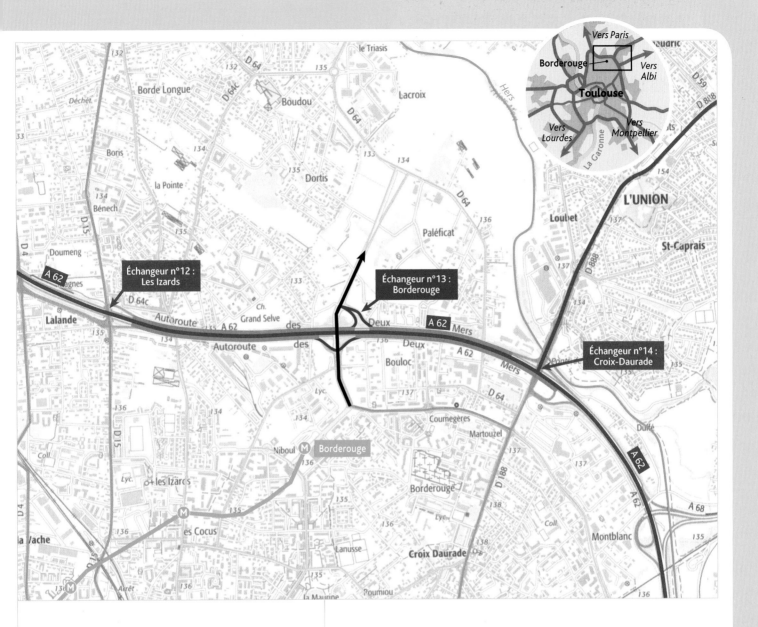

Légende :

- Périphérique et autoroute A62
- Nouvel échangeur
- Élargissement de 3 à 4 voies du périphérique dans les deux sens
- Boulevard urbain nord
- Ligne B du métro
- Station de métro et pôle d'échange bus

2 ▶ **Le contexte géographique de l'échangeur de Borderouge**

IGN, 2019.

POINT MÉTHODE

Réaliser un schéma

Un schéma est une représentation simplifiée d'un phénomène. Il s'agit de :

→ réaliser **un fond de schéma** en simplifiant les contours (ceci peut aller de la figure géométrique simple à une représentation un peu plus complexe) ;

→ ne représenter que les **éléments essentiels** à la compréhension du phénomène ;

→ les représenter par des **figurés simples** ;

→ **ne pas chercher à reproduire tous les détails** de localisation (on trace des traits droits, même pour une route sinueuse par exemple...) ;

→ construire une **légende**, plus ou moins complexe et organisée.

ACQUÉRIR LES MÉTHODES   VERS LE BAC   ÉPREUVE COMMUNE

OBJECTIFS MÉTHODE
– Comprendre un sujet
– Rédiger une introduction et une conclusion

Répondre à une question problématisée

SUJET « Pourquoi peut-on parler de mobilités internationales généralisées ? »
Vous étudierez les principales dynamiques migratoires dans le monde et la diversité des migrants internationaux, puis analyserez l'essor des mobilités touristiques dans le monde.

ÉTAPE 1 Comprendre le sujet et établir un plan pour le traiter

1 Définissez le terme mobilités. Doit-on traiter les mobilités internes aux pays ?

2 Laquelle des trois questions suivantes peut servir de fil directeur au devoir ?
– Pourquoi les mobilités internationales sont-elles de plus en plus importantes et de plus en plus diverses ?
– Y a-t-il une augmentation des mobilités internationales ?
– Les migrations internationales sont-elles plus importantes que les flux touristiques ?

3 Les trois parties du plan proposé ci-dessous correspondent-elles au sujet et au fil directeur que vous avez choisi ?

4 Vérifiez que vous comprenez le libellé de chaque sous-partie en donnant un argument ou un exemple précis pour chacune d'entre elles.

> **I. Quelles sont les dynamiques migratoires dans le monde ?**
> **1.1** Des migrations en hausse
> **1.2** Des flux migratoires régionalisés
> **1.3** Des politiques migratoires visant à contrôler les flux migratoires
>
> **II. Comment expliquer la diversité des migrants internationaux ?**
> **2.1** Des migrations volontaires dans un monde inégalement développé
> **2.2** Des migrations contraintes dans un monde instable
> **2.3** Des déplacés environnementaux parfois amenés à quitter leur pays
>
> **III. Comment caractériser les mobilités touristiques à l'échelle mondiale ?**
> **3.1** Des mobilités touristiques en pleine expansion
> **3.2** Une structuration régionale en trois bassins touristiques
> **3.3** La place croissante de l'Asie dans les mobilités touristiques

ÉTAPE 2 Réaliser une introduction et une conclusion

5 Lisez les conseils donnés pour faire une introduction (point méthode ci-contre) puis les deux exemples proposés ci-dessous.
Quelle introduction vous paraît la meilleure ?

Introduction A	Introduction B
Pourquoi les mobilités sont-elles de plus en plus importantes ? Ce sujet, très intéressant à étudier, nécessite de développer de nombreux aspects. Il y a en effet 260 millions de personnes qui vivent en dehors de leur pays d'origine et plus d'un milliard de touristes dans le monde. Et ces chiffres sont en augmentation constante. C'est ce que nous verrons en première partie avant d'essayer de voir pourquoi. La troisième partie traitera du tourisme international.	À une époque où 260 millions de personnes vivent en dehors de leur pays d'origine et où plus d'un milliard de touristes parcourent le monde, les mobilités internationales sont un phénomène majeur. Pourquoi ces mobilités impliquant le franchissement d'une frontière sont-elles devenues aussi importantes et diverses ? Pour traiter cette problématique, nous évaluerons d'abord l'importance du fait migratoire avant d'en cerner les motivations. Les mobilités touristiques, par définition temporaires, seront abordées en troisième partie.

6 Dans l'introduction choisie, repérez les passages montrant l'intérêt du sujet, énonçant la problématique, définissant la notion principale du sujet et annonçant le plan.

7 Quels sont les défauts mentionnés dans le point méthode visibles dans l'introduction que vous avez éliminée ?

8 Rédigez une conclusion au devoir en suivant les conseils du point méthode.

POINT
MÉTHODE

	L'introduction	**La conclusion**

Un moment essentiel

L'introduction
▷ C'est la première chose que lit le correcteur ou la correctrice : c'est donc la première impression qu'il a de la copie.

▷ C'est l'occasion de montrer que le sujet est compris.

La conclusion
▷ C'est la dernière chose que lit le correcteur ou la correctrice : c'est donc la dernière impression qu'il a de la copie.

▷ C'est l'occasion de montrer, une dernière fois, que le sujet a été traité.

Les pièges à éviter

[!]

L'introduction
▷ La **rédiger comme une formalit**é à laquelle on n'attache pas trop d'importance.

▷ La **faire en cinq minutes**, en début de devoir, alors que l'on n'a pas encore forcément toutes les idées en tête.

▷ Annoncer un plan que **l'on ne pourra pas tenir** dans le devoir.

▷ Éviter de dire que c'est un sujet « intéressant », mais montrer pourquoi il l'est !

La conclusion
▷ La rédiger comme une **formalité** à laquelle on n'attache pas trop d'importance.

▷ La **faire en catastrophe**, en fin de devoir, alors que l'on n'a plus forcément le temps nécessaire... Il est très tentant en fin de devoir de vouloir à tout prix ajouter encore des connaissances et de sacrifier la conclusion !

Quelques éléments de méthode

L'introduction
▷ Ne pas la faire immédiatement : ne l'écrire **qu'après avoir fait le plan au brouillon.**

▷ En cas de problème (manque d'idées, etc.), on peut même **laisser blanche la première page** et commencer à rédiger la première partie. Dans ce cas, rédiger l'introduction, quand le devoir commence à prendre forme.

▷ Toute introduction **comporte plusieurs temps :**
• Une amorce qui montre l'intérêt du sujet
• Une définition des termes ou les notions du sujet
• L'énoncé de la problématique qui sous-tend le devoir
• L'annonce du plan choisi

La conclusion
▷ Ne pas **la faire dans la précipitation**. En cas de problème de temps, mieux vaut écourter sa dernière partie et faire correctement la conclusion.

▷ Toute conclusion **comporte plusieurs temps :**
• Un résumé du devoir, qui ne reprend que les idées-forces et répond à la problématique
• Une ouverture qui montre que l'on a compris que le sujet s'insère dans un cadre plus large.

Sortir sur le terrain

1 **Fixez les objectifs de la sortie en fonction de ce que vous allez observer sur le terrain**

➜ **S'il s'agit d'un aménagement précis**, les objectifs peuvent être :
- observer son impact sur le paysage et l'environnement,
- rencontrer des usagers et/ou des acteurs,
- confronter les enjeux de l'aménagement à sa réalisation.

➜ **S'il s'agit d'un espace plus large** (« naturel », rural, urbain, agricole, industriel, commercial, touristique...) :
- analyser l'organisation de cet espace en vous y déplaçant,
- observer les transformations achevées ou en cours et leurs impacts,
- confronter vos connaissances théoriques à la réalité du terrain,
- faire une enquête auprès des habitants ou des personnes qui fréquentent le lieu.

2 **Préparez matériellement la sortie**
- Cherchez les horaires d'ouverture si vous devez visiter l'intérieur de l'aménagement.
- Prévoyez comment vous rendre sur place.
- Prévoyez de quoi prendre des notes, photographier ou filmer.
- Préparez un bref questionnaire, si vous souhaitez avoir l'avis d'usagers.
- Éventuellement, organisez une rencontre avec un acteur (voir page 90).

3 **Collectez des informations sur place**
- Pensez à prendre des notes (impressions visuelles, fréquentation, ampleur de l'aménagement, etc.).
- Réalisez des schémas (accès, différents éléments, etc.).
- Prenez des photographies (vues d'ensemble et rapprochées, panneaux, etc.).
- Recueillez les impressions des usagers.

4 **Exploitez les informations**
- Classez les données recueillies en fonction de vos objectifs (impact paysager et environnemental, fonctionnement, usagers, etc.).
- Faites votre synthèse en fonction de la restitution demandée par votre professeur.
- Intégrez des schémas d'organisation spatiale ou des schémas fléchés pour rendre compte de vos observations.
- Pensez à donner vos impressions, mais aussi des explications à l'aide de vos connaissances.

Exemples

Des sorties sur le terrain en lien avec le thème 3 :
- des aménagements précis existant ou en cours de réalisation, notamment dans le domaine des transports et des mobilités douces (plate-forme multimodale urbaine, aire de covoiturage, gares, etc.).
- des espaces touristiques ou de loisirs (station littorale ou de montagne, parcs...),
etc.

POINT MÉTHODE

Réaliser une sortie sur le terrain

➜ Le but est de mieux comprendre un **phénomène géographique**.

➜ **La sortie doit avoir été préparée sur le fond** (objectifs) **et sur les aspects matériels** (accès, horaires, etc.).

➜ **Pendant la sortie**, il faut **prendre des notes**, réaliser des **schémas**, prendre des **photographies**... Cela nécessite d'observer le paysage, l'environnement, et éventuellement d'**interroger des personnes** sur place.

➜ **Le traitement des informations recueillies** (tri, organisation, synthèse) est une étape importante. C'est l'occasion d'**affiner les schémas réalisés sur le terrain**, de **sélectionner les photos** et de les légender.

Les métiers des mobilités

PARCOURS INTERACTIF

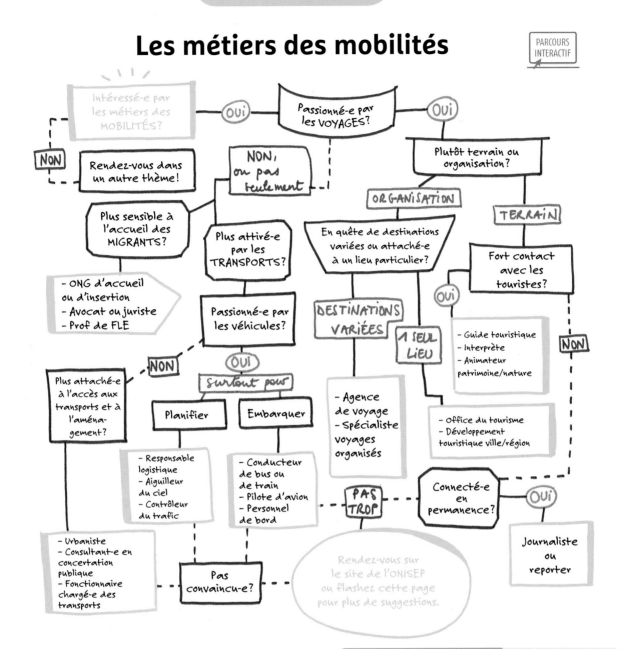

Zoom métier

Interview d'une conseillère en séjour

VIDÉO

→ Quelle(s) formation(s) permettent de devenir conseillère en séjour ?

→ Quels sont les attraits et les difficultés de ce métier ?

Et à côté de chez moi ?

→ Prenez contact avec une personne travaillant près de votre lycée dans le secteur des mobilités. Par exemple : une personne travaillant dans une agence de tourisme, dans le domaine des transports en commun, ou encore dans un service de la mairie se rapportant à ces domaines (urbanisme, ...), etc.

→ Demandez-lui s'il est possible de l'accompagner sur le terrain en fonction de son activité (un lieu de mobilité par exemple). Aidez-vous de la méthode ci-contre.

→ Synthétisez les informations que vous avez recueillies sur son métier et sa formation, afin de pouvoir le restituer à la classe soit sous forme rédigée, soit sous forme orale. ORAL

Quelles formes de transition sont visibles sur le document ?

Front de mer de Durban

en profonde mutation

AFRIQUE
DU SUD Durban

L'Afrique australe possède
des milieux très divers, allant
des forêts tropicales au milieu
méditerranéen en passant
par des déserts. Ces milieux
fragiles sont soumis à de fortes
pressions, mais aussi aux risques
globaux.
Par ailleurs, l'Afrique australe
connaît des processus
de transition très rapides :
transitions démographique,
économique, environnementale
ou encore urbaine, comme
en témoigne cette photographie
de Durban, ville d'Afrique du Sud,
puissance émergente*.

L'Afrique australe : un espace en transition

Cette année, vous avez abordé la notion de transition dans différents domaines : transitions environnementale, urbaine, démographique, transition vers les mobilités… Dans ce thème conclusif, vous mobiliserez les connaissances et capacités acquises pour étudier l'Afrique australe, un espace particulièrement concerné par le phénomène de transition.

Avant de commencer, testez vos connaissances et partez à la découverte de l'Afrique australe !

1 Des notions déjà maîtrisées

Seriez-vous capable, sans regarder le lexique du manuel, de définir les notions ci-dessous ?

Transition démographique   Transition urbaine   Transition vers les mobilités   Transition environnementale

2 De l'échelle mondiale à l'échelle de l'Afrique australe

Les pages du manuel « À l'échelle mondiale » abordent par des planisphères les grands thèmes du programme. Analysez le cas de l'Afrique australe sur ces différents planisphères.

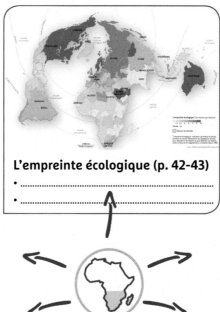

L'empreinte écologique (p. 42-43)
• ....
• ....

Les risques majeurs (p. 26-27)
• ....
• ....

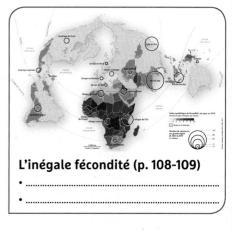

L'inégale fécondité (p. 108-109)
• ....
• ....

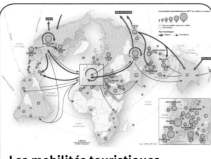

Les mobilités touristiques internationales (p. 204-205)
• ....
• ....

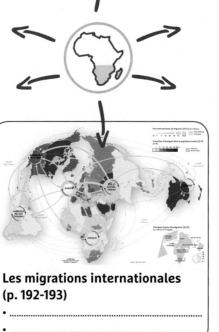

Les migrations internationales (p. 192-193)
• ....
• ....

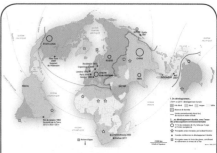

L'inégal développement (p. 122-123)
• ....
• ....

3 · Des images et des notions à associer

Faites correspondre certaines des notions étudiées cette année et référencées dans la liste ci-dessous aux photographies qui conviennent, toutes prises en Afrique australe.

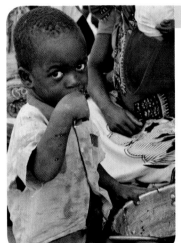

1 ▸ Mozambique
Programme Oxfam contre la faim et pour l'accès à l'eau potable.

ACTEUR MONDIALISATION
TERRITOIRE TRANSITION
changement climatique
ENVIRONNEMENT MILIEU
RESSOURCES risques
croissance DÉVELOPPEMENT
développement durable
INÉGALITÉ ÉMERGENCE
peuplement POPULATION
migration MOBILITÉ
tourisme

2 ▸ Angola
Navires de forage pétrolier au large de Luanda.

4 ▸ Comores Plus de la moitié des habitants des Comores a moins de 20 ans.

3 ▸ Afrique du Sud Port de commerce du Cap.

5 ▸ Botswana Balade dans le delta de l'Okavango.

6 ▸ Madagascar Rue de bidonville.

CARTE INTERACTIVE

Un espace en profonde mutation

Notion-clé Transition

Phase de changements majeurs entre deux situations.
Elle concerne de nombreux domaines : transitions démographique, économique, urbaine, environnementale, alimentaire...
Elle s'accomplit suivant des formes et des rythmes différents selon les pays, comme en témoigne le cas de l'Afrique australe.

1. Des contrastes économiques selon la proximité avec l'Afrique du Sud

- Une puissance émergente, moteur du développement de l'Afrique australe
- Des États au faible développement humain, dépendant économiquement de l'Afrique du Sud
- Un pays d'économie de rente (pétrole) au faible développement humain
- Un très faible développement économique et humain

2. Des territoires en transition inégalement intégrés dans la mondialisation

- Des métropoles en plein essor
- Des migrations croissantes entre les pays
- Des ressources minières de plus en plus exploitées
- Des ressources pétrolières
- Principaux ports
- Principales interfaces
- Un sous-continent globalement à l'écart des grandes routes maritimes

1 Transition environnementale*

Terre craquelée par la sécheresse en Namibie
Le changement climatique global* accroît la désertification.
Une prise de conscience de la nécessité d'un développement durable est urgente en Afrique et, plus largement, au niveau mondial.

2 Transition démographique*, transition urbaine*

Un bidonville de Maputo, Mozambique L'Afrique australe est en pleine transition démographique : sa population est très jeune et augmente rapidement. Cela se traduit par une transition urbaine : du fait de l'exode rural, les villes s'étendent, en partie sous forme de bidonvilles.

3 Développement*, émergence*

Quartier des affaires de Durban, Afrique du Sud
L'Afrique australe connaît un développement inégal.
Si les quartiers des affaires des métropoles témoignent d'une émergence et d'une intégration dans la mondialisation, l'Afrique australe reste marquée par la grande pauvreté.

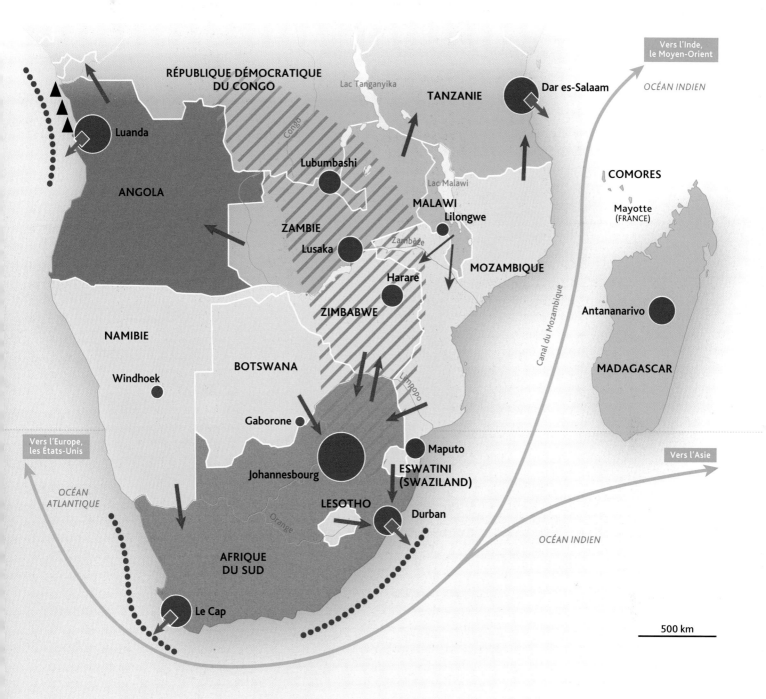

RÉPUBLIQUE DÉMOCRATIQUE DU CONGO

Lac Tanganyika

TANZANIE

Dar es-Salaam

Vers l'Inde, le Moyen-Orient

OCÉAN INDIEN

Luanda

Lubumbashi

ANGOLA

Lac Malawi

MALAWI

Lilongwe

COMORES

Mayotte (FRANCE)

ZAMBIE

Lusaka

Zambèze

MOZAMBIQUE

Harare

ZIMBABWE

Canal du Mozambique

Antananarivo

NAMIBIE

BOTSWANA

Windhoek

Limpopo

MADAGASCAR

Vers l'Europe, les États-Unis

OCÉAN ATLANTIQUE

Gaborone

Maputo

ESWATINI (SWAZILAND)

Johannesbourg

LESOTHO

Durban

OCÉAN INDIEN

Vers l'Asie

Orange

AFRIQUE DU SUD

500 km

Le Cap

4 Transition vers les mobilités*

Frontière entre le Lesotho et l'Afrique du Sud

Les migrations vers l'Europe et les États-Unis ne sont qu'une des facettes des migrations africaines. Les migrations entre les pays d'Afrique australe ou les migrations internes (exode rural notamment) sont largement majoritaires.

Confronter la carte et les documents

1. Où sont situés les États où la pauvreté est la plus forte ? Ceux qui se développent le plus ? Carte

2. Montrez que l'Afrique du Sud joue un rôle structurant pour une partie de l'Afrique australe.

3. À quels types de pays et de phénomènes représentés sur le planisphère correspondent les Doc 2 à 4 ?

4. Quelles formes de transition, étudiées cette année, ne sont pas évoquées dans cette page ?

L'Afrique australe : un espace en profonde mutation

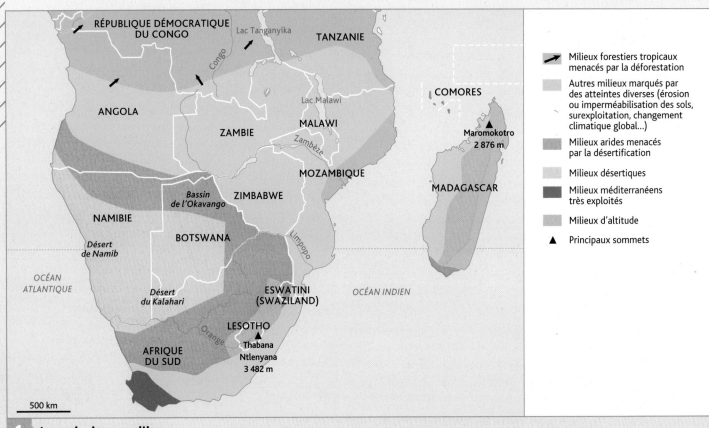

1 **Les principaux milieux**

Légende :
- Milieux forestiers tropicaux menacés par la déforestation
- Autres milieux marqués par des atteintes diverses (érosion ou imperméabilisation des sols, surexploitation, changement climatique global...)
- Milieux arides menacés par la désertification
- Milieux désertiques
- Milieux méditerranéens très exploités
- Milieux d'altitude
- ▲ Principaux sommets

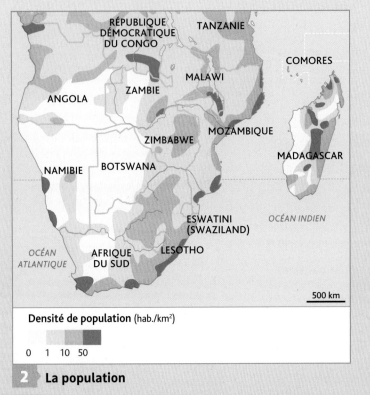

2 **La population**

Densité de population (hab./km²)

0   1   10   50

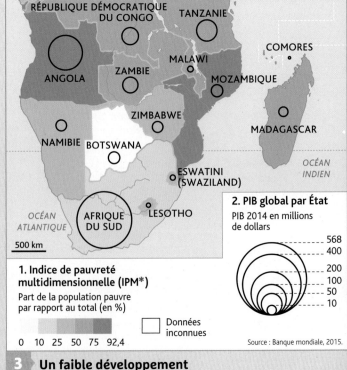

3 **Un faible développement**

1. Indice de pauvreté multidimensionnelle (IPM*)
Part de la population pauvre par rapport au total (en %)

0   10   25   50   75   92,4

☐ Données inconnues

2. PIB global par État
PIB 2014 en millions de dollars

568
400
200
100
50
10

Source : Banque mondiale, 2015.

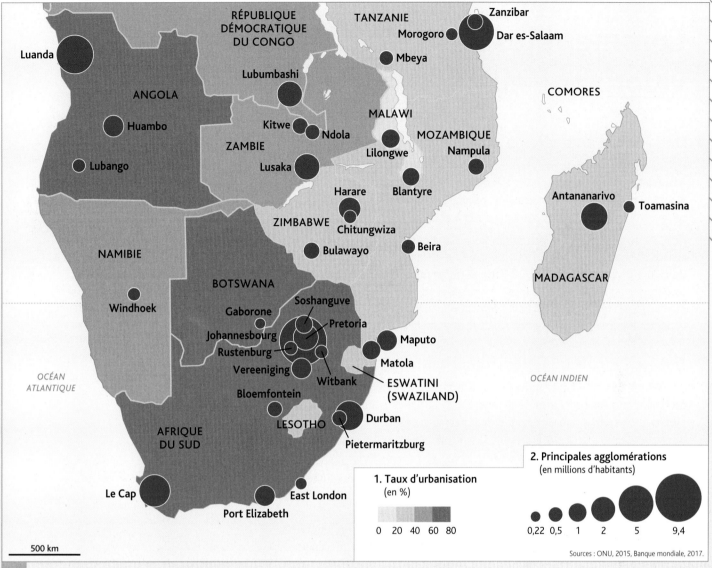

1. Taux d'urbanisation (en %)

0 20 40 60 80

2. Principales agglomérations (en millions d'habitants)

0,22 0,5 1 2 5 9,4

Sources : ONU, 2015, Banque mondiale, 2017.

4 **Des pays inégalement urbanisés**

DEUX PARCOURS AU CHOIX POUR ANALYSER LES CARTES

PARCOURS RÉDIGÉ

1. Quels sont les grands types de milieux d'Afrique australe ? Doc 1 Quels problèmes cela peut-il poser pour la ressource en eau ?

2. Comment expliquer la répartition de la population et des grandes villes ? Doc 1, 2 et 4

3. Classez les États en trois grandes catégories en fonction de leur richesse, puis en fonction du taux de pauvreté. Confrontez les résultats. Doc 3

BILAN Rédigez quelques lignes montrant la diversité des États d'Afrique australe.

PARCOURS CARTOGRAPHIQUE

À partir des cartes 3 et 4, réalisez un schéma (voir p. 278) classant les pays d'Afrique australe en deux catégories : les plus développés et les plus urbanisés ; les moins développés et les moins urbanisés. Vous pouvez faire une catégorie supplémentaire pour l'Angola. Indiquez les plus grandes agglomérations.

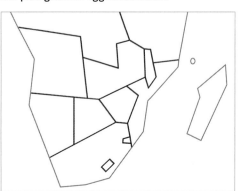

Comment les sociétés d'Afrique australe valorisent-elles les milieux?

A Une grande diversité de milieux

• **Dans sa définition la plus large, l'Afrique australe s'étend sur plus de 6 000 kilomètres** du nord au sud. Elle regroupe plus de 150 millions d'habitants, et 10 à 14 pays peuvent être considérés comme appartenant à ce sous-continent, selon qu'on englobe ou pas Madagascar et les pays proches de l'équateur.

• **L'Afrique australe présente des milieux* aux caractéristiques très différentes**. Si les régions équatoriales et une partie de Madagascar sont le domaine de la forêt tropicale humide, c'est l'aridité qui domine partout ailleurs : climat tropical sec au Mozambique, désert du Kalahari au Botswana, milieu méditerranéen dans la région du Cap. Le changement climatique global* devrait renforcer cette aridité notamment dans les zones continentales.

B Des ressources minières exceptionnelles

• **L'Afrique australe est la partie du continent la plus riche en minerais et en ressources énergétiques** : or et diamant en Afrique du Sud et au Botswana (36 % des réserves mondiales), uranium en Namibie, pétrole en Angola, charbon au Mozambique... On a ainsi pu parler d'« Afrique des mines » pour distinguer l'Afrique australe du reste du continent.

• **L'exploitation des ressources*, notamment minières**, remonte à l'époque coloniale. Ceci explique la création ancienne d'infrastructures pour transporter et exporter les ressources minières : ports (Durban...) mais aussi voies ferrées. Dans le contexte actuel de mondialisation, les ports sont modernisés et les axes ferroviaires sont gérés par de grands groupes nationaux ou étrangers, notamment chinois.

C De nombreuses autres ressources

• **Les ressources en eau sont importantes** même si leur accès est très inégal en fonction du développement et du milieu. Les grands fleuves (fleuve Orange, Zambèze...) qui traversent des régions arides ont permis l'essor de l'irrigation et d'une agriculture intensive. La situation est cependant très variable : il y a deux fois plus de terres irriguées en Afrique du Sud qu'à Madagascar... et 16 fois plus qu'au Mozambique. Ces fleuves permettent aussi le développement de l'hydroélectricité, notamment au Lesotho, au Mozambique et en Zambie.

• **La forêt et les terres arables sont aussi des ressources** dont la mise en valeur dépend du développement. Si la malnutrition sévit encore, on constate à l'opposé l'essor d'une agriculture commerciale mondialisée (viticulture sud-africaine...). L'Afrique australe connaît aussi le phénomène d'accaparement des terres.

• **Des espaces protégés servent à assurer la protection des milieux** face à l'exploitation des ressources et à l'urbanisation. Plus de 30 % de la superficie de la Zambie a un statut d'aire protégée ; les parcs nationaux d'Afrique du Sud abritent une faune exceptionnelle et favorisent un tourisme international.

▶ **Les milieux offrent des ressources multiples et convoitées notamment dans le cadre de la mondialisation. Leur exploitation et leur protection varient selon les pays et les niveaux de développement.**

REPÈRE

Les ressources minières en Afrique australe

Minerai	Pays	Pourcentage des ressources mondiales
Platine	Afrique du Sud	~78
Vanadium	Afrique du Sud	~48
Manganèse	Afrique du Sud	~30
Diamants	Botswana	~25
Uranium	Namibie	~8
Or	Afrique du Sud	~8
Cuivre	Zambie	~5

Pourcentage des ressources mondiales

VOCABULAIRE

Accaparement des terres (*Land grabbing*) Achat ou location de terres agricoles par des États ou des sociétés privées étrangers.

Afrique australe Dans son sens le plus étroit, le terme désigne l'Afrique du Sud et les pays limitrophes. Mais le terme a d'autres acceptions plus larges, dont une conforme à son étymologie : tous les pays d'Afrique situés dans l'hémisphère sud.

1 ▶ **Le parc Kruger en Afrique du Sud**

Le parc Kruger attire plus de 1,3 million de touristes par an.

2 ▶ **La mangrove de Madagascar en danger**

« Qu'elle soit fluviale ou littorale, la mangrove malgache, qui couvre environ 320 000 hectares – pour l'essentiel sur la côte ouest de l'île –, est en danger. En quarante ans, cet écosystème précieux, rempart naturel et efficace contre les cyclones qui balaient le pays entre les mois de décembre et avril, a perdu 10 % de sa superficie. [...] La montée du niveau des océans due au réchauffement climatique ainsi que la déforestation menacent l'équilibre de la région, qui compte environ 50 000 hectares de mangrove. [...]

"Le palétuvier est utilisé pour la construction des cases, des clôtures, des bateaux ou en tant que bois de chauffe", explique Judicaël Rakotondrazafy[1]. On remplace aussi des surfaces entières de mangrove par des rizières. La région de Melaky où vivent près de 270 000 personnes ne compte encore que 6 habitants au kilomètre carré, mais elle connaît une forte augmentation de sa population. De nouvelles familles, originaires de l'intérieur de l'île, migrent vers la zone côtière riche en ressources halieutiques[2], pour des questions de survie. »

[1] Le responsable technique à Morandava du WWF.

[2] Ressources animales et végétales aquatiques.

Pierre Lepidi, « Vitale et fragile, la mangrove de Madagascar est en danger »,
Le Monde, 26 juin 2018.

ARTICLE

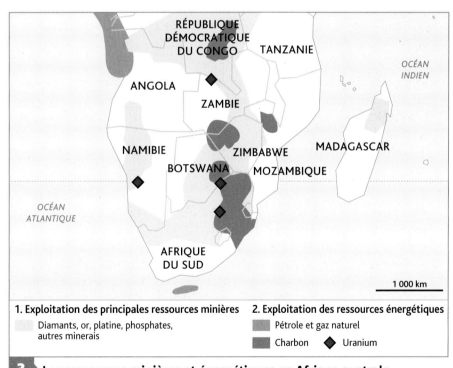

1. Exploitation des principales ressources minières
   - Diamants, or, platine, phosphates, autres minerais

2. Exploitation des ressources énergétiques
   - Pétrole et gaz naturel
   - Charbon   ◆ Uranium

3 ▶ **Les ressources minières et énergétiques en Afrique australe**

Analyser et confronter les documents

1. Montrez que le doc 1 témoigne des tensions entre valorisation et protection d'une ressource.

2. À quels risques est soumis le littoral de Madagascar ? Pourquoi le recul de la mangrove et les mobilités sont-ils des facteurs aggravants ? Doc 2

3. Pourquoi certains géographes parlent-ils de l'« Afrique des mines » à propos de l'Afrique australe ? Repère et doc 3

Pourquoi l'accès à l'eau est-il encore inégal en Afrique du Sud ?

L'Afrique du Sud est un pays où l'accès à l'eau est très inégal, selon les territoires mais aussi les populations. Cette inégalité tient en partie à l'aridité mais aussi aux forts contrastes économiques et sociaux qui marquent ce pays émergent*.

1 La corvée d'eau dans un *township** du Cap

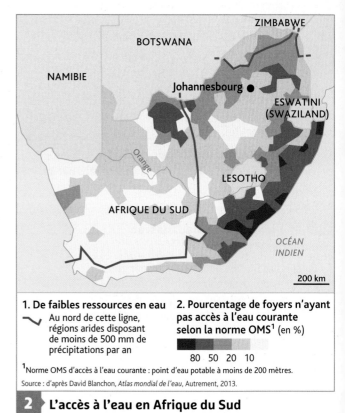

1. De faibles ressources en eau
Au nord de cette ligne, régions arides disposant de moins de 500 mm de précipitations par an

2. Pourcentage de foyers n'ayant pas accès à l'eau courante selon la norme OMS[1] (en %)

80 50 20 10

[1]Norme OMS d'accès à l'eau courante : point d'eau potable à moins de 200 mètres.

Source : d'après David Blanchon, *Atlas mondial de l'eau*, Autrement, 2013.

2 L'accès à l'eau en Afrique du Sud

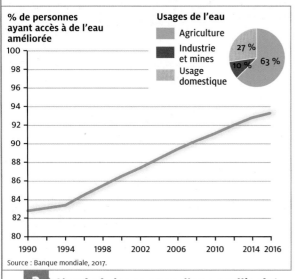

% de personnes ayant accès à de l'eau améliorée

Usages de l'eau
- Agriculture
- Industrie et mines
- Usage domestique

27 %
10 %
63 %

Source : Banque mondiale, 2017.

3 L'accès à des sources d'eau améliorée* en Afrique du Sud

4 L'agriculture irriguée en zone aride, le long du fleuve Orange
En Afrique du Sud, 63 % de l'eau sont utilisés par l'agriculture.

5 ▸ Le manque d'eau propre tue encore en Afrique du Sud

« Keabetswe Wageng a perdu en juin son bébé de cinq mois, victime comme tant d'autres du manque d'eau potable en Afrique du Sud. Deux autres bébés sont morts, et vingt ont été hospitalisés après avoir bu de l'eau contaminée par la bactérie E. coli dans la petite ville de Bloemhof, à 300 kilomètres au sud-ouest de Johannesbourg. Les autorités locales ont expliqué que des égouts s'étaient déversés dans un barrage alimentant la ville en eau. "Tout le monde reconnaît que nos infrastructures sont anciennes. Nous sommes une petite commune et nous sommes confrontés à des difficultés financières", admet le porte-parole de la municipalité. [...]

Le gouvernement sud-africain a admis "des problèmes généralisés" dans la chaîne d'approvisionnement en eau. S'il rappelle volontiers que 90 % de la population a accès à l'eau potable, le ministère de l'Eau reconnaît que l'approvisionnement n'est "pas fiable" pour 26 % du réseau. [...]

Car l'Afrique du Sud souffre tout à la fois de l'insuffisance des précipitations, du vieillissement des infrastructures – qui pendant l'apartheid desservaient en priorité les quartiers blancs –, d'un manque de capacité et d'une mauvaise planification. »

« Le manque d'eau propre tue en Afrique du Sud »,
Jeune Afrique, 21 juillet 2014.

ARTICLE

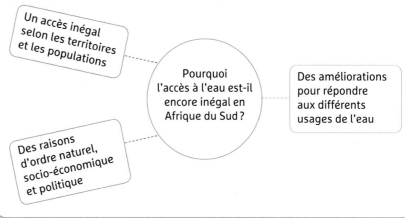

Johannesbourg · Tembis · Sandton · Randburg · Alexandra · Central Business District · Soweto · Lenasia · Orange Farm

10 km

1. Nombre de foyers n'ayant pas accès à l'eau courante selon la norme OMS[1]

■ Un carré = 50 foyers

2. Pourcentage de foyers n'ayant pas accès à l'eau courante selon la norme OMS[1] (en %)

30 20 10 5

[1]Norme OMS d'accès à l'eau courante : point d'eau potable à moins de 200 mètres.

Randburg → Banlieue autrefois réservée aux Blancs

Soweto → *Township** (population non blanche)

Source : d'après David Blanchon, *Atlas mondial de l'eau*, Autrement, 2013.

6 ▸ L'accès à l'eau à Johannesbourg

DEUX PARCOURS AU CHOIX

PARCOURS GUIDÉ

1. Quelle est la situation hydrique globale de l'Afrique du Sud ? L'accès à l'eau est-il uniforme dans l'ensemble du pays ?
Carte p. 44, doc 1, 2 et 4

2. Quel est l'usage principal de l'eau ? Quels aménagements sont parfois nécessaires dans ce cadre ? Doc 3 et 4

3. Quelles populations et quels territoires souffrent plus particulièrement du manque d'eau potable ? Comment l'expliquer ?
Doc 1, 2, 5 et 6

4. Montrez que la situation s'est toutefois améliorée. Doc 3

BILAN Rédigez quelques lignes pour répondre à la problématique du dossier.

PARCOURS AUTONOME

À l'aide des doc 1 à 6, organisez les idées à l'aide de la carte mentale ci-dessous puis rédigez une réponse à la problématique du dossier.

- Un accès inégal selon les territoires et les populations

- Pourquoi l'accès à l'eau est-il encore inégal en Afrique du Sud ?

- Des améliorations pour répondre aux différents usages de l'eau

- Des raisons d'ordre naturel, socio-économique et politique

Quels sont les défis de la transition et du développement en Afrique australe?

A Des pays à des stades différents

● **Tous les pays sont engagés dans la transition démographique***. Mais les contrastes sont forts entre l'Afrique du Sud qui l'a quasiment achevée et les pays qui l'amorcent comme l'Angola. De fortes disparités existent aussi au sein des pays. La structure par âge a des répercussions économiques avec un grand nombre de personnes actives et peu de personnes âgées.

● **Du point de vue du développement**, environ les deux tiers des États sont des PMA* (Madagascar, Malawi…), les autres étant dans une situation intermédiaire, même si les inégalités demeurent très fortes. L'Afrique du Sud, pays émergent* et tête de pont du développement* sur le continent, enregistre des écarts de richesse élevés, en partie hérités de l'apartheid*. La fragmentation socio-spatiale* s'exprime dans l'opposition entre *townships** et quartiers aisés.

B Des défis sanitaires et des enjeux sociaux

● **Ces pays connaissent encore des conditions sanitaires difficiles** liées notamment au paludisme mais aussi au virus du SIDA, avec les plus fortes prévalences au monde. En dépit d'un recul du VIH, grâce à une meilleure prise en charge, les retombées démographiques (espérance de vie) et économiques (population jeune active très touchée) sont lourdes.

● **Trois défis sont ainsi à relever pour accélérer le développement** : la réduction des risques sanitaires et alimentaires, l'éducation des populations et une meilleure place pour les femmes dans la société. Scolariser les enfants et les jeunes filles, les former, faciliter l'accès à la contraception permettent à tous de reculer l'âge au mariage, d'avoir un emploi et de participer ainsi à l'égalité hommes-femmes, facteur d'un meilleur développement.

C Une urbanisation rapide mais très inégale

● **Une grande partie de la population est encore rurale**. Le stade d'insertion dans la transition urbaine* révèle les contrastes de développement. La plupart des pays ont encore une population majoritairement rurale, mais enregistrent des taux de croissance urbaine de plus de 4 % par an. En revanche, l'Afrique du Sud et le Botswana ont des rythmes plus modérés et ont dépassé les 50 % de population urbaine.

● **Ces différences s'expliquent en partie par la richesse en ressources** et l'industrialisation qui a fait émerger de grandes villes, souvent littorales, voire des métropoles plus ou moins intégrées à l'échelle mondiale. Par ailleurs, on observe l'apparition d'une classe moyenne urbaine, certes hétérogène mais gage de développement de la société. Le potentiel d'urbanisation est encore très grand, et les mobilités vers les villes sont fortes.

> **L'Afrique australe a de nombreux défis à relever pour atteindre un niveau de développement satisfaisant et réduire les inégalités socio-spatiales à toutes les échelles.**

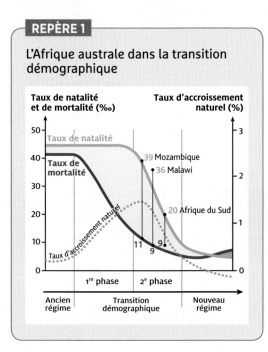

REPÈRE 1

L'Afrique australe dans la transition démographique

REPÈRE 2

PIB de quelques pays d'Afrique australe en 2017

Source : Banque mondiale, 2017.   Millions de dollars

1 **L'essor des classes moyennes au Mozambique**
Centre commercial de Maputo

2 **Crise alimentaire en Afrique australe**

« La Namibie, le Botswana, le Malawi et le Zimbabwe sont les pays les plus touchés par ces pénuries alimentaires. Dans ces deux derniers pays, il s'agit même de la "pire crise alimentaire" depuis dix ans, selon David Orr, le porte-parole du Programme alimentaire mondial (PAM) [...]. Sur une population de 292 millions d'habitants, 27,4 millions de personnes (près de 10 %) sont frappées par des pénuries alimentaires dues aux mauvaises récoltes de l'année. [...] Les pluies irrégulières, la sévère sécheresse et les températures anormalement hautes ont fait des ravages sur le volume des récoltes de la région. La sécheresse prolongée dans la région affecte également les pâturages pour le bétail et le volume de grain pour les poulets, ce qui devrait entraîner une augmentation des prix de la viande, du lait, du poulet et des œufs. »

ARTICLE

Karine Kamatari, « Crise alimentaire en Afrique australe : les pays les plus touchés », *Le Point*, 2015.

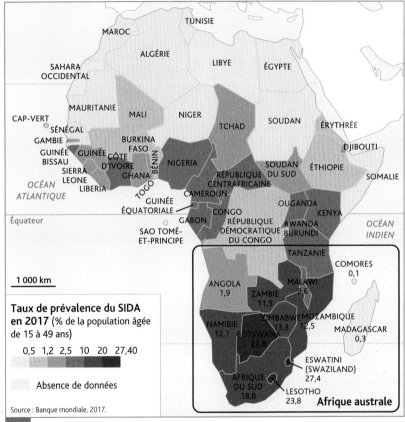

Taux de prévalence du SIDA en 2017 (% de la population âgée de 15 à 49 ans)

0,5 1,2 2,5 10 20 27,40

Absence de données

Source : Banque mondiale, 2017.

3 **Les plus forts taux de prévalence du VIH/SIDA au monde**

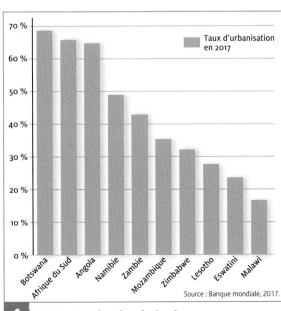

Taux d'urbanisation en 2017

Source : Banque mondiale, 2017.

4 **Une urbanisation inégale**

Analyser et confronter les documents

1. Quels grands défis pour l'Afrique australe soulèvent les doc 2 et 3 ?

2. Identifiez les pays peu développés et le pays émergent. Repère 2, carte p. 257 Quels liens pouvez-vous établir entre ces différences et le repère 1 ? Puis avec le doc 4 ?

3. Quels liens pouvez-vous établir entre l'essor d'une classe moyenne urbaine, la croissance économique et le développement ? Repère 1, doc 1 et 4

Comment l'accès à l'électricité s'améliore-t-il en Afrique australe ?

Alors que l'électricité est indispensable à la vie quotidienne et à l'économie, près de la moitié de la population de l'Afrique australe n'y a pas accès. Des progrès sont accomplis, mais le rythme de l'électrification est moins rapide que la croissance démographique.

1 Enfants dans une école rurale au Zimbabwe

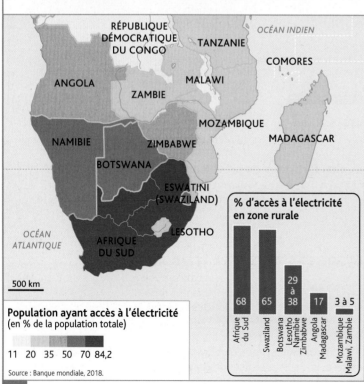

2 Part de la population ayant accès à l'électricité

% d'accès à l'électricité en zone rurale

Afrique du Sud : 68
Swaziland : 65
Botswana, Lesotho, Namibie, Zimbabwe : 29 à 38
Angola, Madagascar : 17
Mozambique, Malawi, Zambie : 3 à 5

Population ayant accès à l'électricité (en % de la population totale)
11 20 35 50 70 84,2

Source : Banque mondiale, 2018.

3 ARTICLE · Vivre sans électricité au Malawi

« [Au Malawi] la moitié des habitants vit sous le seuil de pauvreté. Plus de 85 % des habitants se trouvent dans des zones rurales et à peine 10 % de la population a accès au réseau électrique. Selon les prévisions, seul un cinquième de la population bénéficiera d'un réseau électrique en 2025. [...]

Pour chauffer leurs maisons, cuisiner ou s'éclairer, [les personnes] brûlent des combustibles solides (bois, déchets végétaux, charbon de bois, fumier, déjections animales) dans des feux ouverts et utilisent à l'intérieur de leurs maisons des poêles traditionnels qui souvent fuient. [...] Ces procédés sont peu efficaces car la grande majorité de l'énergie produite est perdue et réclame des ressources humaines importantes pour récolter les combustibles. Au Malawi, les femmes passent beaucoup de temps à essayer de trouver du carburant, ce qui les empêche de se consacrer, par exemple, à l'éducation des enfants.

L'environnement n'est pas épargné et la déforestation est l'un des problèmes majeurs du pays. Huit millions de tonnes de bois par an ne sont pas remplacées. 90 % du pays est déboisé et perd 2 000 km² chaque année. »

Laurent Filippi, « Malawi, produire de l'énergie en cuisinant sainement », francetvinfo.fr, 3 mars 2016.

5 ▸ Le Malawi et le Mozambique bientôt interconnectés

« Si le projet venait à se réaliser, ce sera sans doute une avancée notable dans la coopération Sud-Sud appuyée par des institutions internationales. L'Union européenne et la Banque allemande de développement (KfW) ont indiqué vouloir accorder une aide de 20 millions d'euros au Malawi. Cette somme devra servir à construire une ligne d'interconnexion avec le Mozambique. Le réseau électrique va donc s'étendre au-delà des frontières.

[...] La KfW [...] va aussi octroyer 30 millions d'euros au Mozambique dans le cadre de la mise en œuvre du même projet. Les localités de Phombeya au sud du Malawi à Motambo au nord-est de la capitale mozambicaine sont celles concernées. Une ligne de 400 kilovolts s'étendant sur 218 kilomètres va les relier. L'achèvement du projet est prévu d'ici 2020.

Le Malawi mise sur ce projet pour résoudre un tant soit peu son déficit énergétique. Le pays connaît très souvent des saisons de sécheresse qui n'arrangent pas son réseau hydroélectrique. Néanmoins, 98 % de sa production est réalisée à partir du fleuve Malawi. »

« Le Malawi et le Mozambique bientôt interconnectés », africatopsuccess.com, 10 mars 2018.

4 ▸ Panneaux solaires utilisés pour des pompes à eau (irrigation, approvisionnement en eau), Malawi

6 ▸ L'accès à l'électricité en Afrique australe

Source : Banque mondiale, 2018.

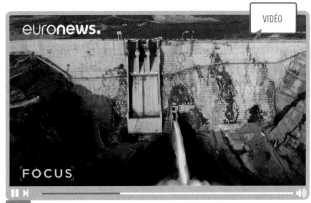

7 ▸ Angola : les défis de l'électrification

DEUX PARCOURS AU CHOIX

PARCOURS GUIDÉ

1. Caractérisez l'accès à l'électricité pour la population d'Afrique australe de façon globale, puis montrez que cela varie selon les pays et types d'espaces. Doc 1 et 2

2. Quelles sont les conséquences du faible accès à l'électricité pour la vie quotidienne et l'activité économique ? Doc 1 et 3

3. Montrez que des progrès ont été accomplis dans l'électrification. Doc 4, 5 et 6

4. Classez les moyens utilisés et envisagés pour y parvenir et montrez sur quels atouts du continent ils s'appuient. Doc 4, 5 et 7 (vidéo)

BILAN Rédigez quelques lignes pour répondre à la problématique du dossier.

PARCOURS AUTONOME

• Visionnez le documentaire « Angola : les défis de l'électrification » (2017) : retrouvez-vous des informations mentionnées dans les documents du dossier ? Quelles idées apporte-t-il en plus ?

• Montrez en une quinzaine de lignes que la difficulté d'accès à l'électricité en Afrique australe est un handicap pour le développement mais que des progrès sont en cours.

Un recul du paludisme en Afrique australe ?

L'Afrique australe connaît une diversité de situations face au paludisme (ou malaria). Cette maladie transmise par un moustique peut être mortelle car aucun traitement efficace n'existe à l'heure actuelle. Des mesures de prévention sont cependant possibles.

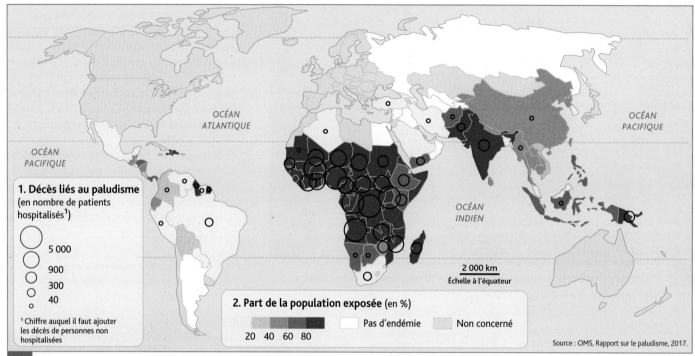

1. Décès liés au paludisme
(en nombre de patients hospitalisés[1])

5 000
900
300
40

[1] Chiffre auquel il faut ajouter les décès de personnes non hospitalisées

OCÉAN ATLANTIQUE
OCÉAN PACIFIQUE
OCÉAN PACIFIQUE
OCÉAN INDIEN
OCÉAN PACIFIQUE

2 000 km
Échelle à l'équateur

2. Part de la population exposée (en %)

20 40 60 80   Pas d'endémie   Non concerné

Source : OMS, Rapport sur le paludisme, 2017.

1 Les zones à risque et les décès liés au paludisme

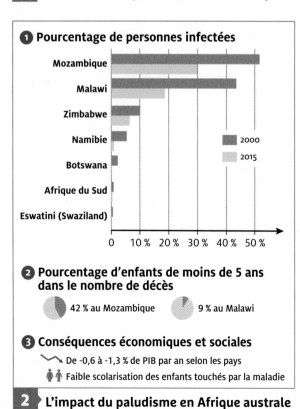

❶ Pourcentage de personnes infectées

Mozambique
Malawi
Zimbabwe
Namibie
Botswana
Afrique du Sud
Eswatini (Swaziland)

0   10 % 20 % 30 % 40 % 50 %

■ 2000
■ 2015

❷ Pourcentage d'enfants de moins de 5 ans dans le nombre de décès

42 % au Mozambique   9 % au Malawi

❸ Conséquences économiques et sociales

↘ De -0,6 à -1,3 % de PIB par an selon les pays

Faible scolarisation des enfants touchés par la maladie

2 L'impact du paludisme en Afrique australe

3 Les facteurs favorisant ou limitant le paludisme

ARTICLE

« Différents facteurs [...] pèsent sur les logiques spatiales du risque paludéen [...]. Certains aménagements [...] (lacs de barrage, canaux, rizières inondées) démultiplient les lieux de ponte possible pour l'anophèle[1]. [...] Les mobilités humaines participent aussi à des recompositions spatiales de la géographie du paludisme. Par exemple, sur l'île de La Réunion où le paludisme avait été éradiqué à la fin des années 1970, on assiste à de nouveaux cas[2] liés aux flux humains [notamment] depuis les Comores voisines où le paludisme est encore endémique.

Les facteurs politiques [...] jouent un rôle dans le risque paludéen. Les situations de conflit se traduisent par l'insuffisance des moyens de surveillance, de prévention et de traitement, le manque de personnel qualifié, un recul de la maîtrise des milieux, pouvant contribuer à une recrudescence du paludisme. [...]

L'urbanisation [...] limite le risque paludéen. L'artificialisation de l'environnement réduit les gîtes larvaires (zones humides, points d'eau stagnante) [...]. L'urbanisation implique aussi une évolution des comportements, une prévention plus efficace (utilisation d'insecticides, de moustiquaires, de traitements préventifs), une meilleure information et un meilleur accès aux soins. »

[1] Moustique vecteur du paludisme. [2] 22 cas de paludisme à La Réunion en 2017.

Clara Loïzzo et Sylviane Tabarly, « Espaces et territoires du paludisme », *Géoconfluences*, juin 2012.

4 ▷ **Pulvérisation d'insecticide contre le paludisme au Mozambique**

Une équipe de l'ONG sud-africaine Goodbye Malaria pulvérisant un insecticide dans la région de Maputo, à proximité de la frontière sud-africaine. Entre 2013 et 2015, 70 % des moustiques y ont été éliminés.

ARTICLE

5 **Quatre pays d'Afrique australe pourraient éradiquer le paludisme**

« L'un des objectifs du plan de lutte 2016-2030 contre le paludisme de l'OMS, publié en 2015, était d'éradiquer la maladie dans au moins 10 pays du monde d'ici 2020. Dans un nouveau rapport [...], l'Organisation mondiale de la santé annonce que cela est réalisable dans 21 pays, dont [...] le Swaziland, le Botswana, l'Afrique du Sud et les Comores. "L'OMS félicite ces pays, et souligne le besoin d'investissements importants dans les régions fortement touchées, particulièrement en Afrique", a déclaré le docteur Pedro Alonso, en charge du programme global sur le paludisme à l'OMS.

En Afrique du Sud, l'élimination de la malaria est un objectif national. En 2014, le pays a enregistré près de 11 700 cas, presque six fois moins qu'en l'an 2000. Les cas de paludisme y sont concentrés dans les régions frontalières avec le Swaziland, le Zimbabwe et le Mozambique. Selon l'OMS, "avec une action ciblée[1] et une coopération transfrontalière, l'Afrique du Sud a le potentiel pour éliminer la malaria en 2020". »

[1] Développement de la prévention et de l'information des populations, pulvérisation d'insecticides dans les zones humides, recherche médicale.

« Six pays africains pourraient éradiquer le paludisme d'ici 2020 », *Jeune Afrique*, 25 avril 2016.

Usiku Uliwonse Chaka Chilichonse

1 Malungo ndi matenda oopsa kwambiri, amapha anthu, makamaka ana aang'ono chaka chili chonse.

2 Mungapewe malungo pogwiritsa ntchito **CHITETEZO NET** usiku uliwonse chaka chilichonse.

3 Kugwiritsa ntchito neti ndi kosavuta. Yosavuta kupachika. Amayi oyembekezera ndi ana ochepela zaka zisanu ayenera kupatsidwa mwayi woyamba kutetezedwa ndi **CHITETEZO** neti m'nyumba.

Kupewa malungo kuposa Kuchiza

kukhala banja losangalala, lathanzi ndiponso lotukuka pochepetsa ndalama zolipira kuchipatala chaka chilichonse!

6 ▷ **Affiche de sensibilisation à l'utilisation des moustiquaires, Malawi**

« Tous les soirs, tout le temps ».

DEUX PARCOURS AU CHOIX

PARCOURS GUIDÉ

1. Comparez l'ampleur du paludisme en Afrique australe par rapport aux autres continents puis au reste de l'Afrique. Analysez ensuite les différences au sein de l'Afrique australe. Comment expliquer ce que vous avez constaté ? Doc 1 et 3

2. Montrez que le paludisme est un frein au développement économique et social en Afrique australe, à court et à long termes. Doc 2

3. Quels sont les différents moyens (techniques, médicaux…) pour prévenir le paludisme et le traiter ? Doc 3 à 6

4. Quels progrès ont été réalisés ? Grâce à quels acteurs ? Doc 2 à 6

BILAN Rédigez quelques lignes pour répondre à la problématique du dossier.

PARCOURS AUTONOME

Répondez à la problématique sous forme rédigée en organisant votre plan selon ces trois thèmes :

1. **Le constat** : une maladie qui touche l'Afrique australe de manière inégale

2. **Les moyens de lutte**

3. **Le bilan**

COURS 3

Comment les mobilités modèlent-elles les territoires en Afrique australe ?

A — Des territoires intégrés dans des flux migratoires

• **L'insertion de l'Afrique australe dans des flux* mondialisés est séculaire** : flux maritimes liés à la colonisation mais aussi terrestres avec les découvertes minières du XIXᵉ siècle. Le besoin de main-d'œuvre a entraîné des migrations depuis le Malawi, le Botswana ou le Lesotho vers les régions notamment riches en or du Sud du continent. Ces mobilités ont créé des territoires d'une grande richesse culturelle.

• **Aujourd'hui, c'est à destination des plus grandes villes et des zones frontalières**, espaces très accessibles et aux fortes opportunités économiques, que se dessinent des mobilités circulatoires : flux des campagnes vers les villes (saisonniers, en transit ou définitifs), déplacements à longue distance en provenance de zones en crise (demandeurs d'asile venus du Zimbabwe...) ou de pays plus lointains (Inde...).

B — Les nouveaux défis posés par les migrations

• **À l'échelle régionale, les processus migratoires** – marqués par leur croissance, leur féminisation et leur diversité – renforcent les inégalités territoriales et socio-économiques. Certains espaces sont attractifs (principalement l'Afrique du Sud) et d'autres davantage répulsifs (Zimbabwe, Malawi, Swaziland...). Si l'Afrique du Sud attire de nombreuses populations venues du reste du continent, elle est aussi un espace d'où partent les jeunes populations qualifiées vers l'Europe ou l'Australie.

• **À l'échelle intra-urbaine, des incidents xénophobes et des conflits émergent**, notamment à Johannesbourg, où les Sud-Africains, avec un taux de chômage de 30 %, acceptent difficilement la présence des populations étrangères dans certains quartiers, notamment dans les *townships*. Les tensions sur le marché de l'emploi expliquent en partie cette concurrence entre populations peu qualifiées.

C — L'émergence de nouvelles formes de mobilités

• **Les déplacements de populations englobent les mobilités touristiques**. L'Afrique australe est un pôle touristique en croissance en raison d'aménités* naturelles et paysagères très attractives, pour les populations aisées d'autres continents mais également pour la classe moyenne africaine émergente. Des plages du Mozambique aux safaris d'Afrique du Sud ou du Botswana, en passant par le désert du Namib, l'écotourisme se développe et constitue un atout de croissance économique.

• **Les mobilités quotidiennes sont un réel enjeu du développement à l'échelle des villes.** Faciliter les trajets entre lieu de résidence et lieu d'emploi, dans des villes souvent très étalées, passe par la mise en place de transports en commun efficaces, notamment à destination des populations les plus fragiles.

> Les mobilités et migrations constituent un facteur majeur de développement pour l'Afrique australe, à toutes les échelles territoriales.

REPÈRE

Les principales migrations en Afrique australe

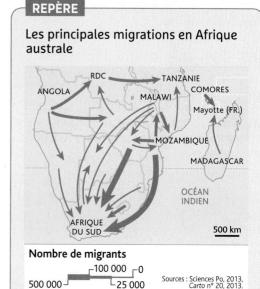

Nombre de migrants

500 000 — 100 000 — 0 — 25 000

Sources : Sciences Po, 2013, *Carto* n° 20, 2013.

L'évolution des migrations en Afrique australe

	2000	mi-2017
Nombre de migrants internationaux	1 222 314	4 338 205
% de la population totale	2,3 %	6,7 %
% de femmes	41 %	45 %
Âge médian	35 ans	34 ans
Provenance	-	56 % d'Afrique australe

Source : CNUCED, 2018.

VOCABULAIRE

Mobilités circulatoires Déplacements non linéaires, comportant des allers-retours en fonction de choix d'itinéraires successifs.

Townships Quartiers pauvres d'Afrique du Sud, hérités de la période d'apartheid* où ils étaient réservés aux populations non blanches et séparés des quartiers blancs.

1 ▶ **Manifestation dénonçant les agressions contre des migrants à Johannesbourg, le 23 avril 2015**

Les *townships* de plusieurs villes d'Afrique du Sud (Durban, Johannesbourg, Pretoria...) ont connu des poussées de violences xénophobes en 2008, et quasiment chaque année depuis 2015 (pillages et incendies de boutiques, matraquages...). Elles ont été perpétrées par des Sud-Africains contre des migrants venus notamment du Nigeria ou de la République démocratique du Congo accusés de divers trafics et de « prendre les emplois ». Ici, les manifestants brandissent le portrait de Nelson Mandela qui a lutté contre l'apartheid* en Afrique du Sud.

2 ▶ **Publicité pour un écolodge de luxe en Afrique du Sud**

L'Afrique du Sud se situe au 2ᵉ rang des pays africains pour l'accueil de touristes internationaux (après le Maroc) avec plus de 10 millions de touristes en 2017. Ceux-ci viennent de Grande-Bretagne, des États-Unis, d'Allemagne... et de plus en plus de Chine. Parcs animaliers, sites naturels, routes des vins sont, avec les métropoles du Cap et de Johannesbourg, les principaux lieux attractifs.

> ▮ **Analyser et confronter les documents**
>
> 1. Pourquoi peut-on parler de systèmes migratoires* en Afrique australe ? Quels en sont les principaux pôles ? Les migrants viennent-ils pour autant tous d'Afrique australe ? Repère
>
> 2. Analysez l'évolution des migrations entre 2000 et 2017. Repère De quoi témoigne le doc 1 ?
>
> 3. Analysez le doc 2 : quelles formes de tourisme évoque-t-il ? Quel est le type de clientèle visé ?

Johannesbourg
AFRIQUE
DU SUD

Johannesbourg : une métropole en transition ?

Capitale économique de l'Afrique du Sud, Johannesbourg est typique d'une métropole émergente* du Sud, en concentrant population, activités tertiaires supérieures et investissements étrangers. Portant les stigmates de l'apartheid*, elle est encore marquée par de fortes inégalités socio-spatiales, moins « raciales » qu'économiques, à l'image de la plupart des villes mondiales.

Nouveau quartier des affaires de Sandton

Ancien quartier des affaires

Ponte City Tower

Sentech Tower

Wanderers Stadium

1 La *skyline* d'une métropole polycentrique

Avec près de 5 millions d'habitants, l'aire urbaine de Johannesbourg fait partie – avec Pretoria, capitale de l'Afrique du Sud – de la mégalopole du Gauteng, qui compte plus de 13 millions d'habitants sur presque 100 kilomètres de long du nord au sud.

2 Johannesbourg, symbole de la ville émergente

« Johannesbourg est le meilleur symbole de l'émergence de la puissance sud-africaine, à la fois sur le continent mais aussi à l'échelle mondiale. Première place financière africaine, tête d'un réseau de transport aérien de plus en plus performant, la ville constitue un pôle majeur d'attractivité des investissements étrangers – notamment à Sandton, deuxième Central Business District[1]. [...] Son économie – fondée initialement sur le secteur minier puis industriel dont le développement a été un réel atout pour la croissance de la ville – est désormais tournée vers le commerce mais surtout vers les services à plus haute valeur ajoutée, services aux entreprises, financiers ou encore immobiliers ».

[1] Quartier des affaires.

Céline Vacchiani-Marcuzzo, « Le Cap, Durban, Johannesbourg : trois métropoles face au défi de la mondialisation », *Questions internationales*, n° 71, janvier-février 2015.

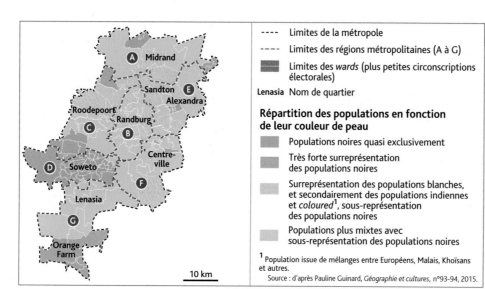

A Midrand
Sandton E
Alexandra
Roodepoort
Randburg
C
B
Centre-ville
D Soweto
F
Lenasia
G
Orange Farm

10 km

---- Limites de la métropole
---- Limites des régions métropolitaines (A à G)
▬▬ Limites des *wards* (plus petites circonscriptions électorales)
Lenasia Nom de quartier

Répartition des populations en fonction de leur couleur de peau

  Populations noires quasi exclusivement

  Très forte surreprésentation des populations noires

  Surreprésentation des populations blanches, et secondairement des populations indiennes et *coloured*[1], sous-représentation des populations noires

  Populations plus mixtes avec sous-représentation des populations noires

[1] Population issue de mélanges entre Européens, Malais, Khoïsans et autres.

Source : d'après Pauline Guinard, *Géographie et cultures*, n°93-94, 2015.

3 Une aire métropolitaine marquée par l'étalement et des quartiers différenciés

« L'étirement de l'agglomération a sa conséquence : une distance de plus en plus grande entre riches et pauvres, les uns glissant vers le nord, les autres repoussés au sud [...]. En même temps, l'accroissement de la criminalité et la peur de l'autre ont renforcé les processus d'exclusion en poussant de plus en plus de citadins aisés à s'enfermer dans des complexes sécurisés. »

Philippe Gervais-Lambony, L'Afrique du Sud, entre héritages et émergence, La Documentation française, 2012.

4 **Des quartiers nettement séparés entre villas et _townships_* (Primrose, dans l'est de la ville)**

Les _townships_, quartiers hérités de la période d'apartheid, étaient réservés aux populations non blanches, et séparés des quartiers blancs par des zones tampons (route, voie ferrée, clôture, etc.). Ils sont caractérisés par de l'habitat formel mais aussi informel (construit illégalement, souvent avec des matériaux de récupération).

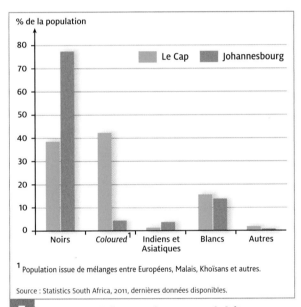

% de la population

[1] Population issue de mélanges entre Européens, Malais, Khoïsans et autres.

Source : Statistics South Africa, 2011, dernières données disponibles.

5 **Le Cap et Johannesbourg, un héritage de l'apartheid différent**

La composition de la population de Johannesbourg est marquée, depuis la fin de l'apartheid*, par une forte croissance de la population noire, liée en partie à la grande attractivité du pôle économique pour l'ensemble de l'Afrique australe.

6 **Les transports en commun : rendre la ville accessible aux plus pauvres**

Le Rea Vaya Bus, symbole du transport public de masse rénové, est essentiel pour faciliter les mobilités des populations entre lieu de résidence et lieu d'emploi, et ainsi réduire les inégalités.

DEUX PARCOURS AU CHOIX

PARCOURS GUIDÉ

1. Montrez que Johannesbourg est devenu un pôle économique majeur. Doc 1 et 2
2. Quels sont les héritages de la période d'apartheid encore visibles ? Doc 3, 4 et 5
3. Pourquoi peut-on parler d'un glissement vers une ségrégation plus économique ? Doc 3
4. Pourquoi l'aménagement des transports est-il un moyen de réduire les inégalités au sein de l'espace urbain ? Doc 3 et 6

BILAN Rédigez quelques lignes pour répondre à la problématique du dossier.

PARCOURS AUTONOME ORAL

Après avoir analysé les documents, réalisez un diaporama (OpenOffice, PowerPoint...) qui servira de base à un exposé oral répondant à la problématique du dossier. Aidez-vous de la p. 172.

DONNÉES PAYS

AFRIQUE DU SUD

Quelle est la place de l'Afrique du Sud dans l'espace migratoire africain ?

Principale puissance émergente* du continent, l'Afrique du Sud est le premier pays d'accueil des migrants en Afrique. Ces derniers font cependant l'objet de fortes discriminations et de mesures politiques qui les incitent à retourner dans leur pays d'origine ou à rejoindre un autre pays d'accueil.

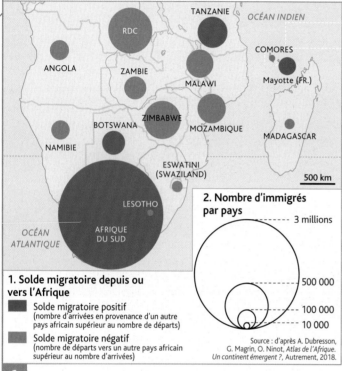

1. Solde migratoire depuis ou vers l'Afrique

- **Solde migratoire positif**
  (nombre d'arrivées en provenance d'un autre pays africain supérieur au nombre de départs)
- **Solde migratoire négatif**
  (nombre de départs vers un autre pays africain supérieur au nombre d'arrivées)

2. Nombre d'immigrés par pays
- 3 millions
- 500 000
- 100 000
- 10 000

Source : d'après A. Dubresson, G. Magrin, O. Ninot, *Atlas de l'Afrique. Un continent émergent ?*, Autrement, 2018.

1 Nombre d'immigrés par pays en Afrique australe

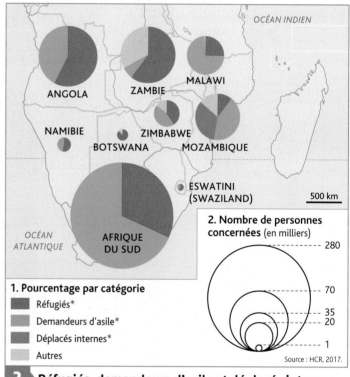

1. Pourcentage par catégorie
- Réfugiés*
- Demandeurs d'asile*
- Déplacés internes*
- Autres

2. Nombre de personnes concernées (en milliers)
- 280
- 70
- 35
- 20
- 1

Source : HCR, 2017.

2 Réfugiés, demandeurs d'asile et déplacés internes en Afrique australe

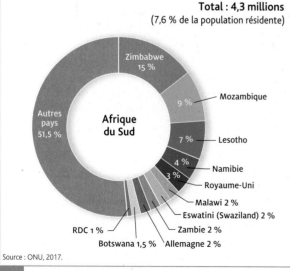

Total : 4,3 millions
(7,6 % de la population résidente)

Afrique du Sud

Zimbabwe 15 %
Mozambique 9 %
Lesotho 7 %
Namibie 4 %
Royaume-Uni 3 %
Malawi 2 %
Eswatini (Swaziland) 2 %
Zambie 2 %
Allemagne 2 %
Botswana 1,5 %
RDC 1 %
Autres pays 51,5 %

Source : ONU, 2017.

3 L'origine des migrants en Afrique du Sud

4 Violences xénophobes contre des commerçants étrangers

Des pillards vident une boutique dans le *township** de Soweto, le 29 août 2018.

5 **Des migrants zimbabwéens préparant leur départ d'Afrique du Sud**

Dans le camp de Chatsworth (au nord de Durban), des migrants du Zimbabwe portent leurs bagages pour prendre un bus et quitter l'Afrique du Sud, après avoir été affectés par des violences anti-immigrés.

6 **La « réinstallation » de réfugiés devenus indésirables dans leur pays d'accueil**

ARTICLE

« La réinstallation s'applique aux cas pour lesquels un rapatriement volontaire ne peut être envisagé et où l'intégration sur le territoire local est impossible pour des raisons de protection ou de sécurité. Depuis quelques années, les demandes augmentent de manière dramatique. En 2008, nous avions présenté les candidatures de 1 267 personnes pour l'Afrique australe (principalement l'Afrique du Sud, la Zambie et le Malawi), l'année dernière [2016] nous sommes passés à 4 283! En tout, depuis 2008, le programme de réinstallation a permis d'évacuer près de 28 000 réfugiés depuis l'Afrique australe vers les États-Unis, le Canada, l'Australie ou l'Europe.

L'Afrique du Sud a joué un rôle important ces huit dernières années, car elle accueille un nombre très élevé de réfugiés (principalement des Congolais, Somaliens, Burundais, Érythréens et Rwandais). Malheureusement, et malgré les efforts du gouvernement, ils sont confrontés à de très graves problèmes liés à des attaques xénophobes. Pour cette raison, c'est le principal pays d'Afrique australe depuis lequel nous avons présenté des candidatures pour la réinstallation. »

Propos d'Ilija Todorovic, responsable du programme de réinstallation du HCR (l'Agence des Nations unies pour les réfugiés) pour l'Afrique australe, cité par Clémentine V. Baron, « Quelles solutions durables pour les réfugiés en Afrique du Sud? », HCR, 5 mai 2017.

DEUX PARCOURS AU CHOIX

PARCOURS GUIDÉ

1. Montrez que l'Afrique du Sud est le pôle migratoire principal de l'Afrique australe. Doc 1
2. Pourquoi les chiffres concernant les migrations en Afrique du Sud diffèrent-ils entre les doc 1 et 2 ?
3. Quels sont les principaux pays d'origine des migrants et des réfugiés en Afrique du Sud ? Pourquoi ? Doc 3, 6 et repère p. 270
4. Comment s'expriment les discriminations envers les migrants ? Avec quelles conséquences ? Doc 4, 5, 6 et doc 1 p. 271
5. En quoi consiste le programme de réinstallation du HCR ? Pourquoi concerne-t-il particulièrement l'Afrique du Sud ? Doc 2 et 6

BILAN Rédigez quelques lignes pour répondre à la problématique du dossier.

PARCOURS AUTONOME

Répondez à la problématique de manière structurée en intégrant les notions suivantes :
• inégalités
• réfugiés*
• migrations
• système migratoire*
• xénophobie
• pays de transit*
• réinstallation
• mobilités circulatoires*

L'Afrique australe : un espace en profonde mutation

 A **Un milieu riche et très exploité**

• **L'Afrique australe** possède de nombreuses **ressources** : eau, terres agricoles, ressources paysagères, ressources énergétiques (pétrole, charbon) et minières (or, diamant, fer...), notamment en **Afrique du Sud** et au Botswana.

• Ces ressources sont inégalement exploitées et valorisées en fonction du développement du pays : accaparement des terres* à Madagascar, fleuves partiellement utilisés pour l'irrigation et l'hydroélectricité, parcs animaliers, en particulier en Afrique du Sud. Une partie de l'Afrique australe se trouve toutefois confrontée à la désertification.

 B **Des défis inégalement surmontés**

• Les pays d'Afrique australe sont en **transition démographique**. Celle-ci est presque achevée en Afrique du Sud, mais est en cours ailleurs. La baisse de la mortalité est générale, et ce malgré des difficultés sanitaires importantes : paludisme, pandémie de VIH/SIDA...

• Le développement est très inégal. Des **PMA** (Comores, Malawi...) s'opposent à **un pays émergent**, l'Afrique du Sud, très intégré dans la mondialisation par ses ports et ses métropoles (**transition urbaine**). L'accès à l'électricité ou à la scolarisation est donc très variable d'un pays à l'autre et très faible dans certaines zones rurales.

C **Un espace de circulations migratoires intenses**

• Les migrations sont en essor, principalement vers les villes et les régions frontalières. Elles génèrent des **mobilités circulatoires** complexes. L'Afrique du Sud est le principal récepteur de ces flux, issus de pays proches mais aussi de toute l'Afrique. Ces flux alimentent parfois des mouvements xénophobes en milieu urbain.

• De nouvelles formes de mobilités apparaissent : mobilités quotidiennes en forte hausse, tourisme international vers les métropoles et les grands parcs animaliers.

NOTIONS-CLÉS

• **Mobilités circulatoires** Déplacements non linéaires, comportant des allers-retours témoignant de choix d'itinéraires successifs.

• **Pays émergent***

• **PMA***

• **Ressources***

• **Transition démographique***

• **Transition urbaine***

NE PAS CONFONDRE

• **Afrique du Sud / Afrique australe** L'**Afrique du Sud** est un État (capitale : Pretoria) situé à l'extrême-sud de l'Afrique. L'**Afrique australe** désigne l'ensemble des pays situés dans la partie sud de l'Afrique. Sa définition varie selon les géographes : certains vont jusqu'à l'équateur, d'autres limitent l'Afrique australe à l'Afrique du Sud et ses voisins.

RETENIR AUTREMENT

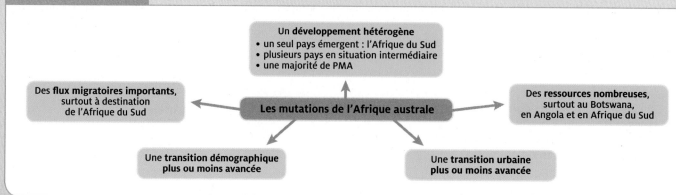

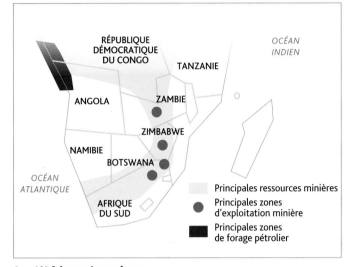

1. « L'Afrique des mines »

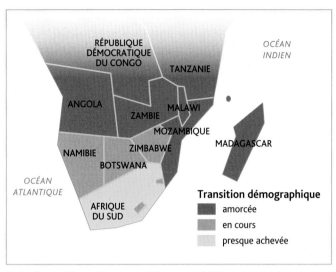

2. La transition démographique en Afrique australe

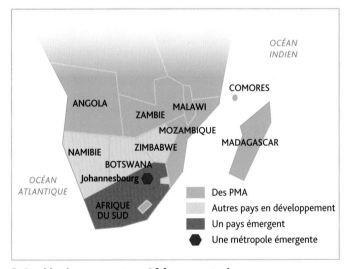

3. Le développement en Afrique australe

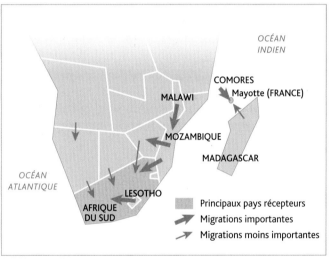

4. Les migrations entre les pays d'Afrique australe

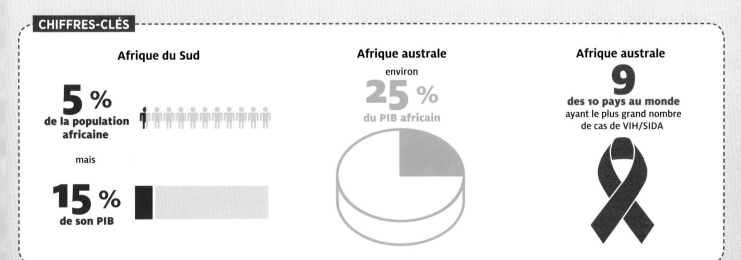

CHIFFRES-CLÉS

Afrique du Sud

5 % de la population africaine

mais

15 % de son PIB

Afrique australe

environ

25 % du PIB africain

Afrique australe

9 des 10 pays au monde ayant le plus grand nombre de cas de VIH/SIDA

RÉVISER ACTIVEMENT

EXERCICES INTERACTIFS

1 Je maîtrise les idées du cours

Les affirmations suivantes sont-elles vraies ou fausses ?

	Vrai	Faux
1. L'Afrique australe désigne tous les pays d'Afrique situés dans l'hémisphère nord.		
2. Les ressources minières sont très importantes au Botswana et en Afrique du Sud.		
3. Les grands parcs animaliers d'Afrique australe sont situés en Angola et aux Comores.		
4. La transition démographique est achevée dans la plupart des pays d'Afrique australe.		
5. Johannesbourg est une métropole marquée par de fortes tensions sociales.		
6. L'Afrique australe compte une majorité de PMA.		
7. L'accès à l'eau est très inégal en Afrique du Sud.		
8. La transition urbaine est achevée dans la plupart des pays d'Afrique australe.		
9. Les villes et les zones frontalières sont les principaux espaces attirant les migrants.		
10. Les mobilités touristiques sont en forte hausse en Afrique australe.		

2 Je dessine un schéma représentant l'Afrique australe en respectant les proportions

Pour commencer, tracez le cadre selon les proportions suivantes et dessinez les contours de l'Afrique australe de manière plus ou moins stylisée.

Terminez le dessin en schématisant les frontières et en portant quelques grandes agglomérations.

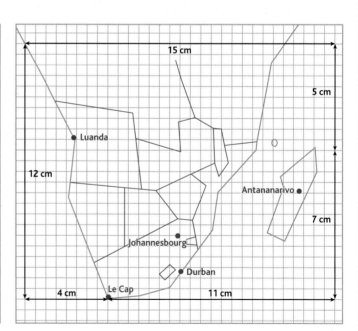

Faites ensuite ce schéma de mémoire, de manière à pouvoir l'intégrer dans une argumentation.

3 J'analyse la fragmentation socio-spatiale en Afrique du Sud à partir d'une photo

Masiphumelele, *township* de Noordhoek, dans la péninsule du Cap (Afrique du Sud)

1. **À quel numéro indiqué sur la photo correspond chacune des propositions suivantes ?**

   A. *Buffer zone* : zone tampon, espace de séparation volontairement laissé en friche

   B. Lac Michelle, lac artificialisé en partie dans un but paysager

   C. Quartier de grand standing protégé par une clôture électrique

   D. *Township*

2. **À quel quartier correspondent les caractéristiques suivantes ?**

   a. 38 000 personnes pauvres

   b. Une seule école, aucun poste de police

   c. Personnes riches utilisant ce lieu comme résidence principale ou secondaire (pratique de loisirs : cheval, randonnée…)

   d. 30 à 40 % de la population infectée par le VIH/SIDA

3. Cette photographie, prise par Johnny Miller, est tirée de unequalscenes.com, un site qui montre les écarts de richesse dans les grandes villes mondiales. Vous pouvez aller sur ce site et visiter d'autres villes d'Afrique du Sud, mais aussi de Tanzanie, du Mexique, d'Inde ou des États-Unis.

SITE

4 Je révise à l'aide d'un court documentaire

Pour mieux cerner les problèmes d'accès aux ressources :

1. Visionnez le film de l'AFP (Agence France-Presse) :
« La sécheresse au Lesotho, château d'eau de l'Afrique du Sud ».

VIDÉO

2. Récapitulez les causes de la pénurie d'eau en les reliant à la question du développement.

OBJECTIFS MÉTHODE
– Confronter une carte et un texte
– Rédiger la présentation de documents

Analyser des documents

SUJET

« Vers une réduction des inégalités en Afrique australe avec l'émergence de classes moyennes ? »

Après avoir présenté les documents, vous montrerez que l'Afrique australe est encore marquée par la pauvreté et de fortes inégalités mais qu'une classe moyenne émerge.

1 Les classes moyennes en Afrique du Sud

« Les classes moyennes africaines mettent en place des stratégies pour se prémunir du déclassement. [...] La stratégie la plus courante est la multiplication des activités : en plus d'une activité formelle qui apporte un statut et des avantages sociaux, les classes moyennes ont des *"business"* plus informels[1] qui permettent de compléter les revenus et [...] d'investir dans l'éducation des enfants, dont le nombre est de plus en plus limité. [...]

En Afrique du Sud, [les supermarchés et les *malls*[2]] ont définitivement modifié les pratiques de consommation des classes moyennes : leur présence a provoqué une modification du rythme des repas et de leur forme (repas pris à l'extérieur et emporté en boîtes), jusqu'à la nature même des produits consommés (accès au fromage sous vide, aux produits et boissons industriels). Pour la "petite classe moyenne noire" de Johannesbourg, [...] les fast-foods constituent une sortie familiale hebdomadaire quasi incontournable. Ces innovations [...] restent fortement marquées par l'histoire des positions sociales (et raciales dans le cas sud-africain) des consommateurs. Les achats en groupe continuent par exemple d'être privilégiés par les femmes noires de la "petite classe moyenne" de Soweto. Il s'agit d'une pratique issue de l'apartheid : lorsqu'un certain assouplissement de la ségrégation a ouvert les portes des supermarchés aux femmes noires, elles ont préféré y aller en groupe pour se rassurer et se protéger. Le choix des produits consommés par la "petite classe moyenne noire" est lui aussi directement lié à l'histoire du pays : [...] la fréquentation des supermarchés et la tranche de fromage dans le sandwich sont régulièrement valorisés en tant que symboles d'un "rattrapage" du niveau de vie des Sud-Africains blancs. »

[1] Par exemple, confection et vente de produits artisanaux, taxis...
[2] Les *malls* sont des centres commerciaux proposant un large éventail de services : boutiques, cafés, restaurants, agences de voyages, coiffeurs, salles de jeux, cinémas, etc.

Clélie Nallet, « Identifier les classes moyennes africaines. Diversité, spécificités et pratiques de consommation sous contrainte », IFRI (Institut français des relations internationales), décembre 2015.

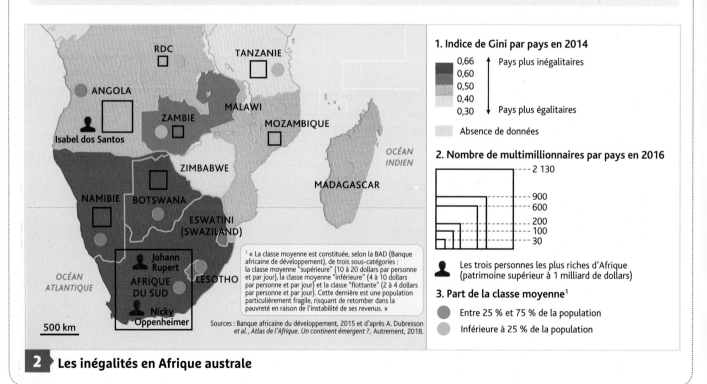

2 Les inégalités en Afrique australe

ÉTAPE 1 Comprendre le sujet et les documents en s'appuyant sur ses connaissances

1 Définissez l'espace concerné par le sujet. Les documents permettent-ils de l'aborder ? Relevez et caractérisez les lieux cités dans le doc 1.

2 Définissez le terme « apartheid » mentionné en doc 1.

3 Quel est l'intérêt de l'indice de Gini pour le sujet ? Doc 2

4 Montrez que la définition de « classe moyenne » élaborée par la Banque africaine de développement est spécifique à l'Afrique et qu'elle ne pourrait pas convenir à la France, par exemple. Doc 2

5 Que signifie « se prémunir du déclassement » (doc 1) ? Quelle partie de la classe moyenne définie par la BAD est la plus concernée par ce risque ?

6 Quels passages du doc 1 évoquent une transition démographique* ? Une transition alimentaire* ?

ÉTAPE 2 Extraire des informations utiles au sujet

7 Le tableau ci-dessous reprend la consigne du sujet. Reproduisez-le en le complétant avec des informations extraites des documents et en indiquant les idées principales.

	Document 1	Document 2
I. Une pauvreté et de fortes inégalités persistantes		
A. De fortes inégalités en particulier dans certains pays		
B. En Afrique du Sud, des inégalités en partie héritées de la période d'apartheid		
II. L'émergence d'une classe moyenne qui reste fragile		
A. Une classe moyenne qui adopte de nouveaux comportements		
B. Une situation encore précaire		

ÉTAPE 3 Rédiger le devoir

8 À l'aide du point méthode 2, repérez les différents éléments de présentation des documents.

> L'Afrique australe est constituée de pays en développement encore marqués par la pauvreté et de fortes inégalités, mais où émerge une classe moyenne diversifiée. Cette émergence permettra-t-elle de réduire les inégalités? Pour répondre à cette question, nous disposons de deux documents. Le premier est un texte de l'IFRI centré sur l'Afrique du Sud et qui explique les stratégies mises en œuvre par la classe moyenne et les transformations de leur mode de vie. Le second est une carte centrée sur l'Afrique australe et élaborée à partir d'indicateurs socio-économiques de sources officielles (Banque africaine de développement...). Nous étudierons d'abord la persistance de la pauvreté et des inégalités, puis l'émergence encore fragile des classes moyennes.

9 Rédigez le reste du devoir en vous aidant du tableau complété. Pensez à faire appel à des notions et à un vocabulaire précis (PMA, pays émergent, transition démographique, apartheid, *township*...). Pensez aussi à citer le texte.

**Confronter une carte
et un texte**

→ Ces documents apportent des **informations de nature différente**.

→ **Une carte permet davantage de localiser** qu'un texte mais peut aussi apporter des éléments d'explication.

→ **Un texte** peut, selon sa source, apporter une **vision plus nuancée** et des explications plus approfondies.

→ Dans les deux cas, il faut garder un **regard critique**.

**Présenter
un document**

→ Il s'agit de présenter **la nature, les sources et l'auteur, la date et l'espace concerné**.

→ Il faut **indiquer le thème** sans toutefois dévoiler tout le contenu du document.

OBJECTIFS MÉTHODE

– Extraire des informations d'un texte pour construire un croquis
– S'auto-évaluer

Réaliser un croquis à partir d'un texte

SUJET

En vous appuyant sur le texte et sur vos connaissances, réalisez un croquis sur le thème :
« L'Afrique australe, un espace marqué par un développement inégal et par de profondes mutations liées à différents facteurs ».

1 L'Afrique australe, un espace en profonde mutation

L'Afrique australe est composée de pays en développement qui connaissent cependant des dynamiques et des caractéristiques différentes. L'Afrique du Sud, pays émergent, est le moteur de cet espace, qui est composé en majorité de PMA (Madagascar...), seuls la Namibie, le Botswana, le Zimbabwe et l'Eswatini étant dans une situation de développement intermédiaire.

Ces différences de développement expliquent l'essor des migrations entre ces pays. L'Afrique du Sud constitue un pôle attractif, en particulier pour les habitants des pays limitrophes. Mais d'autres migrations existent de l'Angola vers la Namibie, la République Démocratique du Congo et la Zambie ou encore des Comores vers Mayotte et du Malawi vers le Mozambique. Les mobilités sont aussi internes aux pays, avec notamment un exode rural vers les grandes villes, pourvoyeuses d'emplois.

Parmi les autres mutations de l'Afrique australe, la principale est son intégration croissante dans la mondialisation. Elle se manifeste particulièrement par l'essor des métropoles (Johannesbourg, Durban, Le Cap mais aussi Luanda, Dar es-Salaam ou encore Antananarivo et Maputo). Elle est en partie liée à l'exploitation des ressources minières (mines de RDC, Zambie, Zimbabwe et Afrique du Sud) et énergétiques (pétrole d'Angola) et amène au développement de ports facilitant les échanges maritimes, notamment en Afrique du Sud, Angola et Tanzanie.

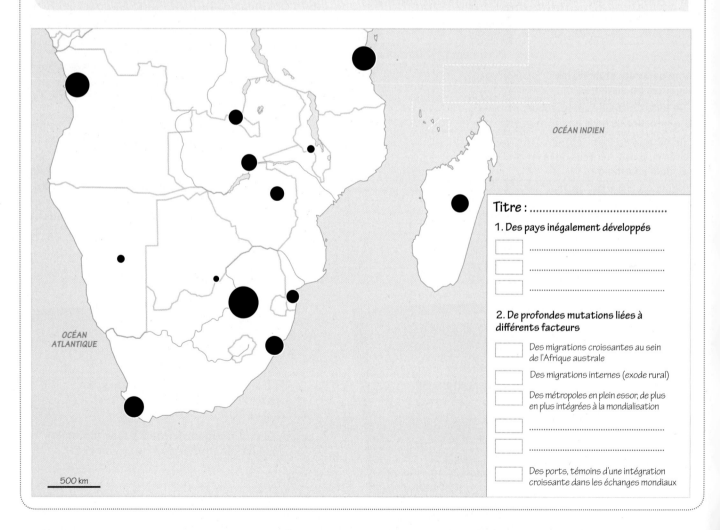

OCÉAN INDIEN

OCÉAN ATLANTIQUE

500 km

Titre : ....

1. Des pays inégalement développés

☐ ....
☐ ....
☐ ....

2. De profondes mutations liées à différents facteurs

☐ Des migrations croissantes au sein de l'Afrique australe
☐ Des migrations internes (exode rural)
☐ Des métropoles en plein essor, de plus en plus intégrées à la mondialisation
☐ ....
☐ ....
☐ Des ports, témoins d'une intégration croissante dans les échanges mondiaux

ÉTAPE 1 Lire le sujet et le texte d'appui afin de construire une légende

1 Lisez attentivement le libellé du sujet puis le texte. Quelles parties du texte se rattachent plus particulièrement à tel ou tel aspect du sujet ?

2 Les titres de parties de la légende correspondent-ils aux grands axes du sujet ? Parmi les éléments déjà donnés, retrouvez-vous certains contenus du texte ? Lesquels ?

3 À l'aide du texte, complétez les éléments de la légende (sauf les figurés).

ÉTAPE 2 Choisir les figurés et réaliser le croquis à l'aide du texte

4 Choisissez des figurés appropriés (aidez-vous du tableau des figurés sur le rabat du manuel).

5 Réalisez le croquis en fonction de la légende, du texte et de vos connaissances. Pensez à indiquer des noms (océans, États, villes principales).

ÉTAPE 3 Vérifier et évaluer le croquis

6 Évaluez votre croquis à l'aide du tableau ci-dessous en vous référant aux cartes et schémas du thème (p. 257, p. 259, p. 277 par exemple). Attention, il est normal que plusieurs aspects de votre croquis soient moins détaillés (par exemple sur les migrations).

	Objectif atteint	Quelques erreurs ou oublis mais une compréhension d'ensemble	Trop d'erreurs : il va falloir retravailler les points faibles
Dans ma légende :			
• les 9 informations sont-elles correctes ?			
• les figurés sont-ils bien choisis ?			
Ai-je bien localisé :			
• les États selon leur inégal développement ?			
• les principaux flux de population ?			
• les métropoles ?			
• les grands ports ?			
Sur la forme et la nomenclature :			
• le titre est-il mis ?			
• la nomenclature est-elle complète et juste sur le fond et la forme ?			
• l'orthographe est-elle respectée ?			
• le croquis est-il clair, lisible et soigné ?			

POINT MÉTHODE

Réaliser un croquis

→ Le but est de **faire comprendre de façon visuelle comment s'organise un espace.**

→ Il faut **comprendre le sujet et sélectionner les informations à cartographier.**

→ **Établir la légende** en l'organisant en fonction du sujet et en utilisant des figurés adéquats (voir rabat du manuel).

→ **Réaliser le croquis** en veillant à l'exactitude des localisations et en mettant des noms et un titre.

Répondre à une question problématisée

SUJET « L'Afrique australe : un espace en profonde mutation »
Comment les processus de transition contribuent-ils aux bouleversements qui touchent l'Afrique australe ?

ÉTAPE 1 Comprendre le sujet et faire un plan détaillé

1 Montrez ce que la problématique donnée par la consigne apporte de plus par rapport au libellé général du sujet.

2 Expliquez en quelques phrases que le plan proposé ci-contre correspond bien au sujet et permet de traiter la problématique.

> **I. Des ressources abondantes et de plus en plus exploitées**
> **A.** Des ressources multiples
> **B.** Une valorisation inégale en fonction de stratégies différentes
> **II. Les défis de la transition démographique et du développement**
> **A.** Des stades différents de la transition démographique et du développement
> **B.** Des défis sanitaires et des enjeux sociaux
> **C.** Une urbanisation rapide mais très inégale
> **III. Des mobilités qui remodèlent les territoires**
> **A.** Des territoires au cœur d'une transition vers les mobilités
> **B.** Les nouveaux défis posés par les migrations
> **C.** L'émergence de nouvelles formes de mobilités

ÉTAPE 2 Rédiger le devoir en organisant les arguments

3 Dans l'exemple d'introduction ci-après, repérez la ou les phrases qui montrent l'intérêt du sujet, celle qui énonce la problématique du devoir, le passage qui annonce le plan.

> Un quart de siècle après l'abolition de l'apartheid, l'Afrique du Sud est devenue un pays émergent et est souvent considérée comme le moteur du développement de l'ensemble de l'Afrique australe. Pourtant les mutations de ce sous-continent ne sont pas liées qu'au seul poids de ce pays : de l'exploitation du pétrole angolais au développement de l'agriculture intensive en Tanzanie, de l'apparition des classes moyennes au Mozambique au recul de la faim dans les zones les plus défavorisées du Malawi, c'est toute l'Afrique australe qui est en transition. Comment ces processus de transition contribuent-ils aux bouleversements qui touchent l'Afrique australe ? Nous examinerons dans une première partie les modalités de l'exploitation des ressources, avant de voir que les transitions démographiques et économiques sont encore à des stades très différents d'un pays à l'autre. La troisième partie analysera comment des mobilités de plus en plus diverses modèlent ces territoires en profonde mutation.

4 Le début du devoir est rédigé ci-dessous. Dans ce passage, repérez l'idée générale, les arguments, les exemples cités.

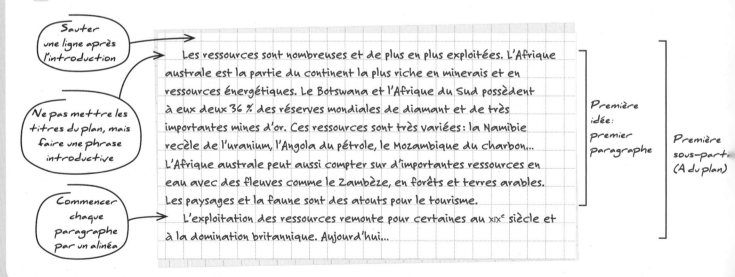

5 Terminez la rédaction du A puis du B de la première partie en respectant les conseils donnés dans le point méthode.

6 Parmi les trois exemples de transition entre la première et la deuxième partie, quel est le meilleur ? Justifiez.

POINT
MÉTHODE

Présenter une argumentation

→ **La présentation** doit être claire et aérée de façon à rendre visible l'organisation des idées.

→ **Sauter une ligne** après l'introduction, entre les différentes parties et avant la conclusion.

→ **Faire un retrait** (alinéa) au début de chaque partie et sous-partie.

→ **Tout doit être rédigé**, donc **ne pas mettre le titre des parties** mais **faire une phrase introductive** pour annoncer l'idée principale.

→ **Faire des phrases de transition** entre les grandes parties.

Après avoir vu que les ressources sont nombreuses, abondantes et inégalement mises en valeur, nous étudierons les défis de la transition et du développement.

Les pays d'Afrique australe doivent faire face au défi démographique. En effet...

L'exploitation des ressources témoigne donc bien de la diversité de l'Afrique australe et de ses mutations. Cette variété se retrouve dans d'autres domaines de la transition et du développement.

Les pays d'Afrique australe doivent faire face à différents défis, liés aux transitions en cours. Le premier concerne...

L'exploitation des ressources est donc un bon révélateur de la diversité de l'Afrique australe. Cette diversité se retrouve également tant du point de vue du développement que du point de vue des migrations.

Les pays d'Afrique australe doivent faire face à différents défis. Le premier concerne...

---

7 La deuxième partie peut être illustrée par un schéma, comme ci-dessous.
Parmi les deux propositions de rédaction du II A, quelle est celle qui intègre le mieux le schéma ? Justifiez.

Les pays d'Afrique australe sont à différents stades de la transition démographique. En effet, si l'Afrique du Sud a quasiment achevé sa transition démographique, d'autres pays l'amorcent à peine : en Angola par exemple, la mortalité reste importante et le taux de natalité est élevé et commence à peine à décroître. En revanche, d'autres pays comme le Botswana sont en position intermédiaire et la natalité décroît rapidement. On distingue donc trois types de pays, comme le montre le schéma suivant :

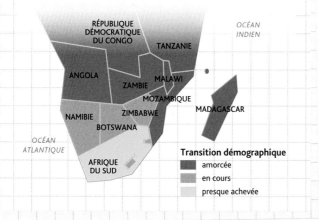

Les pays d'Afrique australe sont à différents stades de la transition démographique. En effet, si l'Afrique du Sud a quasiment achevé sa transition démographique, d'autres pays l'amorcent à peine : en Angola par exemple, la mortalité reste importante et le taux de natalité est élevé et commence à peine à décroître. En revanche, d'autres pays comme le Botswana sont en position intermédiaire et la natalité décroît rapidement. On distingue donc trois types de pays : Afrique du Sud d'un côté, pays frontaliers de l'Afrique du Sud sauf le Mozambique dans une seconde catégorie, autres pays enfin, ce que montre le schéma suivant :

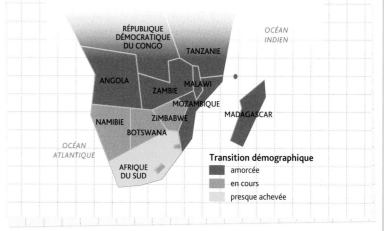

8 Sur le modèle de ce qui précède, terminez le devoir en y intégrant des schémas de votre choix.

Accaparement des terres *(Land grabbing)* Achat ou location de terres agricoles par des États ou des sociétés privées étrangers.

Accord de Paris sur le climat Il vise à contenir le changement climatique en limitant les émissions de CO_2. Il a été signé en 2015 par la quasi-totalité des pays, mais les États-Unis s'en sont retirés en 2017.

Accroissement naturel Différence entre les naissances et les décès; le taux d'accroissement naturel est évalué en %.

Afrique australe Dans son sens le plus étroit, le terme désigne l'Afrique du Sud et les pays limitrophes. Mais le terme a d'autres acceptions plus larges, dont une conforme à son étymologie: tous les pays d'Afrique situés dans l'hémisphère sud.

Agenda 21 Agenda pour le XXIe siècle. Programme d'action pour un développement durable, adopté à Rio en 1992, qui énonce les objectifs essentiels. Il se décline à toutes les échelles.

Aire urbaine Zone dépendant d'un pôle urbain et d'une couronne dont 40 % de la population au moins travaille dans le pôle ou dans les autres communes de la couronne.

Aléa Événement d'origine naturelle ou technologique devenant un risque s'il menace une population.

Aménités Ensemble des éléments qui constituent un cadre de vie agréable et attractif.

Anthropisation Transformation d'un milieu par les sociétés.

Apartheid En Afrique du sud, période où le Parti National est au pouvoir (1948-1991) mettant en place un « développement séparé » des populations, selon leur race et ethnie, aboutissant à une ségrégation.

Aridité Caractéristique d'un climat où les précipitations sont inférieures à 400 mm par an.

Artificialisation Forte empreinte humaine sur un milieu, causant une perturbation des cycles naturels (étalement urbain...).

Banlieue Ensemble des communes entourant une ville-centre. La banlieue est marquée par une urbanisation en continu, sans rupture avec la ville-centre, au contraire de l'espace périurbain, plus éloigné.

Bassin touristique Espace géographique constitué d'un pôle de départ et d'un pôle d'arrivée liés par des flux touristiques privilégiés.

Besoin Ce qui est nécessaire aux hommes pour vivre, en fonction de nécessités élémentaires (eau...) mais aussi de facteurs économiques, sociaux et culturels.

Bidonville Quartier défavorisé, construit souvent de manière illégale et dont les habitations sont constituées pour partie de matériaux de récupération.

BRICS (Brésil, Russie, Inde, Chine, Afrique du Sud) Ces pays émergents se réunissent lors de sommets annuels pour peser sur la scène internationale.

Catastrophe Réalisation d'un risque d'origine naturelle ou humaine, dont les effets sont dévastateurs.

Changement climatique *(Global change)* Modification durable des caractères du climat. Il est en grande partie d'origine anthropique et est évalué par les experts regroupés au sein du GIEC.

COM/POM Collectivité d'outre-mer et pays d'outre-mer. Statut créé par la France en 2003 pour certains territoires ultramarins (Saint-Pierre-et-Miquelon, Polynésie française...).

Conflit d'usages Concurrence entre plusieurs acteurs pour l'utilisation d'un espace ou d'une ressource.

Conflit environnemental Conflit déclenché par un projet d'aménagement entre des acteurs qui s'opposent, plus ou moins fortement, sur son opportunité et sur les risques et nuisances.

Continuité territoriale Principe de service public qui vise à compenser entre territoires les handicaps liés à l'éloignement.

Croissance voir p. 136

Demandeur d'asile Personne qui demande l'accueil et la protection d'un pays en vertu de la Convention de Genève de 1951.

Déplacé environnemental Personne devant quitter son lieu de résidence pour des raisons environnementales (catastrophes, désertification, relèvement du niveau marin...).

Désenclaver Fait de mieux insérer un lieu dans les réseaux existants en construisant par exemple de nouvelles infrastructures de transport.

Développement voir p. 136

Développement durable/durabilité voir p. 136

Diaspora Dispersion à travers le monde de migrants d'une même origine, ayant maintenu des liens (culturels, économiques...) entre eux.

Directive Seveso voir p. 34

Distance-temps/distance-coût Évaluation de la distance non pas en kilomètres parcourus mais selon la durée ou le coût du parcours.

Droit de l'environnement Lois visant à la protection, à l'aménagement ou à la restauration de l'environnement. En France, on distingue notamment la loi montagne de 1985, la loi littoral de 1986 (interdit toute construction à moins de 100 m du rivage), la loi sur l'eau de 1992.

DROM Département et région d'outre-mer. Statut créé par la France en 2003 pour cinq territoires ultramarins : Guadeloupe, Martinique, Guyane, Réunion et Mayotte.

Eau améliorée Eau non partagée avec des animaux et protégée de leurs déjections. Elle peut être fournie par une adduction individuelle, par des fontaines ou des puits, individuels ou collectifs. Sa potabilité n'est pas garantie.

Eau non conventionnelle Eau ne provenant pas de « sources conventionnelles » et qui n'est donc pas issue des nappes et des réseaux de surface: eau de mer dessalée, eau puisée dans des nappes fossiles.

Écomobilité, mobilité douce Mobilité respectueuse de l'environnement et du cadre de vie.

Économie de rente Pour un pays, fait de tirer l'essentiel de ses revenus de la vente de ses ressources, par exemple de son énergie.

Effet-tunnel Phénomène qui caractérise un territoire traversé par une voie de communication sans être desservi, faute d'accès.

Émergence/pays émergent Pays dont la croissance économique et, souvent, l'importance politique et le rayonnement culturel en font une nouvelle puissance.

Émigration Fait de quitter un espace – dit de départ – pour aller s'installer durablement ailleurs.

Empreinte écologique Indicateur qui évalue la surface terrestre et marine nécessaire à une population donnée pour répondre à ses besoins et pour absorber ses déchets.

Enclavement Fait d'être mal relié à l'extérieur. Cet enclavement peut être temporaire, par exemple l'accès aux grandes villes du fait des bouchons (on parle alors d'enclavement fonctionnel).

Énergie fossile ou non renouvelable Énergie créée à partir de ressources non renouvelables à l'échelle humaine (combustibles carbonés comme le charbon et les hydrocarbures conventionnels et non conventionnels).

Énergie renouvelable Une énergie est renouvelable lorsque son stock est illimité (hydraulique, éolien, solaire...) ou peut se reconstituer à l'échelle humaine (bois, agrocarburants...) sauf en cas de surexploitation.

Enjeu Personnes, biens, équipements susceptibles d'être affectés par un phénomène d'origine naturelle et/ou anthropique et de subir des préjudices ou des dommages.

Équité territoriale Action ayant pour but de corriger les injustices spatiales.

Espace de transit Pays ou régions traversée par les migrants lors de leur déplacement.

Espace Schengen Zone de libre-circulation des personnes entrée en vigueur en 1995 et comptant 26 pays en 2019, dont quatre ne sont pas membres de l'UE.

Étalement urbain Phénomène d'extension des périphéries urbaines du fait de la périurbanisation.

Étranger Personne qui n'a pas la nationalité du pays où elle se trouve.

FEDER (Fonds européen de développement régional) Principal fonds structurel de l'Union européenne, visant à réduire les écarts de développement entre les régions (réalisation d'infrastructures, soutien aux entreprises).

FTN/Firme transnationale Entreprise réalisant ses activités et son chiffre d'affaires dans plusieurs pays.

Flux voir p. 236

Fragmentation socio-spatiale Organisation d'un territoire marquée par une séparation accrue des espaces selon leurs fonctions, le niveau de vie des populations, leur origine.

Front pionnier Espace en cours de peuplement et de mise en valeur.

Gaz à effet de serre (GES) Gaz principalement liés à l'activité humaine (CO_2, méthane...). Leur concentration dans l'atmosphère participe au réchauffement climatique.

Gentrification Installation de populations aisées dans des lieux rénovés urbains (souvent centraux) mais aussi ruraux, à la place de populations modestes.

Gestion durable Mode de gestion destinée à concilier le développement économique et social avec la préservation de l'environnement, ce dernier étant considéré comme un patrimoine devant être transmis aux générations futures.

GIEC Groupe d'experts internationaux chargés d'étudier les évolutions du climat.

Gouvernance Processus de coordination entre les différents acteurs, groupes sociaux, institutions, afin qu'ils s'accordent sur un projet collectivement.

Grand foyer de peuplement Espaces concentrant une grande partie de la population mondiale.

Héliotropisme Attraction des régions ensoleillées.

Hub Plate-forme de correspondance permettant une redistribution des passagers, marchandises ou informations vers d'autres destinations.

IDH (Indicateur de développement humain) Allant de 0 (peu développé) à 1 (très développé), il tient compte du revenu par habitant, de l'espérance de vie à la naissance et des années de scolarisation des adultes âgés de plus de 25 ans ou, pour les enfants, des années attendues de scolarisation.

Immigration Fait d'entrer dans un espace - dit d'arrivée – pour s'y installer. La différence entre le nombre d'immigrants et le nombre d'émigrants dans un espace est le solde migratoire.

Indice de fécondité Nombre moyen d'enfants par femme en âge de procréer (15 à 50 ans).

Intercommunalité Regroupement de communes (communautés de communes, communauté d'agglomération).

Intermodalité Possibilité de passer facilement d'un mode de transport à un autre.

IPM (Indice de pauvreté multidimensionnelle) Mesure l'importance de la pauvreté dans une population donnée, selon dix indicateurs d'éducation, de santé et de niveau de vie.

LGV Ligne de train à grande vitesse (TGV).

Marketing territorial Mise en œuvre d'une communication pour valoriser un territoire.

Migrant international Personne allant s'établir dans un autre pays pour au moins un an pour diverses raisons (économiques, familiales...).

Migration Déplacement d'une personne ou d'une population qui implique un changement de domicile pour une durée longue. Une migration internationale suppose un changement de pays et le passage de frontières.

Migrations résidentielles Changement de domicile d'un foyer.

Milieu Espace relativement homogène marqué par une combinaison de caractéristiques naturelles le plus souvent modifiées par les sociétés. Celles-ci aménagent les milieux pour en surmonter les contraintes et en valoriser les potentialités en exploitant ses ressources. La plupart des milieux sont anthropisés.

Mixité sociale Coexistence de personnes issues de milieux divers et de niveaux de vie différents.

Mobilités voir p. 214

Mobilités circulatoires Déplacements non linéaires, comportant des allers-retours témoignant de choix d'itinéraires successifs.

Mobilités pendulaires/triangulaires Déplacements journaliers domicile-travail/domicile-travail-tiers-lieu.

Mondialisation Processus d'intensification des échanges à l'échelle planétaire.

Motilité Inégale potentialité à se déplacer, qui dépend en grande partie du niveau de vie.

Multimodalité Combinaison de plusieurs modes de transport pour un même trajet.

Nord/Sud Opposition classique entre des pays en développement, dits du Sud, et des pays développés, dits du Nord. Cette division est en partie datée.

ONG Organisation non gouvernementale, constituée par un regroupement de citoyens défendant une cause.

Outre-mer Territoires ultramarins français qui comprennent notamment cinq DROM (département et région d'outre-mer) – Guadeloupe, Martinique, Guyane, Réunion et Mayotte – et des COM/POM (collectivité et pays d'outre-mer).

Parc national Territoire où le milieu naturel présente un « intérêt spécial » à protéger. Il comporte un « cœur de parc » totalement préservé et une « zone d'adhésion » pouvant être peuplée.

Parc naturel marin Territoire maritime remarquable où l'on cherche à concilier protection et développement durable.

Parc naturel régional Territoire (souvent à caractère rural) qui présente un fort intérêt culturel et naturel et que l'on cherche à valoriser durablement.

Patrimoine/patrimonalisation Bien commun considéré comme devant être légué aux générations futures.

Périurbain Espace situé autour des villes, au-delà de la couronne des banlieues, et dépendant de cette ville.

PIB (produit intérieur brut) Richesse produite dans un État pendant une année.

Plan de prévention des risques (PPR) Document d'urbanisme visant à limiter l'exposition de la population aux risques majeurs en l'informant, en organisant les secours et en règlementant l'utilisation des sols d'une commune.

Planning familial Ensemble des moyens mis en place pour contrôler la natalité.

Plate-forme multimodale Lieu d'interconnexion entre des modes de transport différents.

PMA (Pays les moins avancés) Classification officielle de l'ONU désignant les pays connaissant le plus de retard de développement (47 en 2018).

Politique de la ville Politique mise en place par les pouvoirs publics pour tenter de réduire la fragmentation socio-spatiale en ville.

Population active Population en âge de travailler (population comprise entre 15 ou 20 ans et 60 ou 65 ans selon les définitions).

Potentialités Composantes d'un milieu qui peuvent être valorisées ou non par la société en fonction de ses moyens.

Prévention voir p.34

Prévision voir p.34

Quartier prioritaire Quartier reconnu comme devant bénéficier d'avantages fiscaux et de mesures « favorisant la cohésion sociale » (éducation, insertion et sécurité), le cadre de vie et la rénovation urbaine, le développement économique et l'emploi.

Réfugié Personne chassée de son pays pour des raisons politiques (persécutions, guerres), religieuses...

Regroupement familial Procédure européenne permettant selon certaines conditions de rassembler les membres d'une même famille.

Remise Transfert d'argent d'un migrant vers sa famille ou sa communauté dans son pays d'origine.

Réseau Ensemble d'axes de communication qui s'interconnectent en des nœuds.

Résilience voir p.34

Ressource Richesse potentielle exploitée ou non par l'homme.

Ressource non conventionnelle/Gaz et pétrole de schiste Ressource fossile dont l'extraction et la transformation en combustible utilisable nécessitent des investissements et des technologies particulières, le pétrole et le gaz de schiste étant contenus à l'intérieur même des roches, contrairement au pétrole et au gaz « conventionnels » qui sont présents dans des nappes du sous-sol.

Révolution verte Essor de la production agricole dans certains pays du Sud par la modernisation des techniques et des aides aux petits agriculteurs.

Risque Danger potentiel pouvant affecter une population. Un risque combiné est lié à l'interaction de plusieurs phénomènes d'origine naturelle ou humaine (anthropiques).

Risque global voir p. 26

Secteur (économique) La population active se divise en trois types d'activité : secteur primaire (agriculture, pêche, mines), secondaire (industrie, construction), tertiaire (services).

Smart grid Réseau « intelligent ». Gestion de la production et de la distribution d'énergie optimisée grâce à l'informatique.

Solde migratoire Différence entre le nombre de personnes venant s'installer dans un territoire et le nombre de personnes le quittant.

Stress hydrique Situation dans laquelle la demande en eau est supérieure aux ressources.

Système migratoire Flux de personnes entre pays de départ, de transit et d'arrivée, qui s'accompagne de liens privilégiés (culturels, économiques...).

Terres rares Ensemble de 17 métaux (lithium, cerium...) indispensables à la fabrication de produits électroniques, voitures électriques...

Tiers-lieu Territoire qui n'est ni le domicile ni le lieu de travail habituel : loisirs, écoles des enfants, commerces... Le terme désigne aussi les espaces de travail situés entre le domicile et l'entreprise.

Tourisme Déplacement temporaire en dehors du domicile habituel pour au moins une nuit.

Tourisme de masse Tourisme qui concerne un grand nombre de personnes en raison de la baisse du coût des transports et des séjours.

Tourisme international Ensemble des mobilités touristiques qui impliquent le passage d'au moins une frontière.

Townships Quartiers pauvres d'Afrique du Sud, hérités de la période d'apartheid où ils étaient réservés aux populations non blanches et séparés des quartiers blancs.

Transition Phase de changements majeurs qui se traduit par le passage d'un état à un autre, par exemple du point de vue démographique (transition démographique), environnemental (transition environnementale)...

Transition alimentaire Passage d'une consommation peu calorique, à base de céréales, à une consommation plus importante en calories et en protéines d'origine animale.

Transition démographique Passage d'un régime démographique traditionnel (forts taux de natalité et de mortalité, faible accroissement naturel) à un régime moderne (faibles taux de natalité et de mortalité, faible accroissement naturel). Pendant la phase de transition, où le taux de mortalité diminue plus vite que le taux de natalité, l'accroissement naturel est très fort.

Transition énergétique Processus qui vise à limiter la consommation énergétique et à diminuer la consommation basée sur les énergies fossiles au profit des énergies renouvelables.

Transition environnementale Évolution vers un nouveau modèle économique et social de développement durable qui renouvelle les façons de consommer, de produire... pour répondre aux enjeux environnementaux (changement climatique, raréfaction des ressources, perte de la biodiversité et multiplication des risques sanitaires).

Transition urbaine Passage d'un stade à très forte population rurale à un stade où la population est majoritairement urbaine.

Transition vers les mobilités Passage de sociétés relativement peu mobiles à des sociétés de plus en plus mobiles.

Transport en commun en site propre (TCSP) Mode de transport qui emprunte une voie réservée et est donc moins soumis à la congestion du trafic.

Vieillissement Augmentation de la part de personnes âgées dans une population, du fait de l'élévation de l'espérance de vie et/ou de la baisse de la natalité.

Vulnérabilité Capacité d'une société à faire face, plus ou moins efficacement, à un risque et aux dommages subis.

Zone économique exclusive (ZEE) Espace maritime d'un État côtier (jusqu'à 200 milles marins), sur lequel il est souverain en matière d'exploitation des richesses (pêche, énergie, minerais...).

Zone à faible émission Ville ou quartier interdits aux véhicules qui ne répondent pas à certaines normes d'émissions ou d'équipements.

CRÉDITS

PHOTOS Couverture : Manuel Correia/COSTALOPES/LANDPLAN/Bay of Luanda, Angola, 2014 **THÈME 1** • 8-9 : Shutterstock/P. Gudmundsson • 10 : AFP • 11 h : Age-fotostock/M. Mamun • 11 b : AFP Photo/Jewel Samad • 12 h : Alamy/M. Mostafigur Rahman • 12 b : Shutterstock/Salvacampillo • 14 : P. Squires • 15 h : NASA • 15 b : Getty Images/M. Stetson Freeman • 16 h : DR • 16 bg : Cosmos/Justin Jin • 16 bd : Abacapress.com/Tass/A. Ryumin • 18 : Hemis.fr/AFP/F. Guiziou • 19 h : H. Holzhauser • 19 m : Archive H. J. Zumbühl/Alpine Club Library London/F. Martens • 19 b : 123rf/S. Naryshkin • 20 : D. Gubler/Kabelleger • 22 : Getty Images/Ricardo Beliel/Brazil Photos/Light Rocket • 23 : AFP/A. Scorza • 24 : AFP/M. Diamond • 25 : A-Frame/Z. Noyle • 26 h : Age-fotostock/dpa/A. Mayumi Kerber • 26 g : AFP/KYODO • 26 bd : Shutterstock/think4photop • 27 : Shutterstock/E. Odareeva • 31 : Getty Images/The Asahi Shimbun Premium • 32 : AFP/L. Chamoiseau • 33 g : Direction de l'Environnement, de l'Aménagement et du Logement de Guadeloupe • 33 hd: Getty Images/Stocktrek Images/R. Roscoe • 33 bd : Photo 12/Alamy/Education & Exploration 4 • 35 h : N. Vadot • 35 b : Extrait de *Guide de bonnes pratiques pour la construction de petits bâtiments en maçonnerie chaînée en Haïti*/Ministère des Travaux Publics, Transports et Communications d'Haïti/Ministère de l'Intérieur et des Collectivités Territoriales d'Haïti • 36 : T. Ono • 37 : J. Souteyrat • 38 : Expédition 7e Continent/Dessin de Dominique Sérafini • 39 g : Ministère de la transition écologique et solidaire/DR • 39 hd : Getty Images/South China Morning Post • 39 bd : Le Monde • 40 : MDG Achievement Fund/Erwin Lim • 41 : Age-fotostock/Zoonar/S. Marie • 42 h : Age-fotostock/S. Grandadam • 42 bg : Getty Images/S. Egan • 42 bd : Photo 12/Alamy/Dinodia Photos • 43 : Hemis.fr/D. Bringard • 47 h : AFP/A. Caballero Reynolds • 47 b : Veolia/Havas Paris/RUDE • 48 h : Photo satellite Google Earth • 48 bg : REA/P. Gleizes • 48 bd : Serge Bourgeat • 49 h : OMVS • 49 b : REA/Gilles Rolle • 51 h : Photo 12/Alamy/R.T. Byhre • 51 m : India Smart Grid Week 2018/DR • 51 b : Piet, 2017 • 52 : Photo12/Alamy • 53 : Getty Images/National Geographic Image Collection/J. Sartore • 55 h : AFP/STR • 55 mg : Vosges Matin/M. Demeaux • 55 md: Communauté de communes du Pays Bigouden Sud • 55 b : Asso Graie/Méli Mélo • 59 h : Sputnik News/Podvitski • 59b: Le Monde/Damon Van Der Linde/DR • 60 : Shutterstock/byvalet • 61 : Hemis.fr/E. Berthier • 62 h : AFP/L. Chamoiseau • 62 bg : Photononstop/C. Dumoulin • 62 bd : Photononstop/J. Loic • 63 : iStockphoto.com/Sasha64f • 67 h : Google Earth et Carto, n°41, 2017, pp.32-33 • 67 b : Haut-Commissariat de la République en Polynésie française • 68 g et hd: C.-J. Parisot/Cocottesminute productions 2014 • 68 d : IGN-2019 • 69 g : AFP/J. Mattia • 69 d : Agenceter • 71 h : Age-fotostock/FreeProd • 71 b : Maxppp/Radio France/P. Ben Ali • 72 : Age-fotostock/S. Hefele • 73 : Hemis.fr/P. Frilet • 74 : Getty Images/M. Cavalier • 75 h : Google Earth • 75 m : Hans Lucas/Claire-Lise Havet • 75 b : AFP/B. Horvat • 79 : AFBiodiversité/P. Llanes/Parc national des Pyrénées • 85 : Photo12/Alamy • 86 : WorldBank/RISE • 87 h : Hub • 87 b : Getty Images • 88 : Hemis.fr/P. Jacques. **THÈME 2** • 92-93 : Maxppp/Pictures-alliance/dpa/p.kneffel • 95 h : https://humdo.nhp.gov.in • 95 b : Photo12/Alamy/S. Speller • 96 : iStockphoto.com/Noppasin • 99 : Photo12/Alamy • 100 h : © Hervé Théry • 100 b : REA/Zuma/Zuma Wire • 103 h : AFP/Y. Tsuno • 103 m : © Avec l'aimable autorisation de France Télévision • 104 : iStockphoto.com/Scaliger • 105 h : Photo12/Alamy • 105 m : Caglecartoon.com/Paresh Nath/The Khaleej Times, UAE • 106 : Getty Images/Westend61 • 107 : Photononstop/Robert Harding/A. Cavalli • 108 h : Reuters/A. Hussain • 108 m : IRD – J.-J. Lemasson/www.indigo.ird.fr • 108 b : Photo12/Alamy/P. Rollins • 109 : Reuters/E. de Castro • 113 : Jimmy Andriatsiahilika/www.mariestopes-us.org • 115 h : iStockphoto.com/Asian Dream Photo • 115 m : Kevin KAL Kallauger, Baltimore Sun, Kaltoons.com • 116 : Photo12/Alamy/dpa picture alliance • 117 h : Getty Images/Intermittent/K. Frayer • 117 m : Kroll/www.kroll.be • 118 g : Collection Christophel/Nexus factory/Raffaella production • 118 d (fond): iStockphoto.com/jessicahyde • 118 d : iStockphoto.com/rambo182 • 119 : © SEVEN SIBLINGS LIMITED AND SND 2016 • 120 : Agence d'architecture Liard & Tanguy/© P. Léopold • 121 : Photononstop/Design Pics/Perspectives/I. Taylor • 122 h : Maxppp/Wostok Press • 122 m : Photo12/Alamy/A. Cooper pics • 122 b : Getty Images/serdar-yorulmaz/iStock Unreleased • 123 : iStockphoto.com/C. Tong • 127 : Sipa Press/AP/N. Pisarenko • 129 h : Photo12/Alamy/C. Wollertz • 129 m : Reuters/M. Bazo • 131 h : www.un.org.sustainabledevelopment.fr • 131 b : D.R. • 132 : © « Photo EdA-David Liz » • 133 h : Photo12/Alamy/J. Boethling • 133 m : Miss Lilou/dessinsmisslilou.over-blog.com • 134 : © Avec l'aimable autorisation de l'association « Les Amis de la Terre France »/www.lesamiesdelaterrefrance.org/iStockphoto.com/Redrockschool • 135 h : © SYVADEC – campagne DEEE 2018 – www.syvadec.fr • 135 b : Photo 12/Alamy/M. Romano • 139 : iStockphoto.com/FrankRamspott • 140 : Getty Images/Picture alliance/Contributeur • 141 : Photo12/Alamy/G. Beckes • 142 h : Photo12/Alamy/J. Gilbert • 142 bg : CIT'images/X. Testelin • 142 bd : Signatures/R. Helle • 143 : Photo12/Alamy/dbimages • 144 et 153 m : Atlas politique de la France, sous la direction de Jacques Lévy, Ogier Maitre, Ana Povoas, Jean-Nicolas Fauchille, Cartographie Laboratoire Chôros © Editions Autrement, 2017 • 147 : © Imag'Drin • 148 : Photo12/Alamy/T. Cockrem • 149 h : © Avec l'aimable autorisation de Fabrice Folio/fabrice-folio-geographie-WordPress.com • 149 m : © Réunion-Europe-une réalisation Axe Design • 153 h : © Domaine universitaire de Grenoble/J.-F. Vaillant/Communauté Université Grenoble Alpes • 155 h : www.marseille-renovation-urbaine.fr/documents/les_14_grands_projets/Saint_Mauront/ • 155 b : Morbihan Tourisme – Agence Signe des Temps/Emmanuel Berthier/Hemis.fr/Bic Sport • 156 h : La ville faite par et pour les hommes, Y. Raibaud, © Belin Éditeur, 2015 • 156 b : © J.-P. Guirado et L. Domenach, GALD • 157 h : REA/Panos/C. Stowers • 157 b : https://ciney.ecolo.be • 161 : © Kamini/Edition MR Production • 163 : AFP/S. de Sakutin • 165 : Association Béninoise pour le Marketing Social et la Communication pour la santé/abmsbj.org • 167 : Photo 12/Alamy/M. Evans • 169 : © Commissariat général à l'égalité des territoires – SIG Ville • 173 : Tristan Pfund/MSF. **THÈME 3** • 174-175 : Panos Pictures/G.M.B. Akash • 176 : Photononstop/DPA • 177 : N. Lambert, 2017 • 178 hd : Iconovox/Lasserpe • 178 bg : Photo12/Alamy/M. Honneger • 181 g : Iconovox/Aurel • 181 d : UNISON/M. Rose • 184 : www.thebrandusa.com • 185 hd : Photo12/Alamy/Lazyllama • 185 g et 189 bd : Openflights.org • 186 hg : Los Angeles Tourism & Convention Board • 186 bg : Le Courrier de Floride • 188 : iStockphoto.com/Nikada • 189 bg : AFP/R. Moghrabi • 190 : REA/REDUX/The New York Times/M. Kohut • 191 : Shutterstock/Ruzanna • 192 hg : Panos Pictures/S. Torfinn • 192 bg : Photo12/Alamy/J. Etchart • 192 bd : REA/ZUMA/R. Stewart • 193 : AFP/R. Gacad • 195 : Photo12/Alamy/K. Sriskandan • 196 : UNHCR/A. McConnel • 197 : Plantu • 200 : AFP/L. ACOSTA • 201 hg : Payam • 201 mg : Ares • 201 bg : Yumba • 202 : Shutterstock/PitK • 203 : Pixabay/EyeEm/A. Marttinen • 204 g : Photo12/Alamy/M. Dakowicz • 204 bg : Photo12/Alamy/ASK Images • 204 bd : Wikimedia.org • 205 : H. Salomon • 207 : Pixabay/Kendallpools • 208 g : Hemis.fr/Alamy/A. Wright • 208 d : France 2, 20 heures du 26 janvier 2017, reportage de Bertrand Nicolas/INA • 209 : 2019 earthmap-fr.com • 210 : Photo12/Alamy/M. Clarke • 211 hg : Comune Venezia • 211 hd : iStockphoto.com/Jan-Otto • 211 d : Babel Doc/France 2, 20 heures du 15 mars 2018, reportage de Maryse Burgot/INA • 212 : Forward Travel • 213 hd : Photo12/Alamy • 213 bg : Reproduced with permission of Dorset Fine Art • 216 : IDIM Web/Stmartin.org • 217 hd : The New York Times Syndicate/CartoonArts International/PARESH • 217 bd : AFP/R. Atanasovski • 218 : Aeromedias/M. Perrey • 219 : 123rf/O. Kachmar • 220 h : France Antilles • 220 bg : Photononstop/A. Le Bot • 220 bd : Wikimedia.org/Geralix • 221 : Dreamstime/T. Dutour • 225 : SNCF • 226 hg : IGN, 2019 • 226 bg : DataFrance • 229 : REA/Ludovic • 230 bg : Région Occitanie/Lydie Lecarpentier • 230 bd : AFP/J.-P. Muller • 231 : DroneStudio/F.Allaire • 233 hd : Photo12/Alamy/N. van Kampenhout • 233 g : France 3, Enquête de régions Rhône Alpes Auvergne du 28 novembre 2014, reportage J. Perrier/INA • 233 bd : La Roue Libre de Thau • 234 bg : AFP/R. Rahman • 234 bd : Agence Dumétier/Grand Lyon • 235 hg : IDF mobilités • 235 d : Photo12/Alamy/J. Wlodarczyk • 239 h : Nantes Métropole/P. Garçon • 239 bd : Phanie/Burger • 241 : Le Nouvelliste Haïti • 242 : Photo12/Alamy/P. Forsberg • 243 : IGN • 244 : DR • 245 : Getty Images/W. Frang • 247 : IGN-2019 • 251 : ONISEP. **THÈME 4** • 252-253 : Dreamstime.com/Kierran1 • 255 h : REA/Panos/A. Tayler Smith • 255 hd : Getty Images/Bloomberg/Contributeur • 255 mg : Photo12/Alamy/R. van der Spray • 255 md : Photo12/Alamy/J. Barker/Afripics • 255 bg : Photo12/Alamy/J. Warburton-Lee Photography • 255 bd : Sipa Press/S. Dojcinovic • 256 h : Photo12/ImageBroker • 256 bg : Photo12/Alamy/J. Warburton-Lee Photography • 256 bd : Photo12/Alamy/L. Swart • 257 : AFP Photo/G. Guercia • 261 : Hemis.fr/ImageBroker • 262 h : Maxppp/Newscom/EPA/N. Bothma • 262 b : Getty Images/R. du Toit/Minden Pictures • 266 : Photo12/Alamy/Margaret S • 266 : Photo12/Alamy/C. Scott • 267 h : Photo12/Alamy/J. Boethling • 267 m : © euronews.com • 269 h : © « Goodbye Malaria » • 269 m : © Designed by PSI/Malawi for Ministry of Health with supporting from USAID • 271 h : Reuters/M. Hutchings • 271 b : Amakhala Safari Lodge/www.tourism4development2017.org/solutions/africas-eco-friendly-gems/ • 272 : Dreamstime.com/P. Allen • 273 h : Maxppp/Media Drum World • 273 m : Getty Images/Bloomberg/Contributeur • 274 : AFP/M. Longari • 275 : Reuters/R. Ward • 279 h : Maxppp/Media Drum World • 279 b : AFP/AFPTV/J. Jammot.

TEXTES Malgré tous les efforts de l'éditeur, il nous a été impossible d'identifier certains auteurs. Quelques demandes n'ont pas à ce jour reçu de réponses. Les droits de reproduction sont réservés. p. 32: Marc André Léopoldie, Frédérique Turbout, « Les sociétés face aux risques : le cas de la Caraïbe », Atlas Caraïbe AREC, MRSH, Université de Caen Normandie, 2017-2018. p. 231: Laurent Chalard, « LGV : voilà qui sont les gagnants ET les perdants de l'ouverture des nouvelles lignes TGV », *atlantico*.fr, 3 juillet 2017.

SOLUTIONS AUX EXERCICES p. 58 • **ex.1** : 1F, 2V, 3F, 4V, 5F, 6V, 7V, 8F, 9F, 10F • **ex. 2** : A1enjeu, A2 aléa, A3 risque ; B1 aléa, B2 risque, B3 enjeu. • **p. 78-79** • **ex.1** : 1V, 2F, 3F, 4V, 5F, 6V, 7V, 8F, 9F, 10F • **ex. 3** : A1, B2, C5, D2, E7, F4, G6 • **ex. 4** : A8, B7, C12, D1, E2, F9, G13, H3, I11, J4, K6, L5, M14, N15, O10 • **p. 138** • **ex. 1** : 1F, 2F, 3V, 4F, 5V, 6F, 7F, 8V, 9V, 10V • **p. 160** • **ex. 1** : 1F, 2V, 3F, 4V, 5F, 6V, 7V, 8V, 9V, 10F • **ex.2** : a3, b2, c1 • **ex.3** : a. 17% b. 42% c. 7e, d. 95% • **p. 216** • **ex.1** : 1V, 2V, 3F, 4F, 5F, 6V, 7V, 8F, 9V, 10V • **p. 238** • **ex. 1** : 1F, 2V, 3F, 4V, 5F, 6F, 7F, 8F, 9V, 10V • **ex. 2** : 1. 1/3 2. 90 % 3. 7 h • **ex.3** 1C, 2F, 3B, 4E, 5G, 6A, 7D • **p. 278-279** • **ex.1** : 1F, 2V, 3F, 4F, 5V, 6V, 7V, 8F, 9V, 10V • **ex. 3** : 1. A2, B4, C3, D1 ; 2. a1, b1, c3, d1

DANGER LE PHOTOCOPILLAGE TUE LE LIVRE

Équipe éditoriale: Alice Karle, Kummba Seck, Marie Valente, Florence Coquinot et Lou Hoschedé
Couverture: Marion Aguttes.
Conception de la maquette intérieure: Clémentine Largant et Sylvie Chesnay
Réalisation: Sabine Beauvallet et Véronique Rossi avec l'aide de FAcompo
Coordination et direction artistique: Studio Humensis, Audrey Hette
Cartographie: EdiCarto. Infographies: Orou Mama et Studio Humensis
Iconographie: Marie-Pascale Meunier, Dagmara Bojenko et Anne Egger
Photogravure et prépresse: Les Caméléons et Arthur Caillard.

La pâte à papier utilisée pour la fabrication du papier de cet ouvrage provient de forêts certifiées et gérées durablement.
Imprimé en Italie - N° d'édition: 03580211-02/juillet2019
Dépôt légal: avril 2019